Dello stesso autore nel catalogo Einaudi

Francesco Piccolo
Il desiderio di essere come tutti

Einaudi

www.einaudi.it

ISBN 978-88-06-23298-6

Il desiderio di essere come tutti

Ora noi possiamo sentirci, in mezzo alle comunità, soli e diversi, ma il desiderio di rassomigliare ai nostri simili e il desiderio di condividere il piú possibile il destino comune è qualcosa che dobbiamo custodire nel corso della nostra esistenza e che se si spegne è male. Di diversità e solitudine, e di desiderio di essere come tutti, è fatta la nostra infelicità e tuttavia sentiamo che tale infelicità forma la sostanza migliore della nostra persona ed è qualcosa che non dovremmo perdere mai.

NATALIA GINZBURG

Prima parte

La vita pura: io e Berlinguer

Sono nato in un giorno di inizio estate del 1973, a nove anni.

Fino a quel momento la mia vita, e tutti i fatti che accadevano nel mondo, erano due entità separate, che non potevano incontrarsi in nessun modo. Me ne stavo nella mia casa, nel mio cortile, nella mia città; con i miei genitori, i miei fratelli, i compagni di scuola, i parenti e gli amici – e in un altro pianeta accadevano i fatti che guardavo in televisione. Ogni tanto i grandi ne parlavano, del mondo e dell'Italia in particolare; quindi c'era interesse verso quello che accadeva al di fuori della nostra vita. Ma noi tutti, in ogni caso, non c'entravamo niente. E io, ancora meno.

Era appena finita la scuola. Massimo, il mio compagno di banco, mi invitava il pomeriggio a giocare da lui. Era molto ricco, aveva una villa gigantesca a Briano. Aveva appena conosciuto un ragazzino del paese, basso, con tante lentiggini e pochi capelli; non sapeva stare fermo, parlava soltanto in dialetto, e ci sembrava che sapesse tutto di ogni cosa come se fosse un adulto dentro il corpo di un ragazzino. Noi stavamo zitti, lo ascoltavamo e poi facevamo quello che faceva lui. Disse che ci avrebbe portato in un posto segreto, se avevamo il coraggio. Noi dicemmo subito di sí, anche se avevamo paura. Ci vedemmo il giorno dopo, era tardi, ma il sole non calava mai, e il ragazzino con le lentiggini ci disse di seguirlo. Percorremmo un bosco, lui sapeva benissimo come muoversi, dove andare. L'aveva già fatto tante volte, disse. E disse anche che non avremmo dovuto parlarne con nessuno. Noi giurammo, senza fare domande.

Arrivammo davanti a un muro. Abbastanza alto, ma non troppo alto. Ancora un po' diceva, e ci faceva strada. Camminavamo sfiorando il muro con la spalla. Poi arrivammo in un punto e lui disse: qui. Mise il piede in un piccolo buco che sapeva, si spinse in alto, si aggrappò al bordo e si tirò su. Fate come me, disse. E saltò dall'altra parte, sparendo. Massimo fece esattamente lo stesso.

Toccava a me, adesso. Di là, Massimo diceva: dài, salta. Di qua, avevo paura di non farcela. Mi aggrappai al muro, misi il piede cercando di trovare un punto che potesse reggermi, mi tirai su con forza, e con molta piú fatica di quanto avessi visto fare agli altri due, schiacciando tutto il torace contro il bordo, mi issai sul muro. E saltai giú. Non c'era piú nessuno ad aspettarmi. Ero sempre in mezzo agli alberi, ma dall'altra parte del muro, e la luce arrivava forte: gli alberi, mi resi conto, erano pochi. Subito oltre vidi i due, fermi, che si guardavano intorno.

Allora venni fuori alla luce anche io.

Certo, lo avevo capito subito che quel muro era il muro della Reggia. Tutti lo sapevamo, a Caserta, che cominciava dal centro della città e saliva sulle colline. Ma non avevo mai calcolato il perimetro dell'interno con le misure dall'esterno. Cioè, quando il ragazzo aveva detto: qui – non potevo rendermi conto di dove ci trovavamo.

Quindi, restai senza fiato.

Eravamo in cima, appena sotto la cascata, il punto che chiunque desiderava raggiungere quando entrava nella Reggia. Avanzai lentamente, con una mano che sfiorava l'acqua oltre il bordo della grande fontana, attirato dalla statua di una donna seminuda, coperta da un panno svolazzante, poggiato sulle parti che non bisognava vedere.

Intorno a lei c'erano varie altre donne piuttosto disperate, anche loro seminude. Dalla parte opposta c'era un cervo attorniato dai cani, che sembravano malintenzionati. Del cervo mi importava poco, della donna molto di piú.

La cosa davvero incredibile, però, è che non si vedeva nessun altro. La Reggia aveva chiuso, erano andati tutti via, e il ragazzino con le lentiggini addirittura sosteneva che in questo momento, qui dentro, in tutto il parco, i boschi, il giardino inglese e gli appartamenti, c'eravamo solo noi tre. Ma a lui questa cosa non sembrava eccezionale, la diceva soltanto per rassicurarci riguardo al frigorifero.

Il sole era tramontato da un po', la sera scendeva molto lenta ed era ancora giorno, quel giorno appena luminoso, bellissimo. Massimo e il ragazzo con le lentiggini erano andati dritti dove quello ci aveva portati: in un angolo c'era un frigorifero enorme, con una catena e un lucchetto che il nostro amico aveva imparato ad aprire con facilità. E dentro c'erano cornetti algida, coca cola, aranciate, acqua – qualsiasi cosa.

C'era quel frigorifero, era questo il segreto che non dovevamo rivelare. E c'era la Reggia completamente vuota, ma non eravamo venuti per la Reggia. Se gli altri due stavano zitti – quando stavano zitti, in una pausa dall'eccitazione – si percepiva con chiarezza il rumore lento, lieve, dell'acqua della cascata, che era una cascata morbida. Un rumore che non avevo mai sentito cosí nitido. Le statue della donna e delle amiche, del cervo e dei cani, erano lí, piú ferme e piú mute, sole. Tutte le volte che ero stato quassú – tante, soprattutto la domenica, o quando veniva qualche parente o un amico da fuori, eravamo arrivati fino a qui, che era il termine delle visite, il punto piú alto (sulle rocce della cascata non si poteva salire), il luogo piú bello della Reggia – c'era sempre una quantità di gente che si accalcava sul bordo della vasca, indicava il cervo e raccontava che era stato trasformato in cervo, e perché la donna si copriva pudica. C'erano bambini che mette-vano le mani nell'acqua (l'avevo fatto anche io adesso), le carrozze con i cavalli, il bus che arrivava e scaricava altri visitatori poi ripartiva.

Invece adesso, qui, nella Reggia, non c'era davvero nessun altro.

Mi posizionai con una bottiglia di coca cola fredda al centro dello spiazzo, seduto sul bordo della fontana, e diedi le spalle alla donna e al cervo. Massimo e l'altro facevano casini con frigorifero e gelati, sparivano tra gli alberi; era-no eccitati, tornavano, correvano e infilavano di nuovo la testa nel frigorifero. E poi dopo aver preso quanta piú ro-ba potevano, dissero: andiamo. E io dissi sí. Con la coda dell'occhio aspettai che saltassero dall'altra parte, mentre Massimo diceva: vieni, dài.

Non è che non avessi paura, avevo paura eccome di re-stare da solo, anche soltanto per un attimo. Ma la verità è che desideravo farlo, e lo desideravo tanto che pensavo meno alla paura: restare qui da solo, nella Reggia, forse da solo in tutta la Reggia, anche soltanto per trenta secondi. Non avevo nessuna idea del perché volessi farlo, ma sen-tivo con precisione che lo desideravo.

Loro scavalcarono, non immaginavano che non li stes-si seguendo, perciò non protestarono, forse cominciarono ad andare. E io rimasi qui, spalle alla fontana e di fronte a me la lunghissima distesa del parco, di tutte le vasche, la Reggia in fondo e gli alberi che delimitavano i boschi sui lati.

Mi sembrò, in quell'attimo, in un silenzio mai piú sen-tito – un silenzio fatto di acqua della cascata – di stare dentro qualcosa di gigantesco, che non poteva essere sta-to concepito soltanto per farci prendere i gelati dal frigo-rifero, non poteva essere stato concepito solo per noi che vivevamo qui in questo momento. Abitavo in un palazzo, laggiú sulla sinistra, vicino alle mura opposte, e ogni volta che mi affacciavo vedevo un lato della Reggia. E non me ne importava piú di tanto. Ci ero nato, era la mia vita, era capitato cosí, non era né un merito né una colpa, questa cosa enorme stava accanto a casa mia da quando esistevo, ci andavo la domenica come la gente di ogni città cerca il parco piú vicino per stare un po' all'aria.

E però, per quei secondi, mi sembrò che tutto questo arrivasse da lontano, avesse una storia; e soprattutto che non riguardasse solo noi, la mia famiglia, Massimo e quell'altro, il frigorifero che avevamo scassinato, la mia città e quelli che conoscevo. Ebbi la sensazione di non stare piú dentro questa cosa enorme e consueta che stava di fronte casa mia, ma dentro qualcos'altro, meno riconoscibile nella mia quotidianità, piú riconoscibile in assoluto. In pratica, per un attimo entrò nella mia testa un'intuizione che coincideva con quella solitudine e allo stesso tempo la negava: proprio mentre ero solo al mondo, mi stavo accorgendo che non ero solo al mondo. Mi sembrò, per un attimo allucinatorio, che tutti i viali e i parchi fossero completamente occupati da centinaia di migliaia di persone, milioni, che avanzavano dagli appartamenti verso la cascata, ed erano tutti gli esseri umani che avevano messo piede nella Reggia da quando era stata edificata fino a questo pomeriggio. E c'ero anch'io, tra loro.

Questa sensazione di far parte del mondo, per qualche secondo, mi diede euforia e mi spaventò, proprio come ero euforico e spaventato di essere rimasto qui dentro. Ma non riuscii a cogliere l'essenza di quello che mi stava succedendo: anzi, credo di averlo compreso – meglio: intuito – per un istante, che subito svaní. Mi sembrò che la luce si fosse abbassata troppo; allora mi alzai di scatto, come per scappare, saltai il muro, con fatica ma con energia, perché volevo tornare di là, da Massimo e quel ragazzino, ma soprattutto volevo tornare dentro la mia vita, quella che conoscevo e che non mi faceva paura – non mi dava tutta quella euforia, ma nemmeno mi spaventava.

E infatti, il tempo di ricascare di là, e la sensazione di

far parte del mondo l'avevo già perduta, mi sembrò una cosa passeggera e insignificante. Misi i piedi nella vita che stavo vivendo fino a quel momento, e tutti quei pensieri svanirono. Anche perché dovevo correre e raggiungere gli altri: già non si vedeva piú nulla.

Un paio di mesi dopo, una mattina, eravamo a Baia Domizia, come sempre. Agosto era quasi finito, e stava per cominciare il periodo dell'anno che odiavo di piú: tutti gli altri sarebbero tornati in città, noi invece saremmo rimasti al mare ancora per qualche settimana di settembre. Stavo giocando con mio cugino Gianluca sulla sabbia. Mia madre e le zie, quando stavano insieme, parlavano sempre in modo agitato, tanto da dare l'impressione che fossero preoccupate di qualsiasi cosa; ma stavolta erano piú spaventate del solito – indicavano quello che era scritto su un giornale, e dicevano: e adesso cosa facciamo.

Ecco, è stato questo che mi è sembrato subito diverso. Mettevano in relazione diretta quello che era scritto sul giornale e quello che dovevano fare. Non era mai successo. Per questo io e Gianluca abbiamo smesso di giocare, senza dirci nulla. Siamo rimasti immobili ad ascoltare. Di solito, quando accadeva, accadeva a uno solo e l'altro si arrabbiava, scuoteva il braccio. Adesso no. Eravamo in ginocchio, immobili, tutt'e due. Mia zia si è accorta di noi e ha detto: avete capito? Bisogna stare attenti, è pericoloso. Poi hanno detto che le cozze non le avrebbero mangiate piú e che però le avevano mangiate qualche giorno fa, hanno fatto i calcoli. Hanno detto: si muore. E hanno ripetuto piú volte, con disinvoltura, una parola che le inorridiva, ma questo non impediva di pronunciarla di continuo.

Colera, hanno detto.

Era scritta sul giornale quella parola, con caratteri molto grandi. Avete capito?, hanno continuato a chiedere.

Noi abbiamo capito che quello che era scritto sul giornale, coinvolgeva direttamente anche noi sulla spiaggia.

Quando il giornale diceva cosa non bisognava mangiare, a cosa bisognava stare attenti, eravamo noi quelli che dovevamo stare attenti o non dovevamo mangiare.

Quella mattina ho capito definitivamente che ero nato. E qualche giorno dopo ho provato subito, per la prima volta, la sensazione di morire.

Non ci fecero fare piú il bagno, come se il mare intero portasse addosso il colera delle cozze. Tanto valeva tornare a casa. Non ero dispiaciuto, per niente; era già qualche anno che piangevo e mi disperavo: tutti tornano, anche i miei amici nel cortile, e voi mi lasciate qui. I miei genitori mi spiegavano con calma che era una cosa bella, mi faceva bene, tutti gli altri avrebbero voluto avere la fortuna che avevo io. Però intanto quelli sfortunati stavano tutti insieme a Caserta, si ritrovavano e si divertivano in quei giorni meravigliosi tra la fine delle vacanze e l'inizio della scuola; invece io e i miei fratelli, fortunati, restavamo da soli a Baia Domizia, con la tata, perché anche i miei genitori dovevano tornare a lavorare, anche loro erano sfortunati. E anche io volevo essere sfortunato – per questo piangevo e mi disperavo.

Quell'anno, grazie al colera, fummo sfortunati, e ce ne tornammo a Caserta prima della fine di agosto.

Vibrione. Questa era la parola. Finora non esisteva, avrei potuto attraversare tutta la vita senza sentirla mai pronunciare. Il vibrione del colera. Un germe patogeno. Violentissimo. Si impianta nell'intestino tenue e distrugge tutto l'epitelio. Ma non me lo spiegavano cosí. La parola vibrione veniva pronunciata da chiunque, però nella sostanza quello che avevo capito, o che mi avevano detto, è che il colera ti accorgevi di averlo perché a un certo punto ti veniva un dolore lancinante alla pancia, proprio fortissimo, e poi andavi in bagno e veniva fuori della roba bianca. Proprio cosí: bianca. E questa diarrea bianca cominciavi a espellerla e non smettevi piú, anche dieci o quindici volte al giorno. Fino a quando avresti cacciato fuori solo acqua, senza poterla trattenere. E poi, alla fine, morivi perché non avevi piú acqua dentro il corpo. Disidratato, dicevano.

Alla televisione ne parlavano di continuo, i casi sospetti aumentavano, lo spavento dentro e fuori casa era sempre piú incontrollato. Non ci occupavamo d'altro; tutto il resto dell'esistenza era sospesa, non contava piú nulla, lavorare o non lavorare, comprare il latte, uscire a fare una passeggiata. Era come se tutti dicessero: aspettiamo un attimo; come se dovesse passare un treno, o finire un rumore; e soltanto dopo ci avrebbero chiesto: allora, che stavi dicendo?

Un'altra parola che cominciai a sentire spesso era Cotugno. Al telegiornale si vedeva sempre questo palazzone, il Cotugno, dietro gli inviati che parlavano, e la folla che accerchiava l'ospedale: andavano lí in tanti. Si vedeva qualche medico in camice bianco che usciva e parlava al megafono, per calmare i parenti dei ricoverati. Nessuno poteva entrare, e i medici erano consegnati: non potevano uscire. Il Cotugno era un luogo inaccessibile, misterioso. Restavamo tutti fuori, dai parenti a noi che guardavamo la tv. E quindi l'immaginazione su cosa ci fosse lí dentro cresceva, e diventava ogni giorno piú mostruosa.

Se dicevano vibrione, pensavo che poteva essere già dentro di me. Se dicevano Cotugno, lo guardavo al telegiornale pensando che prima o poi ci sarei andato anche io. Dentro, però. Questo era cambiato, rispetto a tutte le cose che erano successe fino a ora.

C'entravo.

L'acqua del rubinetto, dicevano, non si poteva bere piú. Le verdure crude non si potevano mangiare piú. Avevamo smesso di mangiare qualsiasi tipo di pesce, non solo i frutti di mare. Si usava l'acqua minerale per fare la pasta e il caffè.

Tutt'intorno si sentiva questo odore aspro di limone. Una cosa simile, la sento ancora nelle cucine pulite dopo pranzo. Ma qui era piú acre, perché si confondeva con la pelle, ed era come se si inasprisse. Molti però preferivano morire di colera piuttosto che strofinarsi addosso un limone e poi andare in giro con quell'odore. Anche io facevo cosí: già non mi piaceva lavarmi, poi lavarmi addirittura con il limone. Ti viene il colera, mi dicevano. Mi viene il colera, rispondevo.

Ero sfacciato, sicuro. Ma dentro di me, morivo di paura. Questa diarrea bianca mi terrorizzava, ci terrorizzava. Credo capitasse anche agli altri, non ho mai avuto il coraggio di chiederlo, ma andare in bagno era diverso da prima: mi sedevo, con il fiato trattenuto. Mi sforzavo poco, e stavo con la testa china tra le gambe a controllare. E ogni volta, tutto era a posto: non era bianca, non era liquida. Non avevo il colera. Per ora.

Poi arrivò quel pomeriggio al cinema. Ero contento, andavo con qualcuno, di sicuro non era mio padre – andavo sempre al cinema con mio padre, da anni, il pomeriggio, a vedere i western. Appunto per questo sono sicuro non fosse lui, perché sarebbe stato tutto diverso. Ma ormai non riesco piú a ricordare con chi. Era qualcun altro, forse piú di una persona: forse mio cugino Gianluca con mia zia, forse lui e basta, forse gli amici del cortile. Non lo so piú. In verità, ogni volta che ripenso a quel pomeriggio, la testa viene subito occupata da un ricordo sbagliato – forse perché anche quell'altra volta non ero stato bene: ero con una ragazza, e vedevamo *L'ultimo metrò*. Ovviamente non è possibile, perché non sarei mai andato a nove anni a vedere *L'ultimo metrò* di Truffaut, e per giunta da solo con una ragazza. E poi *L'ultimo metrò* è del 1980. Ma devo essere stato male anche quella volta, e anche quella volta è stato al cinema San Marco, prima fila in galleria, in modo da poggiare le gambe sulla balaustra. Era il posto migliore.

Questa è l'unica cosa che accomuna i due momenti, oltre al fatto che sono stato male. Ricordo che guardavo *L'ultimo metrò* ed ero felice, e poi a un certo punto si è complicato tutto e ho cominciato a pensare solo: speriamo che finisca. E a quel punto non finiva piú.

E qui le somiglianze con quel film dei primi giorni di settembre del 1973, sono subito terminate. Perché di quel film non ricordo nulla, se non di aver sperato, al contrario, che non finisse mai piú. Di questo sono sicuro. Ricordo anche, in modo vago, la sensazione di euforia con i soldi in mano davanti alla biglietteria: perché era il primo film al ritorno dalle vacanze, e forse anche perché andavo al cinema senza i miei genitori, e mi sentivo grande. Ma è inutile, non riesco proprio a ricordare con chi fossi.

Era buio. Ero seduto, le gambe allungate sulla balaustra, e a un certo punto ho sentito una fitta alla pancia. Netta, violenta, breve. Mi sono detto: che sta succedendo. E per me quel film è finito subito; cancellato. Ho guardato gli altri accanto a me, erano tranquilli, guardavano lo schermo. Ho cancellato anche loro con quell'ultimo sguardo, è evidente.

Mi sono detto: sto esagerando, in fondo è una fitta, una sola, e la sento piú forte perché ho paura. Ma poi la fitta è tornata subito, e poi un'altra, e infine ha smesso di essere una fitta violenta e breve. È tornata, ed è rimasta. Avevo mal di pancia forte, tentavo di dirmi che era solo un mal di pancia forte, ma in realtà era fortissimo, aumentava, diventava intollerabile; sudavo freddo, ero probabilmente impallidito, di sicuro mi sentivo debole, debole, molto debole.

Ora sapevo che tutte le altre volte che avevo temuto di avere nella pancia una roba liquida, era una stupidaggine. Perché adesso i movimenti della pancia, un gorgoglío continuo e inquietante, erano la certezza matematica di una liquidità che sentivo scendere piano, come in un tubo.

Ero terrorizzato, ma non sorpreso. Un po' me l'aspettavo: quella storia riguardava noi, riguardava anche me. Avevo temuto fin dalla mattina a Baia Domizia che sarebbe potuto accadere, del resto era quello il senso di parentela tra le cose che erano scritte sul giornale e noi. Ma adesso, che era accaduto davvero, era tutto diverso. Molto piú spaventoso. Un dolore violento, ma soprattutto una sensazione di tristezza che, per quanti sforzi avessi fatto, non ero riuscito a rendere con l'immaginazione, con la paura.

Il vibrione adesso era dentro di me, il Cotugno era il mio prossimo domicilio, l'ultimo.

Pensavo: devo resistere perché sennò viene tutto fuori, si accendono le luci, i miei amici vedono cosa è successo, anche gli altri spettatori lo vedono, e non mi soccorrono, ma scappano tutti inorriditi, urlando: colera!, colera! Per questo motivo ero immobile e non facevo nulla; e anche per un altro, che era a suo modo razionale: se la trattengo, se non mi lascio andare, la mia vita dura di piú. Certo, qualche minuto in piú, forse un'ora, non troppo, ma era comunque un po' di tempo in piú. E continuavo a far finta di guardare il film, a non fare un singolo movimento per non disturbare, a non farmi guardare in faccia perché lo sapevo che sul mio viso c'era la morte. Pensavo: non solo non devo dire nulla, ma non devo toccare nessuno, posso contagiare chiunque si avvicini – forse anche per questo non ricordo piú con chi stavo, perché chiunque fosse, avrei potuto trasmettergli il colera.

Ecco, ero cosciente di una sola cosa, chiara e in fondo semplice: stavo per morire. Del resto i casi aumentavano ogni giorno, si aveva paura continua del grande contagio, si pulivano fogne, si disinfettava ogni angolo di città, si mangiava la pasta cucinata con l'acqua minerale; ma forse questa volta, una sola volta, mia madre non l'aveva fatto, oppure avevo sbagliato a non lavarmi con il limone – un errore doveva esserci stato, e non sapevo quando e come, se coinvolgeva altri oppure no; forse stavamo morendo tutti, io al cinema, mio padre in banca, mia madre e i miei fratelli a casa.

Il mio obiettivo, adesso, era uno solo: non far capire agli altri che avevo il colera; resistere, aspettare la fine del film, poi tornare a casa e sedermi sul water e abbassare la testa e lasciarmi andare, avendo prima avvertito mia madre, o mio padre: ho il colera, portatemi al Cotugno. Allo stesso tempo, era l'ultima cosa che volevo fare, e tutto quello che mi proteggeva da quel momento decisivo era restare qui in questo cinema, immobile, sperare che i minuti rallentassero, che il film continuasse per sempre, per tutto il resto del tempo dell'esistenza dell'umanità; e tenere le natiche strette sotto questo mal di pancia che era diventato straziante, che mi bruciava le viscere.

Quel tempo che ho passato dentro il cinema San Marco – forse un'ora, o dieci minuti, o un tempo x che non potrei piú calcolare in nessun modo – l'ho passato avendo la certezza matematica che ormai stavo per morire. Non avrei fatto nulla di quello che avrei desiderato fare nella vita. Ma era un rimpianto generico, poco radicato. Mi ricordo che quello che mi consolava, con un intuito filosofico di non poco conto, è che in fondo sarei morto dopo soltanto nove anni di vita; avevo avuto il tempo di conoscere poche persone e quindi poche persone avrebbero sofferto; e comunque, sia i miei genitori sia i miei fratelli avrebbero avuto tanto tempo per dimenticarmi, o almeno per superare la sostanza del dolore (dimenticarmi del tutto, speravo di no).

Sapevo cosa avevo, cosa mi sarebbe successo, avevo chiaro perfino l'edificio del Cotugno dove tra poche ore mi avrebbero portato; e vedevo già i miei genitori – se non stavano morendo anche loro – aggrappati alle transenne per avere notizie del figlio, se era vivo o era già morto.

Quello che stava succedendo, pensai, era che facevo parte del mondo, e il mondo si era rivelato con un'epidemia. Non era una questione privata, ma riguardava tutti noi. E quindi anche me. Adesso, soprattutto me. Era andata cosí.

Pensai anche un'altra cosa: se non fossi nato qui, adesso non avrei il colera, non sarei quasi morto. Per la prima volta pensai con precisione che ero stato sfortunato a nascere a Caserta. Avevamo la Reggia, mi venne in mente che ero stato assolutamente solo nella Reggia per cinque minuti, anzi meno, e in effetti era cominciato tutto da lí; ma ormai nemmeno questo aveva piú importanza. Se fossi nato in qualsiasi altro luogo, la tragedia, questo evento invincibile e potente che si era piantato dentro la mia pancia, non l'avrei conosciuta. Non adesso, a nove anni; non cosí. Ero stato sfortunato, non c'era dubbio. Poi, il film finí.

Dal cinema a casa erano poche centinaia di metri. Li avevo fatti correndo, perché davvero non ce la facevo piú. Bisognava percorrere tutta via Mazzini e volevo guardare la fila dei negozi per l'ultima volta, se era l'ultima volta, ma la concentrazione sul dolore me lo impediva. E del resto, pensavo, chi se ne importa, se muoio, di via Mazzini e dei negozi. Se muoio, non importa piú di nulla. Avevo superato la linea di confine della sopportazione, ed ero entrato in quell'area di pensiero che accetta il destino che deve venire: dovevo e volevo andare in bagno, liberarmi di quella roba bianca che si muoveva nella pancia e mi torceva l'intestino. E poi volevo andare a casa perché c'era mia mamma, volevo andare da mia mamma.

Quando sono arrivato, non c'era. C'era la tata, Giuseppina, con i miei fratelli, che sembrava stessero bene; non mi sono avvicinato, per non contagiarli. E a Giuseppina non ho detto nulla, avevo paura che scappasse e ci lasciasse soli.

Sono entrato in bagno, ho chiuso a chiave. Poi ci ho ripensato, e non ho chiuso a chiave perché cosí avrebbero potuto soccorrermi e portarmi al Cotugno. E chissà, al

Cotugno sembrava si stessero dando tanto da fare, forse avrebbero potuto anche salvarmi. E comunque, la morte non era nulla rispetto a quello che mi aspettava ora: vedere quella roba bianca uscire dal mio corpo, constatare senza piú dubbi che il vibrione era dentro di me e stava cominciando a uccidermi; stare seduto sul water per ore fino a morire disidratato. Una scena che avevo immaginato già migliaia di volte, soprattutto ogni notte nella solitudine del letto.

Mi abbasso i pantaloni e mi siedo sul water. Aspetto qualche secondo, o meglio vorrei aspettare, ma poi questa roba liquida viene fuori in grande quantità, e sento subito sollievo, perché non ce la facevo piú. Però non ho ancora guardato. Un'altra scarica, lunga e forte, un sudore gelido. E infine, allargo le gambe e guardo.

Non è bianca.

Non penso di essermi salvato, non ancora. Ma un po' di coraggio lo raccolgo. Forse le prime volte non è ancora bianca. Quindi possono salvarmi. Non sono morti tutti.

In quel momento, sento due tocchi alla porta, e la voce di mia madre: «Tutto bene?»

Non ce la faccio a dire no, ma nemmeno a dire sí. Rispondo: «Adesso esco».

Quando esco, lei è in cucina. Mi avvicino al tavolo, e mi siedo. Sono pallido, tremo.

Dico: «Mamma, non sto bene».

«Lo so», risponde. Senza nemmeno voltarsi.

Come, lo sai? – vorrei dirle, ma non ce la faccio. Devo dire: credo di avere il colera, mi porti al Cotugno? – ma non ce la faccio.

Però un modo per dire qualcosa lo sto cercando, e anche lei sta per dire qualcosa. Poi si blocca, come se un lampo di consapevolezza l'avesse colpita in pieno. Si gira di scatto verso di me con un'espressione nuova, e comprende il terrore nei miei occhi. Ha capito, all'improvviso, cosa sto per dirle.

E sorride.

Quel sorriso – non solo quello, però il sorriso piú di ogni altra cosa – non gliel'ho mai piú perdonato.

Sorride, come se ci fosse da sorridere. Poi viene da me e mi abbraccia: «Oh amore, scusa».

Sia il sorriso sia il resto non gliel'ho mai piú perdonato – però soltanto in seguito: perché quello che mi dice in quel momento mi dà un tale sollievo, una tale felicità, che lí per lí, anche se mi metto a urlare che è una stupida, deve essere proprio una stupida, penso soltanto: non ho il colera. E sono felice, ho voglia di abbracciarla e piangere tenendola stretta, ma so che devo dimostrare una rabbia che non provo.

Come tutte le volte che tornavamo dalle vacanze, mia madre ci aveva dato una purga. Aveva messo qualcosa dentro il latte, perché facevamo sempre un sacco di storie per prendere due pasticche della dolce euchessina: non volevamo prendere volontariamente quelle pasticche che poi ci avrebbero fatto andare in bagno cinque, sei volte, che ci avrebbero fatto stare male. Cosí, dall'anno precedente aveva trovato questa roba potentissima che si chiamava guttalax, ed erano delle gocce, e ce le aveva messe nel latte di nascosto, perché era la sua fissazione: al ritorno dalle vacanze dovevamo ripulire l'intestino per l'inizio della nuova stagione. E lei, per un automatismo, per una distrazione, per una caratteristica ancora piú precisa che la segnava da sempre, non aveva pensato al colera quando ci aveva messo le gocce di guttalax nel latte.

Adesso le purghe non esistono piú, non mi pare. Io comunque non ho mai pensato di mettere una purga nel latte dei miei figli per ripulirli, per far cominciare l'anno con l'intestino revisionato. Ma prima sí – o almeno cosí faceva mia madre, ogni volta che tornavamo dalle vacanze. Non ci aveva detto nulla, e noi avevamo avuto un anno intero per dimenticarlo. Quando al cinema era cominciato il mal di pancia, non mi aveva sfiorato minimamente l'idea che mia madre avesse messo il guttalax nel latte; e se mi avesse sfiorato, l'avrei scartata subito, perché avrei pensato: mia madre non è cosí stupida che in questo periodo, con il terrore del colera, mi mette il guttalax nel latte. Oltretutto senza dirmelo.

E invece lo aveva fatto.

E quando mi ha abbracciato, quel pomeriggio, mi ha detto, con semplicità, e dopo aver sorriso: «Non ci avevo pensato, al colera».

E io dovevo ammettere di non aver pensato al guttalax.

Nel racconto di Raymond Carver, *Con tanta di quell'acqua a due passi da casa*, Stuart e tre suoi amici, come ogni anno, vanno a fare un fine settimana di pesca, bevute e amicizia virile sulle rive di un fiume, a molte ore di distanza da casa; lasciano l'auto tra i monti e poi fanno a piedi parecchi chilometri (otto, per l'esattezza), con sacchi a pelo, cibo, stoviglie, carte da gioco e whisky. Quando arrivano nel solito posto dove hanno deciso di stare dal venerdí sera fino al lunedí mattina, sono stanchissimi, ma contenti. Quando uno di loro scopre il corpo, non si sono ancora accampati. È un dettaglio che alla moglie di Stuart (e a Carver) sembra importante.

La moglie di Stuart, Claire, è il narratore della storia. Il punto di vista è il suo, sue le reazioni, la crisi e una svolta narrativa significativa. Il racconto, infatti, non comincia quando cominciano i fatti, ma già un bel po' dopo la rivelazione che Stuart ha fatto a Claire. Nelle prime pagine, Claire è in cucina. A un certo punto chiude gli occhi, e in piena coscienza con un braccio spinge a terra tutti i piatti e tutti i bicchieri, che vanno «a spargersi in mille pezzi sul pavimento». Sa che lui non reagirà, sa che ha sentito ma non reagirà. Adesso che in qualche modo ha compiuto un

gesto qualsiasi, Claire può raccontare la storia dal principio; per poi oltrepassare la sera in cui ha rotto i piatti, e
andare fino in fondo – che poi è il "fino in fondo" che conosce Carver, e cioè un punto che significa qualcosa, che
lascia intravedere qualcosa, appena prima di un attimo decisivo, o appena dopo, lasciando in sospeso comunque ogni
evento conclusivo. Anche se le vere conclusioni, Claire le
ha già tratte durante il racconto: «Eppure, tra me e Stuart
non cambierà niente».

È successo questo: uno dei quattro pescatori è sceso al
fiume e ha visto il corpo di una ragazza che galleggiava a
faccia in giú nell'acqua, impigliata in certi rami vicino alla riva. Era morta, era completamente nuda. È andato a
chiamare gli amici, per mostrarla anche a loro. E anche per
decidere cosa fare. Cioè, il nodo del racconto è la decisione
che devono prendere (che hanno preso) i quattro amici dopo un lungo viaggio in macchina e otto chilometri a piedi
nei boschi, per raggiungere il posto dove amano andare a
pescare insieme: se devono tornare indietro, rifare tutto
il percorso a piedi, arrivare alla macchina, raggiungere la
prima cabina telefonica e chiamare la polizia; oppure restare lí, montare le tende, cucinare e bere il whisky, dormire e il giorno dopo vedere cosa fare.

Uno di loro – Claire dice che Stuart non le ha voluto
rivelare chi, ma le ha detto di non essere stato lui – sostiene che bisogna tornare indietro, sospendere subito la gita.
Gli altri «si sono messi a smuovere la sabbia con la punta
delle scarpe e hanno detto che preferivano restare»: ormai
è tardi, quasi notte, decidono di rimanere e poi prendere
una decisione l'indomani. Cosí tornano al campo, monta-
no le tende, accendono il fuoco e si mettono a bere whisky e a chiacchierare. Molto piú tardi, piuttosto ubriachi,
decidono che bisogna fare qualcosa, perché la corrente potrebbe liberare il corpo della ragazza dai rami e trascinar-
la via. Cosí prendono le torce, scendono al fiume. Uno di

loro entra in acqua, prende la ragazza per le dita e la tira
piú vicino alla riva. Poi, con un filo da pesca che le avvol-
ge intorno al polso, la lega al ramo di un albero, in modo
che il corpo non possa allontanarsi.

La mattina dopo, i quattro si svegliano, bevono caffè
e fanno colazione. Poi si dividono in due coppie. Vanno a pescare. E rimangono a pescare tutto il giorno. La
sera, cucinano il pesce che hanno preso, e vanno giú al
fiume a sciacquare piatti e bicchieri, non lontano dalla
ragazza morta e legata a un albero con un filo di nylon.
Poi, ubriachi, si raccontano fino a tardi storielle volga-
ri, non accennano mai alla ragazza; solo quando uno di
loro dice che la carne delle trote pescate nel fiume era
soda, ammutoliscono imbarazzati. Non ne parlano, ma
qualcosa li ha messi di fronte a quello che stanno facendo. Uno di loro inciampa in una lampada e bestemmia
rabbioso. È ora di andarsene a dormire, perché le loro
teste sono state attraversate da qualcosa che ha cambiato l'umore di tutti.

La mattina dopo, domenica, vanno di nuovo a pescare;
però hanno deciso di tornare alla base all'una, raccogliere la roba e partire – un giorno prima di quando avessero
programmato. Fanno gli otto chilometri del ritorno, rag-
giungono l'auto. Alla prima cabina si fermano. È Stuart a
chiamare l'ufficio dello sceriffo, a dare tutte le coordinate,
fornire le loro generalità e rendersi disponibile ad aspettare l'arrivo di qualcuno che verbalizzi le loro dichiarazioni
e riceva indicazioni piú precise.

Stuart torna a casa alle undici di sera. A letto, prova a
toccare Claire, poi si ferma. Ma Claire si muove, allunga
le gambe, poi non si capisce bene, ma sembra che abbiano
fatto l'amore – e se fosse cosí, Claire potrebbe non per-
donarglielo (tanto che non riesce a dirlo in modo chiaro,
se è successo o no). La mattina dopo, vede che lui risponde nervoso al telefono, dice che non ha altro da dire oltre
a quello che ha già detto allo sceriffo. Claire non capisce

cosa stia succedendo. Stuart le chiede di sedersi, deve raccontarle una cosa.

Claire prende subito l'unica posizione possibile: trova
assolutamente inaccettabile che i quattro siano rimasti a
pescare. Stuart vorrebbe la sua comprensione, ma non può
averla. La sua difesa è: ormai era morta. Claire risponde:
per questo bisognava aiutarla. Oltretutto, il cadavere non
è stato ancora identificato.

In quei giorni, il loro rapporto cambia: Claire finisce
per avere paura del marito, cerca chiarimenti ma non ottiene nulla. Decide di portare il figlio dalla nonna, di non
farsi piú toccare dal marito, e di dormire sul divano – è
a questo punto che penserà: ma con tanta di quell'acqua
a due passi da casa, che bisogno c'era di andare fino a lí?
È il pensiero disperato e inutile di chi vorrebbe tornare a
prima che le cose siano successe, ma non si può fare. Pensa
anche che non cambierà nulla, tra loro due: «Voglio dire,
niente cambierà sul serio. Invecchieremo insieme, già si
comincia a leggerlo sui nostri visi, nello specchio del bagno, per esempio, quando capita che siamo lí tutti e due.
Certo, qualche cosa che ci circonda cambierà un po', le cose si faranno piú facili o piú difficili, dipende, ma niente
cambierà veramente, in fondo».

Nonostante da quel momento in poi il giudizio sul marito, e di conseguenza il suo sentimento, siano cambiati,
Claire ha la lucidità di accettare che nulla cambierà, per
il fatto che tutto questo, quello che è successo, l'oggetto
del racconto è – in qualche modo assurdo ma inevitabile – insufficiente. È una colpa ai suoi occhi (e ai nostri)
enorme, ma non definitiva. È frutto di circostanze, di una
decisione del gruppo, di un ritardo che si è procrastinato
mezza giornata dopo mezza giornata. Ci sono dei passaggi imperdonabili, lei lo sa; ma sa anche che in fondo non
può accusarlo in modo piú circostanziato.

I libri – le storie che ho amato durante la mia vita – hanno avuto a che fare con me sia perché fondavano un nuovo modo di guardare il mondo, sia perché chiarivano almeno un po' quello che avevo compreso (o non avevo compreso) fino a quel momento. Ho sempre accomunato il guttalax di mia madre alla decisione di Stuart e dei suoi amici, fin dalla prima volta che ho avuto tra le mani il racconto di Carver. Ho sentito in quel racconto, in modo preciso, l'arrivo di un evento del mondo dentro la vita di persone che erano chine sulla propria, e la stessa volontà di non cambiare il corso delle cose. Il tentativo – nel racconto di Carver, nella vita di mia madre, e forse anche nella vita mia – di non deviare il corso della propria esistenza a causa di fattori esterni; a causa di un evento che tocca il nostro andamento quotidiano, lo sfiora, ma non ne fa parte – o almeno cosí avevamo sempre sperato.

Fino a quei giorni del colera, non ero stato modellato in nessun modo se non con le abitudini familiari, l'esempio degli amici che mi sembravano piú scaltri, la paura di essere messo da parte. Adesso c'era la comunità piú ampia, oltre la mia, fatta di esseri umani che non conoscevo. E potevo imparare delle cose. Anzi, stava già accadendo, mio malgrado. E soprattutto – era il nocciolo della questione, era la conseguenza della mia nascita definitiva – il mio carattere si sarebbe modificato sulla base di questo doppio binario, di questa impastatura tra la mia personalità e quella che si veniva formando con la partecipazione al mondo. Con quello che mi succedeva.

Il fatto che mia madre avesse continuato a scandire la nostra vita senza occuparsi di quello che accadeva intorno – nonostante ne fosse coinvolta, terrorizzata, e mettesse in atto tutte le strategie difensive che ci erano state raccomandate – fu non solo sorprendente, ma destabilizzante. Perché fu proprio la sua capacità di opporre resistenza alla vita esterna con la forza delle abitudini, a ottenere un risultato. Il confronto tra la sua testardaggine e gli eventi che arrivavano dall'esterno compose dentro di me il primo condizionamento misto, un grumo del quale non mi sarei piú liberato.

In pratica, la tragedia era svanita.

Adesso, per quanti sforzi facessi, non la sentivo piú. Non è che non sentissi piú di avere il colera – questo era chiaro, non ce l'avevo. Ma avevo smesso di sentire il colera come una minaccia. Mia madre era stata superficiale, ma la superficialità aveva disinnescato ogni possibile minaccia. Non ci credevo piú. E per quanto la televisione continuasse a rimandarmi la tragedia, e per quanto la tragedia fosse davvero concreta per altri, non lo sarebbe stata per me, per mia madre, per quelli come noi. Ho pensato: certo, mia madre mi ha fatto male; ma ho pensato anche: tutte le cose terribili che accadono non sono mai cosí terribili. Cosí si è formato dentro di me un carattere preoccupante, disarmante. Avrei forse dovuto respingerlo, se avessi avuto sufficiente coscienza, ma chissà se poi nel tempo la coscienza avrebbe potuto qualcosa contro l'ineluttabilità degli eventi e delle conclusioni che ne sarebbero derivate.

Sentivo come conseguenza ineluttabile anche un altro evento, ma non troppo doloroso (ormai nulla sarebbe stato totalmente doloroso?): non avrei piú potuto fidarmi di mia madre. La sua superficialità era stata incalcolabile. Inspiegabile. Assoluta. Era la parola che l'avrebbe caratterizzata per tutta la vita a venire: superficiale.

Ma questa conclusione faceva parte della complessità di tutte le cose che stavo imparando: infatti non mi aveva soltanto spaventato a morte, mi aveva anche nello stesso tempo – anzi, appena dopo – tolto per sempre lo spavento. Non avevo piú nessuna percezione della tragedia, perché avevo imparato che tutte le tragedie possono avere una conseguenza minuscola – è quello che posso pensare da allora – quindi forse mi ha dato anche un ottimismo, una sfrontatezza. Sono diventato incauto. Non mi fa piú impressione niente.

Come i quattro pescatori hanno tentato di fare la vacanza fino in fondo, allo stesso modo mia madre ha testardamente continuato a pensare che dovessimo pulire l'intestino, a prescindere da ciò che stava succedendo intorno e addosso a noi. Era, forse, il suo tentativo estremo, e inconsapevole, di tenerci al riparo dal mondo esterno. E anche io, alla fine, dopo aver provato la paura di morire, sono tornato alla mia vita, cosí come l'avevo vissuta sempre, come l'avevo vissuta prima di accorgermi che il mondo esisteva.

Potrei dire che non condivido il gesto che fece mia madre, visto che mi fece soffrire cosí tanto, e che mi mise di fronte alla morte, una morte generica e direi impersonale, proprio come Claire è stata messa di fronte alla morte troppo vicina di una persona sconosciuta. Ma in verità, allo stesso tempo, questa cosa la comprendo – ho imparato a comprenderla. Perché qualsiasi accadimento improvviso sia avvenuto nella mia vita, dopo, il mio primo pensiero è sempre stato, immediatamente, di capire cosa ci perdevo; cosa dovevo modificare, interrompere, cambiare. Cosa avrei perso, cosa non sarebbe mai piú successo, cosa si poteva riprendere dopo qualche tempo.

Insomma, quel giorno la caratteristica di mia madre, attraverso la tragedia del mondo, si è trasmessa a me come un cromosoma in viaggio da una all'altro. Quel giorno mia madre mi ha passato qualcosa di definitivo, e io sono diventato, nella sostanza, malgrado tutti gli sforzi fatti in seguito, superficiale.

Questo atto egoistico, privato, il tentativo di non prendere in considerazione il corpo morto di una sconosciuta – e quindi la tragedia che ricadrà su altri – si riflette su Claire e la fa reagire in modo opposto, in una forma testarda di presa di coscienza del mondo. Lei, nel corso del racconto, oltrepassa un confine: si distacca da suo marito – dalla sua vita privata – e si avvicina al mondo sconosciuto. Da quel momento, insomma, Claire sente in modo inequivocabile di far parte della comunità. Per questo motivo segue l'evoluzione della vicenda, fino a quando la ragazza morta non viene identificata. Guarda alla tv quando i genitori entrano nella camera mortuaria; e poi ne escono, distrutti. Il fatto che non sappia chi siano, non cambia il suo sentimento. Fino al punto di decidere di voler andare al funerale della ragazza, in un posto lontano, oltre le montagne, a due ore di macchina dalla sua città. Al marito dice soltanto che tornerà tardi. Alla parrucchiera, mentre si fa i capelli, dice che andrà al funerale di una ragazza, anche se la conosceva appena.

Quando arriva al funerale di Susan Miller, Claire ormai sa anche chi l'ha ammazzata e perché. Si trova all'improvviso in mezzo a gente mai vista, immersa dentro un dolore che non le appartiene – o le appartiene in un modo del tutto fortuito: lei comunque è lí perché questo evento è entrato a far parte della sua vita, e addirittura le sta raccontando qualcosa della sua vita. Infatti, mentre è lí seduta, immagina Susan Miller che esce dal cinema ed entra in una macchina, poi la immagina morta, abbandonata nuda nel fiume, e poi immagina l'attimo in cui quattro uomini ubriachi la guardano, e uno di loro (che potrebbe anche essere Stuart) le si avvicina e la prende per le dita. Claire si chiede se qualcuno di quelli che stanno lí, intorno a lei, sa – ed è sicura che non è possibile – che quella ragazza che stanno piangendo è stata legata a un albero con un filo di nylon, da suo marito o da un amico di suo marito. Claire cerca, in modo insensato e disperato, un legame tra queste persone che non conosce e le persone che conosce, tra il mondo che non conosce e il mondo dove vive; cioè, tra le persone lí fuori e casa sua.

Quando torna, la sua incapacità di stare accanto a Stuart
è aumentata, lui va via da casa, arriva a minacciarla; ma
poi la storia finisce con una telefonata che, probabilmente, li farà tornare insieme. Stuart le dice che la ama; lei,
come risvegliandosi da un lungo sonno, gli dice: «Era solo una bambina». Sono le ultime parole del racconto. E,
come al solito, per Carver non ha nessuna importanza se
Stuart tornerà a casa o no; non ha importanza nemmeno
se Claire aveva ragione nel dire che nella sostanza nulla sarebbe cambiato. Perché, che lei lo sappia o no, che Stuart
lo sappia o no, anche se continueranno a stare insieme, anche se dentro casa non cambierà niente, il loro rapporto
con il mondo lí fuori è cambiato per sempre.

In pratica, anche Claire alla fine ha accettato la superficialità di Stuart. Ecco forse cosa voleva dire quel «non
cambierà niente»: era il primo passo di comprensione,
mentre davvero le sembrava di non poter comprendere
mai piú. Perché un po' della superficialità di Stuart e dei
suoi amici alla fine è penetrata dentro di lei, in modo anche
opportunistico. È meglio pensare che sia superabile, che ci
si ama davvero, che si può andare avanti: è meno faticoso. Quindi, forse, anche Claire sceglie la strada meno faticosa, la via attraverso la quale si impone la superficialità.

La storia del colera mi aveva fatto incontrare la morte con nitidezza. E mi aveva fatto scoprire, per sempre,
che lo stampo della superficialità era una parte dell'eredità che mi veniva lasciata. Al contrario di Claire, non
avevo reagito male, mi ero preso quello che veniva dalla fine dello spavento: una felicità inequivocabile di non
stare per morire.

Da quell'estate del 1973, penso al colera come a una
vicenda che mi ha riguardato direttamente, anche se non
è accaduta precisamente nella mia città, ma poco lontano.
Ho imparato che ogni cosa poteva riguardarmi, se avessi
tutelato quell'esperienza della seconda volta che ero na-

to; e che c'è una posizione precisa, né dentro, né lontano, che ti consente di partecipare, di comprendere, di essere coinvolto.

La cosa pazzesca, adesso che sentivo di far parte del mondo e che ero appena stato sollevato dalla tragedia, era che la tragedia si stava davvero ritirando: man mano che i giorni passavano, i giornali cominciavano a trattare il colera con meno impegno, e la vita dalle nostre parti ricominciava ad arretrare di nuovo lontano dall'interesse degli altri. Come se io e mia madre, con la nostra superficialità congiunta e la capacità del tutto involontaria di disinnescare la tragedia, l'avessimo effettivamente disinnescata.

Una mattina il colera scomparve dai titoli della prima pagina e fu sostituito dalla foto di un palazzo bruciato o bombardato, un palazzo lontanissimo. Le mie zie e i miei genitori parlavano della morte di Salvador Allende; sembrava importasse molto ad alcuni, e pochissimo ad altri. Per esempio, a mio padre non importava niente. Per me era la foto di un palazzo che bruciava, e basta; era qualcosa di molto confuso e per ora troppo lontano. E quella foto mi riguardava solo perché sostituiva il colera sulla prima pagina dei giornali, e noi potevamo arretrare di nuovo dentro le nostre vite.

A fine settembre la questione del colera era stata sostituita dalla questione del Cile, e se ne traevano già delle conseguenze di grande sostanza nel nostro Paese: ho scoperto dopo che il segretario del Partito comunista italiano, Enrico Berlinguer, prendeva spunto da quei fatti per proporre una strategia politica che riteneva l'unica possibile. In pratica, succedeva all'Italia quello che cominciava a succedere a me: si potevano trarre insegnamenti dalle cose che accadevano da qualche altra parte.

In seguito, del terrore di quel pomeriggio, del vibrione e del Cotugno, non mi è rimasto null'altro che un sospetto, che dura ancora ora, ogni volta che mangio le cozze. Se vedo una cozza piú sbiadita, o troppo piccola, una cozza che non corrisponde all'idea normale (perfetta) di cozza, la scarto, mi preoccupo, cambio umore – quasi senza accorgermene. E nella sostanza, mi sembra che sia tutto qui quello che è rimasto.

Meno di un anno dopo, il 22 giugno 1974, al settantottesimo minuto di una partita di calcio, sono diventato comunista.

Ma non me ne sono reso conto subito. Quello che ho sentito sul momento è stato un sussulto, una specie di esultanza interiore non prevista, un singhiozzo, la reazione del ginocchio al martelletto che provoca i riflessi; una cosa controllata e allo stesso tempo incontrollata. Poco comprensibile, come la reazione di mio padre, che si è voltato di scatto a guardarmi, quasi per dirmi: ma che fai? – però non lo ha detto. Tutti e due siamo tornati composti e attenti alla partita, attenti ma non troppo, col distacco che avremmo dovuto avere per una partita dei mondiali che non ci riguardava e che in fondo aveva poca importanza anche per le due squadre che giocavano: erano entrambe già qualificate per il turno successivo e in palio c'era solo il primo posto nel girone.

Già quattro anni prima, mio padre era venuto a svegliarmi una notte per dirmi: devi venire a vedere, è una partita bellissima. L'aveva fatto, credo, perché mentre Italia e Germania continuavano a segnare, si era sentito solo e aveva dubitato che stesse accadendo per davvero. Aveva bisogno di un testimone. Così, assonnato e incredulo, avevo visto ancora qualche gol – due? uno? Come faccio a ricordare quanti, ora, se li ho tutti davanti agli occhi, come un'ossessione? Poi ero stato sveglio fino all'alba a guardare la sfilata dalla finestra. Poi della finale con il Brasile ricordo solo una mongolfiera sul campo e un mio zio che bestemmiava e si faceva rosso sul collo, mentre mio padre sussurrava timido: siamo stanchi, siamo stanchi. Ero stanco io, solo per essere stato sveglio tutta la notte, figuriamoci loro che avevano pure giocato tutto quel tempo.

Ora era il 1974. Avevo dieci anni e una conoscenza dei giocatori e delle squadre precoce e precisa. Erano i miei primi mondiali totalmente consapevoli, e si svolgevano in Germania. Avevo comprato anche l'album delle figurine *München '74*; avevo imparato i nomi dei calciatori ancora prima dell'inizio. Era tutto pronto, l'Italia tra le favorite. Andava tutto bene, tranne una cosa. Un po' inquietante. Ne aveva parlato anche La Gazzetta dello Sport. Diceva: un momento storico. Parlava di un'altra Germania, la Germania Est, e tutt'e due erano state sorteggiate nello stesso girone. Anche nell'album c'era quest'altra Germania. Era strano, perché in una c'erano Beckenbauer, Gerd Müller, Sepp Maier e altri che tutti già conoscevamo; nell'altra, solo giocatori sconosciuti, che giocavano quasi tutti nella Dinamo Dresda.

Mi ero dato questa spiegazione: la Germania Est era una specie di formazione delle riserve, la squadra B. Se me lo avessero chiesto, avrei risposto che forse era venuta a mancare qualche altra squadra e avevano messo in piedi una formazione per la regolarità della competizione. Solo per questo motivo c'era un'altra Germania con calciatori che nessuno conosceva e di cui nessuno parlava.

Intorno, c'erano nomi indimenticati o dimenticati come Francisco Marinho, Françillon, Heredia, Rivelino, Ronnie Hellström, Hristo Bonev, Bremner e il centravanti haitiano Sanon che segnò un gol a Zoff dopo diciannove ore e tre minuti di imbattibilità. C'erano le partite con l'Olanda piú forte di tutti i tempi – Cruyff, Rep, Neeskens e Van Hanegem; il 9 a zero della Jugoslavia contro lo Zaire; c'era soprattutto la disfatta dell'Italia con la Polonia di Deyna e Szarmach e il gestaccio di Chinaglia all'indirizzo dell'allenatore. Dopo l'eliminazione dell'Italia, avevo paura che il mondiale non lo guardassimo piú. E invece, fin dalla partita successiva, mio padre accese il televisore e io fui sollevato. Poi venne la sera del 22 giugno. Ad Amburgo, c'era la partita storica. L'incontro tra le due Germanie.

A quel punto, avevo ormai capito che la storia della squadra delle riserve non funzionava. La questione era piú complicata. Scoprii che quella che avevo sempre chiamato la Germania era solo una parte della Germania; quella dell'Ovest, piú precisamente. Mio padre non nominava volentieri l'altra, e se lo faceva sembrava avere un tono di disprezzo. Piú esattamente, chiamava "Germania" la Germania Ovest, e "Germania Est" la Germania Est – e la nominava soltanto perché era ai mondiali (per questo non ne avevo mai saputo nulla). Anche gli altri facevano cosí, e quindi facevo cosí anch'io. Era come se non provassimo simpatia per quella squadra. Chiedevo spiegazioni e mio padre mi diceva che di Germania non ce n'era una, ma due. Diceva che per dividerle avevano messo un muro che attraversava tutta la città di Berlino. E quelli che stavano al di là del muro, non potevano venire piú da questa parte.

Quando mio padre diceva di qua, parlava della Germania Ovest (ma diceva solo Germania). Quando diceva di là, parlava della Germania Est. Quella come noi è la Germania Ovest – la Germania, insomma. È piú bella, piú forte e se vuoi ci possiamo andare. L'altra è piú brutta e piú debole e non ci fanno neanche entrare per vederla.

Quindi, quando le squadre entrarono in campo, doveva essere tutto chiaro. Da una parte c'erano quelli come noi, dall'altra c'erano quelli diversi da noi. Per mio padre non c'era dubbio per chi fare il tifo. Non potevo avere nulla da dire.

C'era il fatto, però, che in campo adesso c'erano due squadre, una di fronte all'altra: in una giocavano i forti, nell'altra i deboli; in una c'erano tutti calciatori famosi, nell'altra tutti sconosciuti; una squadra era padrona di casa, l'altra no, anche se si giocava in Germania – ma non era la loro parte di Germania. E c'era ancora un'altra cosa: l'allenatore e quelli che stavano in panchina, nella Germania dell'Est, avevano una tuta azzurra semplice semplice, come avrei potuto averla io, con una scritta enorme DDR, che sembrava cucita dalle mamme dei calciatori, proprio come la mia mamma cuciva il numero sulla mia maglia. C'era il fatto, insomma, che a me toccava fare il tifo per i piú belli, i piú ricchi, i piú forti, quelli con le maglie e le tute migliori. E questa cosa, in fondo, mi metteva a disagio. Se nessuno mi avesse condizionato, se nessuno mi avesse detto che una Germania era come noi e un'altra era diversa da noi, se ci fossero state due squadre anonime in mezzo al campo, io avrei tifato di sicuro per la piú debole, la piú povera, quella con le tute comprate al mercatino dell'usato. Sarebbe stato naturale. E invece adesso mi dicevano che era naturale il contrario. Lo accettavo a fatica, anzi era come se lo accettassi, ma non mi sentivo in pace – a quel punto non è che non mi piaceva una Germania o l'altra: non mi piacevo io.

Prima del fischio d'inizio, Beckenbauer e Bransch si erano scambiati i gagliardetti e al telecronista era sembrato un gesto simbolico. Quando cominciò la partita, tutti i presupposti si rivelarono esatti: si capí subito che c'era una differenza tra le due squadre evidente e schiacciante, cosí da recuperare anche solo simbolicamente – come i gagliardetti – la mia idea di squadra A contro squadra B, titolari contro riserve, prima squadra contro squadra primavera. E allora io, nonostante una fosse la Germania e l'altra fosse soltanto l'Altra Germania, nonostante mio padre mi avesse raccontato le cose in modo tale che la scelta

non potesse essere che una, pian piano cominciai a sentire
crescere un'incontrollabile simpatia per quegli sconosciuti,
piú deboli, piú fragili, piú lontani, piú poveri e con le tute piú tristi. Respingevo quel sentimento, ma intanto che
lo respingevo sentivo crescere dentro di me una simpatia
istintiva per quelli che subiscono di fronte a quelli che
aggrediscono, per la difesa strenua della Germania Est
contro l'attacco forsennato della Germania Ovest, per il
portiere Croy che continuava a volare sui cross avversari
anticipando Gerd Müller, Cullmann, Breitner e gli altri.
In silenzio, di sicuro senza saperlo, forse essendo addirittura convinto del contrario, provavo un sottile piacere per
i minuti che passavano, per lo zero a zero che mi sembrava
un risultato pacificatore, che avrebbe in ogni caso lasciato
il primo posto nel girone alla Germania, ma avrebbe dato all'Altra Germania la soddisfazione di non capitolare.
I piú poveri e i piú deboli avrebbero fatto una bella figura
e la Germania vera non avrebbe perso. Mi sembrava un
giusto compromesso tra ciò che dovevo sentire e ciò che
cominciavo a sentire.

Ma la Germania insisteva con piú aggressività, piú arroganza. Il risultato non contava, il pareggio al limite sarebbe bastato. La questione di principio era battere quegli altri per dimostrare una volta per tutte chi fosse il piú
forte; una naturale predisposizione dei piú forti, che non
è crudele, anche se alla fine appare tale. Eppure l'Altra
Germania continuava a resistere.

Infine, arriva il settantottesimo minuto. Fino ad allora,
la Germania Est si è difesa e ha resistito e ha lanciato pal-
loni lunghi sperando che succedesse qualcosa lí davanti, e
intanto comunque c'era il tempo di rifiatare. Poi le cose
nel calcio, e non solo nel calcio, accadono cosí, all'improvviso. Hamann fa un lungo lancio in diagonale verso il suo
compagno, il centravanti Jürgen Sparwasser – un lancio
in diagonale verso la porta avversaria, uno di quei lanci

che conservano sempre la speranza intima e improbabile
di mettere un compagno in posizione molto favorevole,
ma anche uno di quei lanci che li fai cento volte e quella
speranza si rivela infondata: il compagno non ci arriva, il
difensore ci arriva prima, il lancio è fuori misura (troppo
lungo, troppo corto), il portiere anticipa tutti; oppure il
compagno ci arriva eppure non succede niente lo stesso, e
dopo un minuto quell'azione l'hai già dimenticata.

Un lancio.

Un lancio di Hamann, in una specie di contropiede con
qualche speranza che c'è sempre e che quasi sempre è delusa. Ma ciò che tiene in vita quella speranza, è che basta
una volta su cento, anzi una volta su mille, se quella volta
è quella giusta.

Adesso, mentre la palla vola per il lancio di Hamann
siamo già dentro il settantottesimo e decisivo minuto della
mia vita. Ma io sono ancora al di qua. Non so ancora cosa
sta per succedere a Sparwasser e a me. Fino al settantottesimo minuto di questa partita, compreso questo lancio che
non si sa dove andrà a finire, mio padre mi ha svegliato di
notte per tenermi accanto a lui e ha visto tutte le partite
dei mondiali con me e mi ha anche consolato quando l'Italia è stata eliminata, dicendo che sono le leggi dello sport
e bisogna accettarle – dicendolo con una dolcezza del tutto convincente. Ora io, mentre la palla vola da Hamann a
Sparwasser con la solita speranza pronta a essere delusa,
non so ancora che in seguito, a causa di tutto questo, mio
padre diventerà torvo, nervoso, per anni e anni, sbufferà,
mi seguirà per casa o alzerà la testa dal piatto, a tavola,
per guardarmi con disprezzo, o si agiterà urlando mentre
io sono sulla porta di casa – mi aggredirà e avrà paura perché penserà che mi drogo, che faccio il terrorista, che non
mi lavo e che non voglio bene né a lui né a mia madre, ma
soltanto all'umanità e specificamente ai suoi ceti piú bassi; penserà che ho i capelli troppo lunghi, non mi laureerò

mai, mancherò di rispetto ai professori e non saluterò con educazione i suoi amici. Ora non so ancora che discuterò migliaia di volte con lui cercando di spiegargli che tutto è piú complesso e piú serio di come dice, fino al punto che non discuterò piú, ascolterò in silenzio le sue parole aspettando che finiscano senza opporre nemmeno un minimo gesto di insofferenza per farle passare nel tempo che ci mettono a passare e andarsene via. E mi dirà in centinaia di modi, per anni, anzi non lo dirà a me ma a mia madre, parlando con lei come se io non ci fossi, con me lí davanti a lui, sempre le stesse parole.

Dirà: poi voglio vedere se viene veramente. Lo dirà già dal mattino, vedendomi uscire di casa per andare a scuola. Mi squadrerà dalla testa ai piedi con una faccia schifata e poi dirà anche: mi sembri il figlio di un poveraccio, come ti sei vestito, da comunista? Qualsiasi cosa farò, che non sarà in sintonia con quello che pensa lui, sarà da comunista. Fino a quando non capirò che una sua teoria precisa sul comunismo ce l'ha, un'idea del comunismo generica e onnicomprensiva, una minaccia come un asteroide nei film di fantascienza, della quale dire soltanto e sempre: poi voglio vedere se viene veramente. Faccio il comunista ma poi vado a chiedergli le chiavi della macchina – un concetto che non ho mai compreso fino in fondo; guardatelo, dirà rivolto a mia madre, come se lei da sola condensasse un intero pubblico – fa il comunista con i soldi di papà. Voglio vedere se poi viene veramente.

E poi, poiché sosterrà che non si capisce bene cosa sia 'sto comunismo, lo chiederà a me con aria minacciosa, perché dirà non solo che faccio il comunista, ma che lo faccio *tanto*. Tu che fai tanto il comunista, spiegami che significa. E poi si girerà verso mia madre e il suo pubblico ipotetico e dirà alzando ancora di piú la voce e agitando le braccia: e certo, fa il comunista con il piatto a tavola, con la madre che gli lava i panni, e il bollo della macchina chi te lo paga, papà? Perché non te lo fai pagare da Berlinguer il bollo della macchina, eh? Vai da Berlinguer, dici che sei comunista e chiedi se ti paga il bollo della macchina.

Tenterò di dirgli che non ritengo giusto che Berlinguer debba occuparsi del bollo della mia, anzi della nostra macchina, ma invano; però grazie alla sua teoria del bollo della macchina, saprò alla fine che vuole andare a parare sempre nello stesso punto. Quel punto cruciale dove andrà a parare ogni suo ragionamento su me e il comunismo per tutta la vita: che io sono comunista, perché il comunismo non c'è. Cosa che tra l'altro, a un certo momento della mia vita, quando sarò una persona adulta, finirò in qualche modo per chiedermi davvero, con un senso di panico al pensiero che mio padre avesse ragione: ma non è che sono comunista perché il comunismo non c'è? – un pensiero che cercherò di spazzare via cacciando delle urla distraenti contro me stesso, ma che invece ogni tanto tornerà. È qui, in questo punto preciso del suo ragionamento, che è nata la frase che mi tormenterà per l'intera esistenza, e cioè il fatto che lui vuole vedere cosa farò io, e quelli come me, se poi il comunismo viene veramente.

E del resto, se fosse venuto davvero il comunismo che ha in testa lui, non avrebbe avuto tutti i torti. Mio padre penserà sempre due cose ossessivamente: una, che se viene veramente il comunismo si scoprirà che in fondo nessuno è comunista; e l'altra, piú pericolosa e piú martellante nei miei confronti, che il comunismo è un sistema di divisione continua, meticolosa e ossessiva, di qualsiasi cosa si venga in possesso, volontariamente o involontariamente. Ed è per questo sistema morboso della divisione che pensa che se viene il comunismo poi nessuno vuole essere comunista.

Cosí, se mia madre mi darà un panino al prosciutto per andare a un concerto, guarderà mia madre e dirà, parlando di me come se io non ci fossi: fa il comunista e si mangia tutto il panino, perché non ne dà metà a uno che il panino non ce l'ha? Anche se non interrogato direttamente, ri-

sponderò con timidezza ma con orgoglio che, a prescindere dal comunismo, se qualcuno dei miei amici non dovesse
avere il panino, lo dividerò volentieri con lui. Ma non mi
ascolterà. Guarderà fisso mia madre e incalzerà: è como-
do fare i comunisti, poi voglio vedere se viene veramente.

Dirà: fai il comunista – non ce l'avrà con me, quando
parlerà con il tu non ce l'avrà mai con me. Anche in questo
sarà strano: quando parlerà di altri comunisti, mi guarderà
in faccia e dirà: fai il comunista e tieni due macchine, perché non ne dai una a un operaio? – e so che non ce l'ha con
me, perché io due macchine non ce le ho, nemmeno una
se è per questo, e perciò andrò a chiedergli le chiavi della
macchina e lui dirà che faccio il comunista con le chiavi
della macchina di papà. Invece, quando ce l'avrà con me,
guarderà nel vuoto, come se stesse parlando di me a un altro, e dirà: fa il comunista, lui, e poi mi viene a chiedere
le chiavi della macchina. Per mio padre, in modo ossessivo, e per tutta la vita, se uno è comunista non potrà mai
chiedere le chiavi della macchina. E qualora dovesse avere
una macchina, poi, il bollo lo dovrà pagare Berlinguer. Se
ne avrà due, dovrà darne una a un operaio.

Da questa posizione non si muoverà, mai.

Cioè, fino a quando non vedrà uno dei miei amici comunisti andare davanti a una fabbrica e insistere con un certo imbarazzo con un operaio per fargli accettare le chiavi
della macchina spiegandogli che ne possiede due e quindi
una spetterebbe di diritto a lui – se non lo vedrà insistere
di fronte all'imbarazzo giustificato dell'operaio, lui sosterrà che non siamo dei veri comunisti e che se poi il comunismo viene veramente noi ce ne pentiremo tantissimo.

Per mio padre il comunismo sarà esclusivamente una
cosa di questo tipo: i comunisti prendono il potere e vanno al governo, e da quel momento in poi, tutta la nazione comincia a dividere equamente qualsiasi cosa di cui sia
in momentaneo possesso, con un'altra persona, la quale
dividerà con un'altra persona qualsiasi cosa abbia. Ma è

ovvio che cosí facendo quel che ti rimane della metà, appena finita la divisione, torna a essere un intero e quindi per la matematica comunista devi subito ricominciare a dividerlo a metà con un altro che non ha nemmeno questa metà, e cosí via fino a impazzire, ognuno e tutta la nazione, persi in calcoli precisi e ossessivi per essere dei perfetti comunisti.

Per il resto del tempo, per tutta la vita, mio padre continuerà a guardarmi fisso con le braccia incrociate. E aspetterà. Aspetterà che viene veramente il comunismo per vedere se io sono davvero comunista.

Aspetterà, tra l'altro, inutilmente.

Adesso Jürgen Sparwasser, in un attimo, senza aver avuto il tempo di rendersene conto, si ritrova, nonostante sia in mezzo a tre giocatori avversari, con il pallone che gli rimbalza quasi davanti mentre lui gli sta correndo incontro – e il rimbalzo e la sua corsa fanno incontrare lui e il pallone in modo del tutto imprevedibile, visto che il pallone gli sbatte sul viso e lui non fa in tempo a girare la testa per colpirlo di lato, e lo prende in faccia, ma allo stesso tempo sa che il pallone è andato avanti ed è proprio dove lui sta correndo, cosí subito lo aggiusta un po' con il petto, quanto basta.

E l'attimo dopo si ritrova con il pallone tra i piedi appena dietro il dischetto di rigore.

Con due calciatori della Germania, quella vera (il terzo si è fermato, incredulo), che sono Höttges e Vogts, abbastanza distanti da farsi venire un coccolone nel guardare quello che anche loro sanno non accadere quasi mai e accelerare la corsa in modo già disperato, accorrendo in eccessivo affanno, con le mascelle contratte e un orgoglio che non deve essere ferito.

Jürgen Sparwasser è un centravanti classico e sa sempre rincorrere il punto giusto e l'attimo giusto per calciare – quindi non si stupisce di quello che succede, sa che un lancio ogni mille o duemila può accadere, ed è per questo che si butta ogni volta all'inseguimento del pallone, quindi fa quello che sa fare, fa scorrere la palla e poi la spinge verso destra, per allontanarsi da quei due che lo stanno rincorrendo disperati. Sia chiaro, tutto questo accade in pochi secondi, in cui non c'è tempo nemmeno per Hamann di sorprendersi, né per Vogts e Höttges di pensare all'orgoglio, né per Sparwasser di dirsi che deve cercare il punto giusto, né per ognuno di loro e per gli altri e per il pubblico nello stadio e per tutti noi che guardiamo la tv c'è il tempo di pensare al momento storico – no, è un attimo, ed è il risultato del talento e dell'abitudine, si chiama istinto e vuol dire che uno non ci deve pensare a fare la cosa giusta perché è abituato a fare la cosa giusta, l'ha già fatta cinquemila volte a prescindere dal risultato che ottiene, a prescindere dal fatto che stia dentro una partitella amichevole o un momento storico. Tutti sanno fare quello che devono fare, anche se stanno giocando una partita storica ai mondiali, anzi la questione è da ribaltare: stanno giocando quella partita perché sono in grado di farlo.

Cosí, tutto si svolge come in un teatro: quando Sparwasser ha la palla davanti ai piedi ed è davanti a tutti, con uno sguardo malefico chiama fuori il mitico Sepp Maier; Vogts, che ha già capito tutto, sta per volare in spaccata, perché la disperazione porta il difensore alla spaccata, forse per fare un tentativo reale o forse unicamente per salvare la faccia, per far vedere a tutti che lui, almeno, ci ha provato – e anche questo è istinto; Höttges, nessuno saprà mai perché, ormai lontano dalla palla si lascia cadere in ginocchio, forse per pregare o forse per rendere evidente, simbolica, la resa (questa sarà la sua ultima partita in nazionale); e Sepp Maier, il povero grande Maier, fa quello che deve fare un portiere con finta improvvisazione, cerca il piú presto possibile un punto dove l'attaccante, quando alzerà la testa e guarderà prima di calciare, vedrà davanti a lui un portiere grande grande e una porta piccola piccola, piú piccola che si può – intanto Vogts è già atterrato inutilmente nella sua spaccata sopra le righe.

Jürgen Sparwasser, infine, fa quello che fa un attaccante quando il portiere chiude lo specchio della porta: mette il piede sotto la palla, per colpirla, e la palla si alza di quel tanto che basta a scavalcare l'ultimo baluardo dell'Ovest. Perché sa che dietro quel corpo c'è la porta, anche se si vede a stento, ma non importa, lui non ha bisogno di vederla, sa che c'è. E infatti la palla si dirige neanche tanto rapida verso la rete, giusto il tempo di far pensare a chi la guarda che non c'è piú niente da fare. La palla si infila in rete. La rete si gonfia poco, perché il pallone è lento. Le maglie azzurre con lo scollo a V bianco, lo stemma e la scritta DDR sul cuore, si raccolgono tutte in un abbraccio. Sparwasser si butta a terra, faccia nell'erba, perché si rende conto in ritardo di quello che è successo.

Non so per quale istinto non ho esultato. Non so perché ho avuto la forza di tenere dentro, tutta dentro, una cosa che non sapevo nemmeno che stesse arrivando, che evidentemente era cresciuta durante la partita e si è rivelata quando il lancio in diagonale di Hamann ha piazzato per miracolo la palla prima sulla faccia e poi sui piedi di Sparwasser e lui era ormai già davanti a Maier. Non so da dove il mio istinto fosse sbocciato per risolvere tutto in una scossa dei muscoli e un singulto evidente ma non chiaro; e in qualche modo non dimostrabile.

Mio padre si è girato di scatto, al settantottesimo del secondo tempo di Germania Ovest - Germania Est. Ha sentito quel sussulto, anche se è stato soprattutto interiore, come uno scoppio detonato tra i polmoni e la gola. In quel momento, forse, abbiamo intuito tutti e due che non saremmo piú tornati indietro al periodo che andava dalla mia nascita fino al settantasettesimo minuto di quella partita. L'abbiamo intuito e abbiamo evitato di guardarci, io perché avevo capito poco e lui perché aveva intuito troppo. E poi, mentre lo stadio ammutoliva e quelli con le tute tristi in panchina si abbracciavano, tra la poltrona di mio padre e la mia, un piccolo muro, invisibile e incompreso, ha cominciato a venire su, come se fossimo nel centro di Berlino.

Tra il momento in cui ero nato una seconda e definitiva volta e il gol di Sparwasser, quando non ero diventato ancora comunista e non immaginavo che un palazzo bruciato in Sudamerica potesse avere a che fare con noi; quando per me era solo un nome che sentivo ogni tanto ma non faceva ancora parte della mia esistenza, Berlinguer pubblicò tre articoli consecutivi su Rinascita, tra la fine di settembre e la metà di ottobre del 1973; erano, come titolava l'ultimo e conclusivo, *Riflessioni sull'Italia dopo i fatti del Cile*. Riguardavano un progetto politico molto concreto, un tentativo di porre le fondamenta affinché il Partito comunista italiano potesse diventare realmente una forza governativa, potesse davvero guidare il Paese, cercando di conciliare la propria storia, gli ideali e il rispetto totale delle regole democratiche – che erano la prerogativa del progetto comunista italiano.

Nel primo articolo, Berlinguer non nasconde lo spavento per le conseguenze che ha avuto la rivoluzione democratica di Salvador Allende. Dice che da questa storia va tratto un «ammaestramento»; e che c'è bisogno di «un piú generale risveglio delle forze democratiche»: questa frase è la premessa costitutiva di tutti e tre gli articoli e delle conclusioni politiche.

Quali sono le analogie tra i comunisti (e i socialisti) cileni, e quelli italiani? Tutti e due hanno scelto una via democratica al socialismo. Lí è finita con un golpe fascista. Qui come si può prendere una strada diversa, solida? Non è piú sufficiente combattere per un comunismo di ambito democratico. Quello potrebbe essere il punto d'arrivo. Bisogna invece trovare una soluzione piú immediata per la difesa della democrazia, e questa difesa va messa in piedi insieme ad altri, con l'intento di lottare contro l'imperialismo e contro la reazione. Essendo cresciuta la forza del Pci, ragiona Berlinguer, abbiamo piú possibilità di determinare che il peso della bilancia, all'interno delle altre forze (quando parla di «altre forze», Berlinguer parla prima implicitamente e poi esplicitamente della Democrazia cristiana) penda verso la propensione democratica distensiva, piuttosto che verso la reazione violenta.

Nel secondo articolo, Berlinguer va dritto al nucleo della questione: «Raccogliere attorno a un programma di lotta per il risanamento e rinnovamento democratico dell'intera società e dello Stato la grande maggioranza del popolo». Vuole uno schieramento di forze politiche unite, capaci di realizzare un programma democratico. È l'unica strada, sostiene, che possa isolare e sconfiggere i reazionari – e cioè evitare epiloghi violenti. È l'unica strada per trasformare la società. E quindi, in seguito, provare a ottenere, sempre per via democratica, uno Stato socialista.

Nel terzo articolo, Berlinguer espone e motiva il suo progetto politico: il proletariato italiano è consistente, dice, ma rimane una minoranza; deve allearsi con il «ceto medio». Questo ceto medio è situato per la gran parte in area cattolica, e quindi fa riferimento alla Democrazia cristiana. Non solo: anche una gran parte delle masse lavoratrici è di espressione cattolica e si sente rappresentata dal partito «cristiano». È con quel ceto, e quindi con quel partito, e piú precisamente con la parte progressista di quel partito, che bisogna allearsi: «Se è vero che una politica di rinnovamento democratico può realizzarsi solo se è sostenuta dalla grande maggioranza della popolazione, ne consegue la necessità non soltanto di una politica di larghe alleanze sociali ma anche di un determinato sistema di rapporti politici, tale che favorisca una convergenza e una collaborazione tra tutte le forze democratiche e popolari, fino alla realizzazione fra di esse di una alleanza politica». Se invece i due partiti, dai quali masse importanti della popolazione si sentono rappresentati, operassero un urto frontale, il Paese si scinderebbe in due e sarebbe in pericolo lo Stato democratico.

Quindi l'unità dei partiti di sinistra non è sufficiente, se si contrappone a essa un'alleanza che va dal centro fino all'estrema destra. Il problema in Italia è sempre stato questo: evitare la saldatura tra il centro e la destra, e «riuscire invece a spostare le forze sociali e politiche che si situano al centro su posizioni coerentemente democratiche». Berlinguer dice con molta chiarezza che una garanzia di democrazia non esisterebbe nemmeno se la sinistra unita raggiungesse il cinquantuno per cento dei voti. «Ecco perché noi parliamo non di una "alternativa di sinistra", ma di una "alternativa democratica" e cioè della prospettiva politica di una collaborazione e di una intesa delle forze popolari di ispirazione comunista e socialista con le forze popolari di ispirazione cattolica, oltre che con formazioni di altro orientamento democratico».

Fatta questa affermazione decisa e decisiva, Berlinguer spiega che la Democrazia cristiana non è un partito astorico destinato a schierarsi sempre con la reazione. Non è nemmeno, nella sua interezza, il difensore delle libertà democratiche. La sua storia è caratterizzata da atteggiamenti antitetici. Ma a essa fanno riferimento contadini, giovani, donne e anche operai: «il peso e le sollecitazioni provenienti dagli interessi e dalle aspirazioni di queste forze sociali si sono fatti sentire in misura piú o meno avvertibile nel corso della vita e della politica della Dc e possono essere portati a contare sempre di piú».

Questo è il compito che si dà il Partito comunista italiano: non rinunciare alle distinzioni, ma operare per un'intesa.

Sentendo di essersi spinto molto in là, Berlinguer avverte subito che il cammino è lungo e non può essere «frettoloso». Poi però affonda il colpo definitivo che rende politica in corso il suo intento strategico: «Ma non bisogna neppure credere che il tempo a disposizione sia indefinito. La gravità dei problemi del Paese, le minacce sempre incombenti di avventure reazionarie e la necessità di aprire finalmente alla nazione una sicura via di sviluppo economico, di rinnovamento sociale e di progresso democratico rendono sempre piú urgente e maturo che si giunga a quello che può essere definito il nuovo grande *compromesso storico* tra le forze che raccolgono e rappresentano la grande maggioranza del popolo italiano».

Le condizioni, quando sono diventato comunista, erano queste. Non che ne fossi consapevole, o mi potessi arrischiare a leggere Rinascita; ma l'aria che cominciai a respirare aveva due caratteristiche: il dialogo (il compromesso), e il progresso (contro i conservatori, contro i reazionari). In quei tre articoli, che fondavano la politica di quegli anni, la novità era il tentativo di allearsi con la Democrazia cristiana favorendone la parte progressista, per diventare una doppia forza che avrebbe governato l'Italia per molti anni (con la speranza, successiva, di conquistare la fiducia degli italiani e proseguire, in futuro, da soli); la base su cui si proponeva questa novità era la necessità di trasformare il Paese, di cambiarlo, di spingerlo in avanti – in opposizione al freno reazionario che attraversava da sempre l'Italia. Il compromesso storico era la soluzione per alimentare in modo concreto l'idea del progresso, per combattere in modo concreto gli intenti reazionari. Era quindi un'aria palpabile e viva.

Per questo motivo, in quegli articoli Berlinguer ripeteva con insistenza che bisognava lottare contro la reazione: bisognava mettere in moto la trasformazione della società; cercava poi di rassicurare la sua gente quando diceva che la Democrazia cristiana non era un partito astorico destinato a schierarsi per sempre con la reazione. Era questo il compito del Partito comunista italiano, la fissazione di Berlinguer in ambito democratico: operare una spinta progressiva e antireazionaria. E tutto il mondo democratico di sinistra condivideva. Se alcuni erano contro il Pci, e lo sarebbero stati anche di piú in seguito, lo erano perché non lo ritenevano sufficientemente innovativo. Cioè, non bastava loro la forza progressiva: ne volevano di piú.

Quando sono diventato comunista, senza sapere fare altro che essere solidale con i piú deboli e i piú poveri di una partita di calcio, era questo il mondo che era stato preparato per me. Ciò che mi attirò subito, quando in modo sostanzialmente inconsapevole cominciai a sentirmi comunista – ciò che mi fece sentire diverso da mio padre e da mia madre e dai loro amici e da molti dei miei amici e compagni di scuola – fu questa sensazione molto sfocata nei contenuti ma molto netta nell'aria, di desiderio di cambiamento, di rinnovamento, di disponibilità verso il futuro. Era come se mi fossi staccato dal resto del mondo dove vivevo, soltanto per quest'aria che io sentivo e loro no. Se fossi stato costretto a sintetizzare la decisione di essere diventato comunista – quando ne sono diventato consapevole, negli anni successivi al gol di Sparwasser – avrei detto cosí: mio padre vuole che il mondo dove viviamo resti com'è, sempre uguale; io voglio cambiarlo, farlo diventare migliore.

Posso dire adesso, con lucidità, che quando diventai comunista, per me Berlinguer rappresentava un uomo pratico e intelligente che dava corpo, concretezza, a questa idea astratta del progresso: qualcuno che proponeva di costruire il futuro, accoglierlo, viverlo, comprenderlo, anche criticarlo, ma starci dentro. Ad altri sembrava poco il suo senso del progresso, a me bastava. Era temperato, ma, appunto, pratico ed evidente.

Il compromesso storico, nella mia vita, era concreto e visibile: il matrimonio di zio Nino e zia Rosa. Abitavano nel nostro palazzo accanto alla Reggia, due piani piú su. Lui era un dirigente della Democrazia cristiana, e faceva parte della corrente propensa alla sinistra. Lei era un'insegnante, militante del Partito comunista. Gli scontri politici a casa erano continui, e duravano da anni. La sensazione che avevo quando vi assistevo, era che poi di quella furia non rimanevano strascichi, e ne ero rassicurato. Dibattevano con convinzione, poi alzavano la voce, poi si mandavano a quel paese; e poi, parlando della figlia o del condominio, di un parente o di un vicino, tornavano d'improvviso ad avere un tono calmo, affettuoso. Mio zio era piú irascibile e insofferente, aveva voglia di mandarla a quel paese prima possibile; mia zia era tignosa e meticolosa, continuava a fare esempi e battute sarcastiche – l'atteggiamento di chi non sta al potere verso chi sta al potere.

Il fatto che io avessi preso coscienza di essere comunista e di averlo anche dichiarato da un po' di tempo, e fossi quindi ormai arruolato, come mia cugina e tanti altri, nello schieramento di mia zia, all'inizio era stato accolto con sorpresa, poi man mano era diventato normale, poi scontato. Mia zia mi guardava complice; mio zio prima cercava il mio sguardo complice, virile, rispetto alla moglie rompiballe, come aveva sempre fatto perché gli ero simpatico; poi si ricordava che ero diventato, chissà perché, comunista, e lo distoglieva infastidito; non se ne faceva una ragione. Per lui era stata una grande delusione, sentiva che qualcosa nel nostro rapporto si era spezzato; ma non solo da parte sua, anche da parte mia: avevo fatto una scelta, dovevo tenerla ferma, quindi in qualche modo anche io dovevo avere nei suoi confronti una specie di risentimento di fondo, come se lui fosse sempre sospettabile di qualcosa. In realtà, non lo capiva bene nessuno perché ero diventato comunista; la mia scelta non aveva nessuna base solida. In piú, non mi ero mai mostrato troppo incuriosito dai ragionamenti che si trasformavano in litigi. E poi, all'improvviso, mi ero dichiarato, sottovoce, comunista. Anzi, mi ricordo che alla domanda precisa di mia zia, feci solo cosí con la testa.

Comunque, con un po' di sconcerto e qualche dubbio iniziale, alla fine questa cosa era passata. Per i miei zii, dico. Per mio padre molto molto meno. Mia madre non diceva nulla, tollerava, pensava insomma in modo molto pratico: se non fosse accaduto sarebbe stato meglio, non ci sarebbero stati migliaia di litigi in casa; ma ormai era accaduto, e quindi non ci si poteva fare molto.

In ogni caso, in quelle settimane, le cose si stavano mettendo bene. Berlinguer e Moro avevano intensificato gli incontri e le convergenze, e si diceva che quel processo cominciato qualche anno prima era sul punto di compiersi. La questione strana che riguardava zio Nino e zia Rosa era il fatto che man mano che la Democrazia cristiana e il Partito comunista si erano avvicinati – e in particolare i rispettivi punti di riferimento, Moro e Berlinguer – le divisioni tra i miei zii si erano acuite, le discussioni erano diventate piú feroci, le litigate sulla politica piú frequenti. Come se stesse arrivando un evento di pace ma anche di eccessiva convivenza, che allo stesso tempo si auguravano e li metteva in allarme.

In quei giorni di marzo del 1978, c'era una questione in particolare che li divideva. Era appena stato pubblicato un libro di Camilla Cederna, che si intitolava *Giovanni Leone. La carriera di un presidente*. Edito da Feltrinelli, aveva la scritta gialla in copertina, la foto in bianco e nero di Giovanni Leone, in piedi, in risalto sullo sfondo, sull'attenti davanti a quello che sembra Montecitorio piú che il Quirinale, con alle spalle alcune persone tenute lontane da una patina grigia. Era un libro povero, severo, che in quei giorni leggevano tutti. Era appena uscito, e subito vennero chieste con forza le dimissioni di Leone.

Mio zio si era rifiutato di leggerlo. Un po' perché Camilla Cederna scriveva già da qualche anno sull'Espresso contro il presidente della Repubblica, chiedendo le dimissioni; quindi, diceva zio Nino, si sa cosa c'è scritto. Un po' perché era l'atteggiamento dei democristiani: rifiuto di leggere quelle pagine. Tra (noi) comunisti, invece, era una lettura vorace, morbosa. Mia zia aspettava che mio zio tornasse dal lavoro, e cominciava a elencare un sacco di questioni che aveva appena letto nel libro. Mio zio, impassibile, diceva: «Sono tutte fesserie». Mia zia, rabbiosa, diceva che Camilla Cederna era la piú grande giornalista italiana. E cosí cominciavano a litigare. Quando mia zia e poi mia cugina finirono di leggerlo in pochi giorni, quel libro rimase lí, in cucina, in bella vista. In modo provocatorio. Affinché finalmente lui lo leggesse e si rendesse conto. Ma non succedeva. Cosí, chiesi timidamente se potevano prestarmelo. Mia zia era contenta, ma allo stesso tempo mi fece un elenco lunghissimo di classici che avrei dovuto leggere prima di un libro del genere. Dissi che capivo, però avevo voglia di leggere quello.

Ci misi un paio di giorni accaniti, facendo fatica in mezzo a fatti e parole che per me erano solo un suono – come questa parola "Lockheed", che tornava di continuo. Appena chiuso il libro, andai su a riportarlo. Aprí la porta mia cugina, che stava studiando con una compagna di scuola. Zia Rosa non c'era. C'era zio Nino, perché era a letto, ammalato. Entrai nella camera da letto, aveva tre cuscini che lo tenevano alto, e stava leggendo un gran numero di quotidiani, come faceva di solito.

«L'hai letto?», disse. «E che ne pensi?»

Ricordo perfettamente il gesto di mettere il libro sul letto, e la posizione in cui mi sedetti, nell'altro angolo, sulla punta del materasso.

Sono convinto che il motivo principale per cui dissi quello che dissi era che eravamo noi due soli; avevo molta ammirazione per lui, anche molta soggezione; e quindi avevo sempre voglia di compiacerlo. Tant'è vero che questa delusione che gli avevo dato nell'essermi dichiarato comunista, che lui rispettava, ma di cui non era per nulla entusiasta, mi era sempre sembrato un fatto personale, come se avessi voluto infliggere un dolore proprio a lui. E adesso che eravamo soli, quella specie di risentimento che imponevo alla mia espressione era svanito. In effetti, con lui sentivo sempre di dovermi riscattare, e il fatto che fossimo da soli, che lui fosse malato, e soprattutto che fosse interessato a sapere cosa pensavo del libro della Cederna, cosa ne pensavo io che ero solo un ragazzino, con ogni probabilità mi condizionò. Perché credo proprio che fosse la prima volta che qualcuno mi chiedeva cosa ne pensavo, a proposito di qualsiasi cosa.

Allo stesso tempo, devo ammettere che quello che dissi corrispondeva in modo abbastanza fedele a quello che avevo provato leggendo il libro. Insomma, per la verità, cercai di dire con la maggiore oggettività possibile, mi era sembrato che ci fosse, come dire, un po' di accanimento. Che la Cederna andasse a rovistare con una certa ostinazione nei fatti, e le conclusioni che tirava fuori apparivano parziali: tutto quello che raccontava, serviva a denigrare ogni membro della famiglia Leone, a cominciare dal presidente, per passare a Donna Vittoria, sua moglie, fino ai figli. E che se pure molte di quelle cose fossero state vere, il tono, la sicurezza e l'ossessione denigratoria erano eccessive. Il libro metteva insieme un po' tutto quello che si diceva su Leone: gli scandali politici, le agevolazioni per gli affari dei suoi figli, le grazie facili che aveva concesso, e, piú vicina nel tempo, la costruzione abusiva di una grande villa in campagna con una quantità di denaro che non risultava congrua alle dichiarazioni fiscali. Si sostenevano vari dubbi, perfino sulla sua elezione che ebbe una lunga quantità di scrutini; e si diceva che il presidente della Repubblica non pagava le tasse. Si riportavano pettegolezzi su uno dei figli e un'attrice famosa. Insomma, era attaccata la famiglia, non solo il presidente. Anzi, piú la famiglia del presidente; la Cederna andava a pescare nei fatti privati prove, o ulteriori prove, dell'inadeguatezza di Giovanni Leone a ricoprire degnamente la carica di presidente della Repubblica. E il fatto di mischiare accuse all'uomo pubblico e fatti privati non edificanti ma che non c'entravano niente, non mi era piaciuto. Questa cosa qui la dissi in modo forse piú preciso delle altre, perché mi aveva molto colpito. E infatti ciò che non fui pronto a concludere, era questo, di conseguenza: che i fatti pubblici venivano resi meno evidenti quanto piú si tentava di dargli forza con i fatti privati.

E cosí, nel ricordo che ho della lettura, ho la percezione ogni tanto di brividi di vergogna, come se entrare in certe questioni private mi avesse messo in imbarazzo; e non solo: rendesse le prove a carico meno efficaci, piú confuse. Il libro aveva finito per darmi una sensazione fastidiosa, che però avevo intenzione di tenere tutta per me, perché sapevo bene da che parte stavo; quindi ero sorpreso, perché avevo cominciato a leggerlo con pregiudizio tutto positivo, ed ero sicuro al cento per cento di trovarvi tutti gli elementi che servivano alla causa; man mano che sentivo crescere questo fastidio, sentivo crescere anche una giustificata paura di accettare questo fastidio. Non l'avrei detto a nessuno, lo avevo già deciso. Ma poi, essendo soli io e mio zio, mi sembrò una ricompensa giusta e facile alla delusione che gli avevo procurato, rivelargli un segreto –

anche se lo feci in modo parziale; cioè non gli confessai la verità piú profonda che avevo sentito, e che gli avrebbe fatto molto (troppo) piacere, e che cercavo di reprimere anche in me stesso: man mano che ero andato avanti nella lettura, il libro mi aveva spinto verso un incomprensibile e spiazzante senso di pietà e di simpatia umana verso Leone, sua moglie, e ognuno dei figli. Mi chiesi anche se la scoperta, piuttosto sorprendente, che Donna Vittoria fosse di Caserta, e il fatto che nel libro tornava piú volte Baia Domizia e la sua edificazione – se tutto questo intreccio tra la mia vita e quella dei Leone non mi avesse spinto alla simpatia. Ma poi pensai di no, perché non stavo dalla parte loro, non volevo e non potevo, però quel disprezzo e quella violenza me li avvicinavano pericolosamente. Era questo che in fondo dissi, senza dirlo, a mio zio. Tutto il resto lo dissi in modo piú balbettante e impreciso di come lo ripeto ora, organizzando la memoria sulla base di quelle cose che ho conosciuto dopo e che ho imparato a mettere in ordine, ma nella sostanza dissi proprio cosí: non mi aveva convinto.

Il mio apprendistato politico, in un momento cosí decisivo, cominciò male. Avevo detto quello che pensavo a mio zio, perché eravamo io e lui da soli. Ma zio Nino alla prima occasione usò le mie parole, cambiando per suo tornaconto la marginalità del mio essere diventato comunista in una specie di centralità del comunista giovanissimo, e parlò di saggezza precoce. Disse che nonostante la mia età ero molto piú lucido di loro. Mi indicava prendendomi ad esempio di un comunismo democratico, illuminato e tollerante, onesto e sincero. Insomma, d'un tratto rivalutò completamente il mio essere diventato comunista, lo approvò, perché gli sembrò che incarnassi una forma del futuro che lo faceva sperare – addirittura gli sembrò una buona prospettiva di pacatezza in funzione del compromesso storico; ma nel farlo, nel riportare a mia zia e agli altri il giudizio ponderato di un quattordicenne comunista, finí per denigrarmi – denunciarmi – agli occhi dei comunisti che mi avevano accolto con una certa accondiscendenza. Fino a quel momento, aver dichiarato di essere diventato comunista mi aveva tenuto ai margini, ben protetto dai comunisti e guardato con benevolo sospetto dai democristiani. Cosí facendo, zio Nino mi mise in un punto molto problematico: perché essendo comunista non stavo con lui, ma dividendo tra un me e un loro, mi strappava dal gruppo. Quindi si sancí che il mio essere comunista non era piú marginale, ma lo sancí un democristiano, e quindi divenni decisamente marginale e inaffidabile per i veri comunisti. Mi ero messo dalla parte di Leone e contro la Cederna. Dissi che non era proprio cosí, che volevo soltanto esprimere – ma per i distinguo non c'era già piú spazio, e capii che a quel punto avrei dovuto recuperare un gran numero di punti perduti appena dopo il nastro di partenza.

A giudicare da quello che è successo in seguito, forse ebbi davvero una specie di lucidità. Il libro fu ritirato poco tempo dopo a causa di una sentenza che tutelava un elenco di persone che si sentivano diffamate. Tutti i gradi del processo condannarono il libro. Quando la sentenza contro le accuse della Cederna diventerà definitiva, Leone si sarà già dimesso e allontanato dalla politica.

Ma ciò che piú importa è che quello per me fu l'ultimo atto politico non schierato. Le ragioni si sovrappongono, e nessuna prevale sull'altra: il trauma di quel momento si confonde con la necessità e la volontà di lasciarmi andare dentro uno schieramento, di essere dalla parte di, e allontanarmi dai dubbi. Ripeto: sia per convinzione; sia, è evidente, per il pericolo concreto che sentii di ritrovarmi da solo. Ma come, avevo abbandonato da poco la mia vita esclusivamente privata, avevo guardato e accolto il mondo, avevo scelto da che parte stare, e poi alla prima occasione di riflessione mi ritrovavo da solo?

Nei giorni in cui il Partito comunista e la Democrazia cristiana stavano per concludere l'accordo del compromesso storico, unendo quindi le due grandi popolazioni cattolica e comunista – non certo in un solo partito o pensiero, ma in un obiettivo comune e stabile – io ho rischiato di allontanarmi dall'uno e dall'altra; e quindi di essere ripudiato da zia Rosa e certo di non essere accolto (e nemmeno lo volevo) da zio Nino. Nei giorni del compromesso, l'unico che rischiava di rimanere fuori ero io.

La cosa che mi sembrava chiara, per quanta chiarezza potessi avere a quattordici anni, non era tanto il fatto che avevo dato un giudizio sul libro della Cederna cosí sorprendente (cosí poco militante); quanto il fatto di aver parlato a mio zio in modo aperto; e che poi quel modo era stato usato per rendere pubblico il mio pensiero. Voglio dire: se quel giudizio mi fosse stato chiesto da mia zia, mia cugina e altri comunisti; oppure: se mi fosse stato chiesto davanti a tutti, zio Nino e zia Rosa compresi; oppure: se zio Nino mi avesse avvertito che qualsiasi cosa avessi detto, lui l'avrebbe riportata anche agli altri – non so se avrei detto esattamente quello che ho detto. Non sto rinnegando quello che pensavo davvero; né sto dicendo che avrei fatto calcoli di opportunità; sto dicendo che avrei usato parole piú consapevoli – per esempio, sarei stato meno complice, e quindi avrei avuto meno piacere (meno compiacimento) nell'affermare che ero scettico e che alcuni passaggi del libro mi avevano fatto vergognare. Non so se a quattordici anni avrei avuto il coraggio di dire esattamente quello che pensavo davanti a tutti, sapendo che non sarebbe piaciuto a coloro che piacevano a me e sarebbe piaciuto a chi a me non piaceva – dal punto di vista politico, s'intende, perché zio Nino, come persona, mi piaceva piú di tutti, ed è per questo che mi lasciai andare con tanta sincerità; ed è questo che mi rimproveravo.

Ho cercato il libro a casa di zia Rosa, ma lei non ricorda nemmeno di averlo avuto. Nessuna delle persone che conosco, e che avrebbero potuto averlo, o dovrebbero averlo, ce l'ha. Sapevo di trovarlo in biblioteca, ma per curiosità ho cominciato a telefonare a un gran numero di persone, chiedendo di provare a chiedere agli amici. Non l'ho trovato, quel libro che allora comprarono tutti. Non ho ben capito se è sparito dalle case perché è diventato subito un libro trascurabile – come quasi tutti i libri di attualità politica. Oppure se è un libro che è stato dimenticato con intenzione.

L'ho trovato in biblioteca. Ma poi ne ho acquistate due copie su ebay: cosí, per sicurezza, e anche per riscattare simbolicamente la rimozione, dovesse esserci stata.

A rileggerlo oggi, è un libro incredibile nella sua faziosità. Sono un lettore appassionato della Cederna, ma è innegabile che fin dalla prima pagina *Giovanni Leone. La carriera di un presidente* è un libro pregiudizialmente contro. Si basa su pochissimi atti d'accusa e costruisce tutt'intorno un bombardamento delegittimatorio su tutti i piani: gli studi, gli abiti, il cibo, la famiglia, i figli, le serate al Quirinale, il fratello del presidente, gli appetiti sessuali di alcuni membri della famiglia, le amicizie, le parentele.

In una delle sentenze i giudici dicono che la Cederna si è limitata a recepire passivamente delle notizie, magari provenienti da una sola parte (di orientamento opposto a quello democristiano). Ma la Cederna fa di piú, perché mette al servizio di una serie di notizie labili la sua scrittura brillante e ficcante, raccogliendo aneddoti denigratori in sequenza. La motivazione di un libro del genere, in quegli anni, arrivava con ogni probabilità da una frustrazione giornalistica: si era certi che il gruppo dirigente democristiano fosse invischiato in un uso del potere piú che disinvolto, che aveva appena attraversato scandali da cui era uscito indenne (Moro aveva urlato in Parlamento: «Noi non ci faremo processare!»); Leone sembrava l'anello piú debole ed esposto, era spesso inciampato in zone d'ombra. L'accanimento contro di lui liberava la frustrazione di tutti verso tutti.

Quindi avevo ragione, quando mi sono seduto sul letto di mio zio e ho detto quelle cose su Leone e la Cederna. Piú precisamente, quando leggendo ho provato fastidio, disagio – e una strana e respinta simpatia per Giovanni Leone e la sua famiglia. Ma nonostante quel ragazzino mi assomigli molto – è ciò che covava di me – quella scena e quel pensiero li ho a lungo rimossi. Nel ripensare a quell'episodio, in tutti questi anni, e ancora oggi in fondo, non penso mai: che bravo, forse ho avuto un'intuizione; no, al contrario, ho sempre provato inquietudine, in seguito, nello scoprire che la Cederna non avesse ragione, che in quel libro avesse operato delle forzature; perché non mi andava di assomigliare a quel ragazzo che pure era stato orgogliosissimo di dimostrarsi maturo di fronte allo zio che era un mito di pacatezza, di intelligenza e di potere. Il fatto che la Cederna avesse avuto torto mi colpiva in un punto che non mi piaceva. Come se dicessi a me stesso: non avrei voluto avere un germe che covava; avrei voluto essere allora come desideravo essere (avrei voluto, in pratica, non provare nessun fastidio nel leggere quel libro); e poi trovare la mia strada solo in seguito. Senza rimandi a un altro tempo.

È stato l'ultimo atto di autonomia di pensiero, poi mi sono infilato nel mio schieramento, senza piú pensare alla lucidità. Per questo faccio fatica a rivangare quel momento, e preferirei rimuoverlo, come del resto è stato fatto da quasi tutti, in seguito, riguardo a quella storia e a quel libro.

Mentre Leone e la Cederna litigavano, mentre zio Nino e zia Rosa litigavano, Berlinguer e Moro stavano portando a compimento il compromesso storico. Dopo un governo presieduto da Andreotti e chiamato di "non sfiducia" (i partiti di opposizione si astenevano dal voto in aula), il presidente del Consiglio si era dimesso, e adesso, dopo lunghe trattative, si stava per compiere il cammino che Berlinguer aveva intrapreso dai fatti del Cile in poi. Il suo interlocutore era stato sempre Aldo Moro, in questo momento presidente della Democrazia cristiana e convinto sostenitore dell'alleanza con i comunisti. In pratica, da quando alle elezioni del 1976 il Pci si era avvicinato cosí tanto alla Dc, la soluzione di Moro per continuare a fare in modo che la Democrazia cristiana conservasse il potere in Italia, era non contrapporsi piú al Pci, rischiando un giorno non soltanto di perdere le elezioni, ma di lasciare campo libero in Italia a chissà quale incognita. Moro ragionava cosí: la clausola "ad excludendum" deresponsabilizza il Partito comunista; non solo: gli dà la possibilità di giudicare di continuo l'operato dei partiti di governo, come se vivesse di rendita sugli errori degli altri; ed era questo, secondo lui, ciò che stava succedendo, e il motivo per cui i voti al Pci si allargavano ogni volta oltre il suo bacino. L'esclusione a priori del Pci lo rendeva un partito populista, senza responsabilità – è questo che Moro spiega in un incontro difficilissimo e decisivo con i deputati e i senatori della Democrazia cristiana. Li ha riuniti con l'intento ultimo di neutralizzare le forti resistenze delle altre correnti di partito all'idea di un cammino condiviso con i comunisti. Il suo discorso politico è nitido: non è una soluzione estrosa, dice, ma necessaria. Se noi ci alleiamo con il Partito comunista, possiamo conservare il potere e il controllo sul Paese per molti altri decenni. E solo con un'alleanza governativa terremo a bada i nostri antagonisti. Quindi fa intravedere al suo partito un possibile scenario apocalittico (la Democrazia cristiana che viene estromessa dal potere, e per giunta dai comunisti) oppure un possibile scenario radioso (la Democrazia cristiana, alleandosi con il suo maggiore avversario, non lascerà il potere mai piú). Del resto, Moro aveva detto una volta: «La Democrazia cristiana è come un'ameba che tende sempre ad appoggiarsi a quello con cui sta in quel momento». Era arrivato il tempo di appoggiarsi a un partito con energia viva, intatta; e ormai grande come il suo.

Con questo discorso convince gli scettici, promettendo in cambio moltissime misure cautelative. La strada per il compromesso storico è finalmente spianata. L'esecutivo, guidato ancora da Andreotti, comprenderà anche il secondo partito italiano. Il nemico.

Comprenderà, però, è una parola eccessiva. Quale differenza ci sarà, nella sostanza, rispetto al governo di "non sfiducia"? Nella sostanza, la differenza sarà questa: lí il Pci si asteneva, qui avrebbe dovuto votare a favore. Lí era un governo monocolore Dc, e qui, a sorpresa, Moro decide che deve essere lo stesso: ritiene che il Pci non possa (ancora) entrare nel governo direttamente con i suoi ministri. La cosa sarebbe malvista dall'alleanza atlantica, dai conservatori italiani. Il passaggio deve essere lento, molto molto lento. Il governo rappresenterà anche – cioè sarà votato da – il Pci, ma sarà composto di soli democristiani.

Nel Pci si denuncia il tradimento, si teme una trappola. Le trattative diventano frenetiche, il Pci chiede almeno la presenza di tecnici che rappresentino in qualche modo una diversità. Ma Moro è irremovibile. Sa come può reagire il Paese, come possono reagire gli Stati Uniti. Sa come tenere a bada le altre correnti della Dc. Convoca Andreotti e gli dà il via per il governo monocolore, senza piú esitazioni. Nel Pci c'è rabbia, sospetto, voglia di abbandonare il compromesso. Berlinguer ha difficoltà a sedare gli animi. La proposta di andare in aula e non votare la fiducia viene presa in considerazione. Il giorno prima del 16 marzo, quando Andreotti presenterà il governo alle camere, ci sono ancora dubbi sul compimento del compromesso storico, tanto desiderato e preparato da Berlinguer da una parte e Moro dall'altra. Si sussurra che il Pci potrebbe anche decidere, a sorpresa, di non votare la fiducia ad Andreotti.

La sera del 15 marzo, Moro scrive un bigliettino a Berlinguer, glielo fa portare. Lo rassicura sul fatto che nonostante i nomi dei ministri, che sono il risultato del coinvolgimento delle varie correnti del partito, il rinnovamento andrà avanti. Moro lo prega di votare la fiducia, e soprattutto di fidarsi di lui: pian piano il Pci avrà visibilità, ma bisogna cominciare in questo modo. Bisogna tranquillizzare tutti: la destra Dc, gli Stati Uniti, i conservatori e gli anticomunisti di tutto il Paese. E il giorno dopo, nonostante i malumori, e il timore di improvvise defezioni, il Pci avrebbe votato la fiducia al governo, sperando davvero in un primo passo, timido ma sincero, verso un governo comune dei due grandi partiti.

Poi tutto questo scomparve di colpo la mattina del 16 marzo.

Quella sensazione di fine del mondo, fu una sensazione talmente condivisa che non è piú nemmeno necessario raccontarla. Ci fu per qualche ora l'idea che stesse per accadere qualcosa di ancora piú grave di ciò che era appena accaduto in via Fani. Come se quello fosse solo l'inizio di chissà cos'altro.

La mattina in cui rapirono Moro, la vita personale e la vita pubblica smisero di essere separate. Stavolta non solo in una parte del Paese, come era accaduto per il colera; in ogni singolo essere umano. Uno di quei fatti di cui per tutta la vita si racconta dov'ero, cosa facevo. Quella mattina nessun italiano avrebbe potuto sottrarre la propria esistenza singola alla partecipazione in comunità. Tutti quel giorno, anche i piú inconsapevoli, sono stati costretti a nascere una seconda volta.

Quello che accadde a me, fu la perdita definitiva dell'ingenuità. Quella vita che pensavo si potesse vivere tra il cortile e il Paese, e che era anche intrisa di violenza da qualche altra parte, non immaginavo potesse essere colpita da un evento di guerra cosí gigantesco. Come tutti i ragazzini, che immaginano il mondo senza considerare nemmeno il presente, ma soltanto il futuro, e lo immaginano piuttosto irresistibile, avevo la percezione netta che tutto l'orrore del mondo fosse già accaduto, facesse parte del passato. E tutto quello che accadeva oggi, ai miei giorni, era un progressivo allontanamento dai fatti storici più dilanianti. Anche il colera, che era accaduto così vicino, in fondo non aveva avuto effetti né duraturi né devastanti. E anche gli atti di terrorismo, finora, sembravano non riguardare un ragazzo di Caserta che stava cercando di immaginare la vita in qualche modo; mi ero convinto che fossero strascichi del passato, piuttosto che annuncio del futuro che si compiva oggi. Da questo momento, non ero più autorizzato a guardare tutto dal basso, continuando a dire che poi, io, in fondo, anche se ormai ero nato una seconda volta, in fondo, non c'entravo niente. Il rapimento di Moro, quella operazione di guerra che aveva ucciso uomini, che adesso erano riversi nel sangue, penzolanti fuori da una macchina, quelle voci lente e addolorate che commentavano in diretta quello che non comprendevano, comunicando quindi uno stupore atterrito che faceva anche più paura, una paura che non se ne è andata più per un sacco di tempo – tutto questo era la prova definitiva che anche io, come ognuno, facevo parte della comunità.

Perché quel rapimento era proprio il punto preciso che unisce la vita di un uomo e la vita di una comunità. Era il rapimento dell'uomo di Stato ma anche di un essere umano. Era il rapimento di un rappresentante della comunità intera ma anche di un uomo che aveva una famiglia. Una questione per nulla secondaria negli eventi che seguirono: infatti, mentre noi ci sentivamo tutti insieme coinvolti fin nelle nostre esistenze dentro la comunità, il presidente della Democrazia cristiana, il rappresentante principale delle strategie politiche di quegli anni, e di quei giorni soprattutto, abbassò – chissà in quale attimo preciso di quelle ore – una saracinesca sulla vita pubblica, ritenendosi sopra ogni altra cosa il padre di famiglia che noi nemmeno immaginavamo. È stato quello il momento in cui abbiamo scoperto che Moro – e a questo punto, anche tutti gli altri – aveva una famiglia e una vita al di fuori di quella che vedevamo.

Quando la porta si spalancò e ci venne detto di correre fuori perché le Brigate Rosse avevano rapito Moro e c'era il coprifuoco, ci alzammo tutti in silenzio, si sentirono soltanto il rumore delle sedie, dei banchi. Eravamo tutti stupiti, e pronti a essere terrorizzati. O meglio, non tutti.

Ero in primo liceo scientifico. La mia compagna di banco si chiamava Elena. Forse non ero ancora innamorato di lei, o forse sí ma non lo ammettevo, o forse sí ma non me ne rendevo conto. Era una ragazza della mia età, ma era come se avesse dieci anni di piú. Faceva parte del Movimento, lei, con il suo fidanzato; la sua famiglia, e quella del suo fidanzato, erano tutti comunisti. Lei e il fidanzato (non si diceva cosí, era una parola ridicola, questo me lo ricordo bene; però non ricordo quale fosse la parola sostitutiva) lo erano in modo piú estremo. E mentre eravamo tutti muti e cercavamo di scappare a casa, che sembrava l'unica cosa da fare, io la guardai – la guardavo sempre, credo – e vidi i suoi occhi che ridevano. Era soddisfatta. Si preparava ad andare via con tempi piú lenti. Era tranquilla, per nulla impaurita, per nulla infelice. Mi guardò anche lei, per un attimo, e con un filo di voce, sicura e feroce, disse: «È cominciata la rivoluzione».

Adesso, spinto dalla sua forza cosí chiara, toccava a me decidere. Se tenermi dentro quel terrore che mi aveva preso, oppure se mettere sull'angolo della mia bocca un sorriso segreto, in favore dell'inizio della rivoluzione. Avrei voluto, per farle piacere, avere il coraggio che ci voleva adesso, e anche – a pensarci poi – un cinismo potentissimo (che i suoi occhi avevano). Ma proprio non ce la feci. E seguii gli altri che correvano. Però si mise a correre anche lei, con tutti noi. Ma la sua corsa era diversa dalla nostra.

Quando uscimmo, tutti noi puntavamo verso casa, come ci era stato detto. Tutti noi, tranne i ragazzi del Movimento. Anche Elena si fermò con loro. E vidi, mentre uscivo dal cancello e costeggiavo quasi correndo la cancellata verde della scuola, che Elena e gli altri si abbracciavano. Non si poteva dire che fossero contenti, visto che anche sui loro volti un terrore si palesava, ma sapevano, o comunicavano tra loro – ecco cosa volevano dire quegli abbracci – che non erano scontenti del fatto che le Brigate Rosse avessero rapito Moro.

Mi fermai a guardarli un attimo, appeso alle sbarre della cancellata. Vedevo Elena con i compagni; e vedevo gli altri che scappavano insieme a me. Quanta diversità dal mondo a cui volevo appartenere, quanta somiglianza con tutto il resto del mondo a cui appartenevo, lo volessi o no. Sentivo dolori arrivare da tutte le parti, dalla parte di Moro, dalla parte di coloro che come me scappavano a casa, e dolore per non essere complice con quelli a cui volevo assomigliare, dolore per non aver pensato io stesso che era appena cominciata la rivoluzione, dolore invece per il fatto che la mia sensazione, ora che era cominciata, era di terrore, estraneità e vigliaccheria; e perfino un dolore piú rumoroso e sotterraneo, perché nonostante volessi essere come loro, quello che stavano facendo aveva una tale estraneità, era un sintomo di violenza che non riusciva a essere sopportabile. Li guardavo, li invidiavo; e allo stesso tempo mi faceva male lo stomaco dalla nausea.

Molti quindi si mostrarono soddisfatti, almeno sul momento. Poi forse, nel tempo, hanno censurato quella reazione. Ma vidi Elena quasi felice, in un modo stonato, di una felicità pericolosa, insensata, morbosa. Mi fece paura, mi fecero paura lei e quelli del Movimento e scappai piú in fretta. Desideravo essere come loro, con loro; dal primo giorno che ero arrivato al liceo. Ma adesso, il fatto di allontanarmene mi faceva sentire a posto. Semplicemente, loro erano raggianti, e io mi sentivo inerme. Loro erano coraggiosi, e io avevo paura. Quello che era successo qualche giorno prima leggendo il libro della Cederna, adesso era chiaro davanti ai miei occhi: non riuscivo a essere come avrei voluto essere.

Poi per fortuna, vennero in soccorso tutti. Vennero in soccorso anche – subito, devo dire, ma giusto in tempo – di quel minuscolo pensiero che stava per fare capolino nella mia testa, e che solo grazie all'entità della tragedia e al coinvolgimento serio e non polemico di mio padre, ero riuscito per ora a respingere: e cioè, che se il comunismo stava per arrivare veramente, come diceva lui, e stava per arrivare in questo modo, allora davvero non stavo già piú da quella parte, ma stavo insieme a mio padre, e a quasi tutti gli altri. In questo momento, pur avendo creduto di essere diverso, il mio unico desiderio era di essere come tutti. Come mio padre e mia madre, come i vicini, come quelli che parlavano al telegiornale. Come zio Nino. E come zia Rosa.

Ecco, fu lei la prima luce di conforto. Quando tornai a casa, era davanti al portone: il suo sgomento assomigliava al mio, ed era piú consapevole, deciso, indignato. E infatti il Pci, i sindacati, le persone che scesero subito in piazza, vennero tutti in soccorso della mia estraneità. Adesso, ogni volta che vedo le immagini di quella piazza – di quelle piazze – piena di gente, mi commuovo: sia perché è uno di quei momenti in cui si vede nitido, senza sfumature, il Paese, lo si vede disegnato nella sua forma e composizione, e si vedono dentro il Paese tutti quelli che vi sono contenuti, e che lo disegnano cosí com'è e allo stesso tempo come dev'essere, preciso preciso come non lo si vede quasi mai (anzi, mai); come se quelle persone in strada componessero in modo giusto un enorme puzzle di cui finalmente si capisce il senso. Ma mi commuovo anche al pensiero di come fu confortante, allora, non sentirmi estraneo a quello a cui volevo assomigliare, partecipare.

E poi, giorno dopo giorno, vidi anche la tristezza di Elena crescere, i suoi dubbi crescere. E la paura di quello che stava succedendo, e quel sorriso strano per fortuna se ne andò. Intanto mi innamoravo, in silenzio. O capivo di essere innamorato.

È stato in quel periodo che in un cineclub ho visto *Come eravamo*. Era la storia di un giovane, bello, sfaccendato, con amici con i quali andava da una festa all'altra, che incontra Katie (Barbra Streisand), una ragazza non tanto bella, ma molto impegnata, una comunista piena di passione e ideali. Hubbell (Robert Redford) scrive racconti, e anche lei. Ma si scopre che lui è bravissimo, e infatti diventerà uno scrittore. I due si innamorano, vanno a vivere insieme, ma la loro sostanziale diversità farà in modo di dividerli. Lui non riuscirà a resistere alla seduzione dei soldi, e invece di dedicarsi al suo romanzo diventerà un autore televisivo, ricco, con una vita eccessivamente mondana e molte donne; lei andrà via, forse proprio perché ha capito che lui è incapace di seguire fino in fondo il proprio talento. Si incontreranno tanto tempo dopo, un giorno, sullo stesso marciapiede dove si erano incontrati la prima volta; lui è lí per lavoro, e si accorge che c'è una donna che distribuisce volantini invitando a firmare contro la bomba atomica; urla con convinzione frasi ideologiche però anche sensate. È Katie, e fa le stesse cose che faceva tanti anni prima.

«Tu non molli mai, eh?», le dice, con ammirazione, dopo che si sono salutati con imbarazzo e affetto. Sa che, alla fine, chi tra loro due è migliore, è lei. Che ha conservato, dentro la testardaggine dell'impegno politico, la sua giovinezza.

(Nella parte finale della storia, c'è, ed è piuttosto decisiva, la nascita di una figlia; su questa assunzione di responsabilità, sulla scelta di diventare adulti o restare giovani e superficiali, si gioca molto della fine del loro rapporto. Ma di quella parte della trama non ho mai tenuto conto, nei ricordi, me ne sono accorto solo adesso, rivedendolo. E in fondo – non so se per giustificarmi o perché ho davvero ragione – loro non si lasciano per quello. Tanto è vero che il finale non prevede la presenza della figlia, a cui fanno un accenno rapido, ma è tutto concentrato sulle scelte che hanno fatto quei due ragazzi che tanto tempo prima si erano innamorati).

La mia passione politica stava nascendo in modo incontrastabile, e vivo; quindi è come Katie che avrei voluto essere. Invece mi sentivo in realtà come Hubbell (ma anche Hubbell, nel film, vorrebbe essere come Katie, e non ci riesce); non che mi sentissi un aspirante scrittore, però ero un ragazzo un po' ricco, un po' nullafacente, che si interessava alle cose in modo confuso e superficiale, e passava il tempo, gran parte del suo tempo, insieme ad amici un po' stupidi e nullafacenti come lui; andavo alle feste, quante piú feste possibili. Era questa la mia vita in quegli anni: la naturale compagnia degli amici, la mia famiglia, il parco residenziale in cui vivevo; e la tensione irrisolta verso il Movimento, perché ero comunista. È questo che vidi anche in Robert Redford. Quindi, poiché questo ragazzo un po' stupido con gli amici un po' stupidi voleva fare lo scrittore, allora anch'io decisi che volevo fare lo scrittore: era il modo di conquistare Barbra Streisand e anche il modo per essere un po' stupido e un po' nullafacente in modo diverso. In fondo, suggeriva il film, bastava mettersi a scrivere e la mia condizione sarebbe cambiata. Era un pensiero ingenuo, ma era fondato su una certa consapevolezza di come andavano le cose. In ogni caso, mi aveva suggerito il film, questa era la strada piú breve, o quella piú vicina alle mie caratteristiche – o addirittura l'unica: io potevo essere Robert Redford.

Poiché una storia d'amore l'avevo anche io, ed era la storia di un ragazzo che ama la sua compagna di banco e soffre tantissimo perché lei non lo ama, mi misi a scrivere un romanzo che raccontava di un ragazzo che ama la sua compagna di banco e soffre tantissimo perché lei non lo ama. Il romanzo era brutto e si è fermato dopo alcuni capitoli, scritti in modo faticosissimo. Però in quel tempo in cui mi chiudevo in camera e scrivevo, nonostante lí fuori ci fossero i miei amici, le feste, le ragazze, e anche Elena, il Movimento; nonostante scrivere fosse molto faticoso e non produceva nulla di buono – mi sentivo felice. In un modo diverso da come lo ero stato tutte le volte che ero stato felice fino ad allora. Avevo la percezione chiara che stavo scrivendo un romanzo brutto e inutile, ma andavo avanti perché in qualche modo leniva il mio dolore e perché quel tempo di scrittura era una vera sostanza di felicità. E mi dava la sensazione, non ho mai capito perché – ma è evidente che è la sensazione che continuo ad avere ora – che non stavo buttando la mia vita. Con i miei amici avevo la sensazione di buttare la mia vita; con Elena no, ma lei non mi voleva; con il Movimento no, ma non avevo abbastanza coraggio per essere come loro. Quindi, l'unico momento in cui davvero potevo sentire di non stare buttando via la mia vita, era mentre scrivevo questo romanzo brutto, cosciente che fosse brutto. E forse anche l'atto di scrivere rendeva sopportabile il dolore che provavo, le pene che provavo. In fondo, mi dicevo che se soffrivo potevo poi scriverne, e quindi incanalavo la sofferenza dentro qualcosa.

(Ora so che è una cosa nemmeno troppo lontana da *Come eravamo*: infatti, questa storia d'amore, dall'inizio alla fine, chi può averla raccontata, poi? Quello dei due che era uno scrittore).

Il 14 febbraio 1980 entrai in un negozio dove c'erano un sacco di oggetti rosa, roba che non si era mai vista prima. Erano apparsi all'improvviso sia questi negozi che vendevano oggetti non del tutto concreti, sia una gran quantità, all'interno di questi negozi, di roba rosa. Il rosa, nel decennio precedente, era un colore che forse non esisteva, adesso era diventato parte della nostra vita. Mi guardavo intorno, nel negozio, per scegliere con cura cosa regalare. Avevo già un'idea.

La mia compagna di banco era diventata qualcosa che si avvicinava moltissimo a essere la mia ragazza. A furia di guardarla cosí teneramente, giorno dopo giorno nel corso di due anni scolastici, al terzo, con un sentimento misto di esasperazione, tenerezza e curiosità, mi aveva baciato.

Dico "qualcosa che si avvicinava moltissimo" perché ci vedevamo di rado e segretamente. I suoi genitori non erano affatto contenti; dicevano che ero troppo borghese. I compagni non erano affatto contenti; dicevano che ero troppo borghese.

I miei amici erano altri, come sempre; ci trovavamo in una strada dove c'era un muretto basso e molto lungo, e lí stavamo seduti a parlare o anche stando zitti, fino a quando non c'era da andare a una festa oppure il sabato in discoteca. Qualche volta guardavo l'orologio e dicevo: ci vediamo piú tardi.

Andavo alle riunioni del Movimento. Elena mi ci portava, o meglio mi aveva autorizzato ad andarci. Poiché

avevo cominciato a piacerle, suo malgrado, l'unico modo
che aveva per compiere in modo sensato questa specie di
storia d'amore, era farmi studiare tutti i classici del pensiero marxista, farmi andare alle riunioni del Movimento
e trasformarmi in uno di loro; fare pian piano constatare
e accettare la mia trasformazione ai compagni e ai genitori, e poi finalmente sancire il tutto con l'ufficialità del nostro fidanzamento. Era un cammino lunghissimo, tortuoso. Ma che mi impegnavo a compiere con tutte le mie forze: sottolineavo i classici del marxismo, leggevo i giornali
dell'estrema sinistra, andavo alle riunioni del Movimento
senza mai intervenire una sola volta – sia perché davvero
non avevo il coraggio né sapevo cosa dire, sia perché cosí
dimostravo la mia umile voglia di partecipare.

Ma non andava per niente bene. Mi guardavano e scuo-
tevano il capo quando entravo, mi squadravano dalla testa ai piedi con una faccia schifata e poi dicevano: come
ti sei vestito, da fascista? Andavo a sedermi in fondo, timidamente. Nemmeno mi sedevo accanto a Elena, perché sapevo che tutti sospettavano che andassi lí soltanto
per Elena.

Poi lo vogliamo proprio vedere quando facciamo la rivoluzione. Questa è stata la frase iniziale e finale dei compagni del Movimento, su di me. Nel senso che se poi facevamo (anzi, facevano) la rivoluzione, tutti i borghesi di
merda venivano cacciati via a calci in culo. Io ero un borghese di merda, quindi anch'io sarei stato preso a calci in
culo, il giorno che avremmo fatto la rivoluzione. E certo,
fa il comunista con i soldi di papà, mi dicevano. Guardatelo – dicevano – fa il comunista e poi va a chiedere a papà
di comprargli il motorino. Cosí lasciavo perdere il motorino e loro si incazzavano ancora di piú perché giustamente
dicevano che i borghesi di merda se volevano partecipare
alla rivoluzione dovevano almeno portare quel cazzo di motorino perché sennò il volantinaggio come lo facevamo. Lo
sapevo che poi se facevamo la rivoluzione me l'avrebbe-

ro fatta pagare questa cosa, cosí andavo a casa di nuovo e prendevo il motorino (ed era il momento in cui mio padre diceva: fa il comunista con il motorino che gli ha regalato papà) e facevamo volantinaggio; intanto loro mi dicevano che ero un borghese di merda che se ne andava in giro con il motorino che gli aveva regalato papà e quando avremmo fatto la rivoluzione se lo sarebbero ricordati questo fatto del motorino. Però vedi come sono fesso, pensavo: voglio fare per forza la rivoluzione e quando farò davvero la rivoluzione questi se la prendono con me per primo.

Anche perché, dicevano, nella sostanza io andavo alle riunioni per Elena. Rispondevo che io e Elena non stavamo insieme (anche se un po' stavamo insieme). Loro dicevano: e vorrei pure vedere. Perché pensavano che Elena non sarebbe mai potuta stare con me. Quelli erano i momenti – forse gli unici momenti – in cui ero felice, perché dentro di me pensavo che io e Elena stavamo un po' insieme e loro non lo sapevano e questa per me era una grande soddisfazione, l'unica.

Era una vita piuttosto difficile.

E poi un po' avevano ragione. Ero lí per Elena. Perché nel fondo del mio cuore, io sentivo di far parte del Partito comunista. Ma se l'avessi detto, avrei perso anche Elena: i giovani, i ragazzi, non potevano essere del Partito comunista. In classe nostra c'era Marisa, era la piú brava della classe, ed era del Partito comunista (piú precisamente della Fgci, i giovani comunisti). C'erano anche un paio di ragazzi molto ignoranti che si dichiaravano fascisti, ma cosí, nemmeno troppo seriamente. Elena trattava con un po' di distacco ma senza acredine i due ragazzi, e con un'aggressività totale e costante Marisa – colpevole di far parte del Partito comunista. Poiché anche io credevo di farne parte, anche se non avevo tessere né niente, avevo solo cominciato a leggere i testi che bisognava leggere, ad andare su da mia zia a sfogliare l'Unità, a essere d'accordo sempre con Berlinguer – poiché anche io credevo di farne parte, ci mancò poco che lo dichiarassi. Feci in tempo a vedere come trattava Marisa, per capire.

Da allora in poi fui del Partito comunista segretamente, mi fidanzai con Elena segretamente. A sedici anni la mia situazione era la seguente: a casa, se nominavo il Pci, ero considerato una specie di terrorista; fuori casa, se nominavo il Pci, ero considerato una specie di democristiano. Quindi, per un po', ho smesso di parlarne.

Nella camera da letto di Elena c'erano dei fumetti dei Peanuts, delle strisce incollate sugli armadi, un poster con Snoopy che teneva Woodstock sulla pancia. Quella stanzetta la conoscevo bene, avevo studiato con lei tanti pomeriggi, e qualche volta ci eravamo baciati e qualche volta avevo premuto anche il mio jeans contro il suo, per un po', poi lei diceva basta. Fino a quando nessuno scoprí che oltre a studiare ci baciavamo anche, andava tutto bene. I genitori erano gentili, mi coinvolgevano nelle questioni casalinghe e nelle discussioni politiche, anche se avrei dovuto già sospettare per il fatto che il padre diceva: sentiamo lui, che ci può portare il punto di vista di un altro mondo. Non mi piaceva che lo dicesse, ma non gli davo importanza. Erano simpatici, gentili ed erano contenti che io e Elena studiassimo insieme. Da un giorno all'altro, da quando si resero conto – come, non l'ho mai capito – che io e Elena eravamo un po' fidanzati segretamente, il loro atteggiamento cambiò. E nella sua stanza non entrai mai piú. Non studiammo piú insieme, ci baciavamo furtivamente sotto casa mia o nei corridoi bui della scuola. Il resto del tempo lo passavamo in un posto che chiamavano "sezione" ma non era sezione di niente, era una specie di movimento studentesco – insomma, erano i compagni che si riunivano il pomeriggio. Arrivavamo ognuno per conto suo, io e Elena, e ce ne andavamo ognuno per conto suo. Ci facevamo delle telefonate lunghissime, soprattutto di notte, e non posso dire che mi dicesse che mi amava, ma io mi immaginavo di sí. L'amavo follemente, ero disposto a tutto, anche a essere umiliato dai compagni e odiato dai suoi genitori.

Per questo motivo presi un peluche di Snoopy di proporzioni discrete, e lo feci impacchettare. La commessa mi chiese se era per San Valentino, e dissi sí. Me lo incartò in una carta rosa, tutta rosa. Non fui contento. E facevo bene a non esserlo. Ma era andata cosí. Misi il peluche nella tasca del giaccone (e sento ancora nitido, come se l'avessi adesso in tasca, il rumore della carta quando infilavo la mano) e andai all'appuntamento che le avevo dato vicino alla scuola, dicendole che era una cosa importante. Alle sei di sera. Era buio, c'era un posto, una specie di cortile tra la nostra scuola e un'altra, che era deserto. Lí si poteva parlare.

Arrivò trafelata. Non era strano. Era sempre trafelata. Tutti quelli che andavano in sezione e ne uscivano, erano trafelati. Anche quando facevano gli interventi erano trafelati. Comunicavano di continuo che tutto quello che stava succedendo era meno importante di quello che sarebbe successo, o che stava succedendo da altre parti. In effetti, da noi, a Caserta, non è che succedessero tante cose, e non sembrava il punto esatto da dove sarebbe partita la rivoluzione. Ci bastava che in qualche modo, un giorno o l'altro, ci arrivasse. Eppure, in ogni caso, potevamo (potevano, io ero sempre un po' dentro e un po' fuori) simulare un'urgenza, recitarla – ma non per finta, credendoci.

Però, trafelata, non andava bene.

«Di cosa dobbiamo parlare», disse.

Non andava bene. Ci avevo pensato molto a questo San Valentino. Sapevo che era un passo azzardato; ma avevamo giocato spesso, nelle telefonate notturne, a fare i fidanzati, anche se nella sostanza lo eravamo poco. E una volta lei aveva detto che sua nonna l'aveva rimproverata: possibile che non hai mai voglia di un gesto romantico? Lei aveva riso e aveva detto: sí, ne ho voglia. Anzi, mi aveva detto, forse nel momento piú bello tra noi due: se sto pensando di stare con te, è perché tu sei diverso (anche lei diceva che ero diverso), puoi fare quel gesto romantico e scemo che nessuno di noi potrebbe fare (quindi in ogni caso di quel "noi" non riuscivo a fare parte).

Cosí, ecco, stavo facendo quel gesto romantico e scemo: le avevo dato un appuntamento per farle un regalo nel giorno di San Valentino.

Qualcosa mi sembrò già meno potente quando infilai la mano in tasca e sentii il rumore della carta. Rosa. Ma avevo messo in conto anche questo – una minor potenza. Perché ci avevo pensato tanto, troppo, a quel momento, e ne avevo ricavato una lunga serie di reazioni meraviglio-se da parte di Elena, ma appunto per questo avevo soppe-sato la mia immaginazione e la realtà e avevo detto: sarà sicuramente meno. Però, adesso, mentre infilavo la mano nella tasca, e vedevo Elena che la osservava, mi resi conto con chiarezza che avrei tirato fuori, senza che ci fossero altre miracolose possibilità, nella sostanza inequivocabi-le, un pacchetto rosa. Una confezione tutta rosa. Perché non avevo avuto il coraggio di fermare la commessa e dirle che non c'era bisogno? Però, superato il pacchetto, den-tro c'era il peluche di Snoopy, e quello le sarebbe piaciuto di sicuro. Certo, non avrebbe avuto la reazione che avevo sognato – meno, ma a me meno andava bene. L'avevo già messo in conto.

«Cos'è», disse. Non disse nemmeno tutta la frase che significava quel cos'è – e cioè: 'sto coso rosa.

«Aprilo», dissi. Ormai ero molto scoraggiato, ma non era piú possibile tornare indietro.

Lo aprí. Con impazienza, e la carta rosa fu – giustamen-te – strappata in malo modo. La mia certezza che deside-rasse davvero un gesto romantico e scemo si era già incri-nata – era come se lo avessi sognato, ma in realtà sapevo cosa era successo, lo stavo capendo con precisione in quel momento, mentre lei strappava infastidita quella carta rosa: lo aveva detto cosí per dire, per essere carina con me.

Ma non intendeva che si facesse sul serio.

Era chiarissimo, ormai. Ma era anche troppo tardi.

Si girò tra le mani lo Snoopy, lo guardò e mi guardò. Poi fece una domanda che non aveva possibilità di una buona risposta: «Ma è per San Valentino?»

Era la domanda in sé che era sbagliata. Perché era una domanda molto negativa. A prescindere dal tono e dall'espressione. A quel punto, rispondere sí era sbagliato; rispondere no era impossibile.

Non risposi, ma era sí.

Me lo spinse sullo stomaco.

Era un modo per ridarmelo, ma non me l'aveva messo in mano, bensí spinto sullo stomaco. «Ma come ti viene in mente di festeggiare San Valentino? Ti sembra una cosa sensata?» (No, non mi sembrava una cosa sensata, era questo che me la faceva sembrare simpatica – prima che lei arrivasse; ma già dal suo sguardo quando era arrivata, avevo intuito che non era una cosa sensata, e basta).

Poi guardò la carta rosa strappata, a terra, ma non ebbe voglia di dire nulla, su quella.

Scosse la testa e non a me, ma a se stessa, per rimproverarsi, disse: «Non pensavo fossi cosí stupido».

Poi risalí sul motorino e disse: «Anche il giorno di San Valentino, se non lo sai, succedono cose nel mondo, e quindi anche il giorno di San Valentino noi siamo impegnati a fare politica».

E quel "noi", ormai, mi escludeva per sempre.

Sussurrai quello che mi fu impossibile non sussurrare in quel momento: «Tu non molli mai, eh?»

Ma non credo che lo sentí.

Rimasi solo, nel buio. Raccolsi la carta rosa e andai verso un bidone della spazzatura. Già piangevo. Doveva aver contribuito la tensione, la commessa che avvolgeva la carta rosa e io che avevo la percezione netta di stare facendo un errore, la sensazione che avevo avuto mentre aspettavo che Elena arrivasse, la certezza di essermi messo in una situazione troppo rischiosa. Piangevo tanto, in silenzio. Piangevo perché sentivo un dolore enorme, che se avessi fatto la somma di tutte le speranze, l'immaginazione, i significati, il senso delle sue parole e le conseguenze; tutte queste cose insieme non avrebbero prodotto, sommandole, il dolore che adesso provavo, che era piú grande.

Un pupazzetto di peluche – anzi, non lui; ma la decisione piú stupida della mia vita, quella di entrare in un negozio rosa e di prenderlo, aveva rovinato tutto. Non so se avrei avuto davvero speranze con Elena, non so se avrei resistito ancora tanto a quelle assemblee, senza oltretutto dire una parola; ma se avessi avuto una sola speranza, adesso era morta a causa di uno stupido peluche di Snoopy.

Non c'era da fare altro che tornarmene nella mia vita, tra i miei amici, alle mie feste. Sentivo di essere inadeguato al mondo, alle persone che amavo, alla politica che mi appassionava. A tutto. Non lo sentivo, lo ero. Era evidente.

Gettai lo Snoopy (e la carta rosa) nella spazzatura. E mi allontanai lento, non sapendo dove andare. Lí, in sezione, non sarei tornato piú. Elena l'avrei vista tutti i giorni, per due anni ancora, e la cosa stupefacente fu che continuò a restare la mia compagna di banco fino all'ultimo giorno del liceo. Ma non ci baciammo mai piú.

C'era una scena di *Come eravamo* che mi piaceva molto, e che sembrava riguardasse tutta la mia vita, finora. È il giorno della morte di Roosevelt, o il giorno del funerale piú probabilmente. Hubbell decide di portare Katie a casa dei suoi amici. Lui non sa fare altro che portarla alle feste, e gli amici raccontano storielle, perfino una sulla moglie di Roosevelt. Katie si arrabbia. Diventa, come le capita a volte, scontrosa, maleducata, aggressiva. E quin-

di Hubbell la prende e la tira via in un angolo. E quando
lei lo accusa di averla portata a una festa in un giorno cosí
triste, lui le dice: «Non volevo andare in un posto triste
per sentirmi piú triste ancora».

«E che c'era di male a sentirsi piú triste?»

Poi c'è la frase che per tutta la vita non sono piú riuscito a togliermi dalla testa. Redford la dice spazientito, ac-
corato: «Tanto il presidente non può resuscitare. E la cosa
non è successa a te. Tutto quello che succede nel mondo
non succede a te personalmente».

Barbra Streisand era Katie e Katie era Elena. Anche
per lei tutto quello che succedeva nel mondo succedeva a
lei personalmente. Ed era quello che avrei voluto accadesse
anche a me. Era quello che avevo intuito fin da quei pochi
minuti passati da solo nella Reggia, qualche anno prima,
e che poi mi era diventato molto chiaro con il passare del
tempo e degli eventi. Ma allo stesso tempo, dovevo ammettere, non ero riuscito a diventare cosí, fino in fondo.
Non ci sarei mai riuscito, fino in fondo. Forse era colpa di
quella superficialità che mi era stata instillata, forse era la
mia natura. Forse non mi fidavo del mondo, e nemmeno di
me stesso nel mondo. E in piú, non mi sentivo all'altezza.
Era questo che avevo dimostrato quella sera, una volta di
piú, e in modo definitivo.

Pensai che avrei provato quel dolore per l'eternità, e invece il 23 novembre di quell'anno è stato l'ultimo giorno in cui ho sofferto per Elena. Era domenica, e il ricordo di quella sofferenza è molto nitido. Ero andato alla partita di basket della nostra squadra, ero nella curva opposta a quella degli ultrà, il posto dove sedevo sempre. Ricordo che non sarei voluto andare, ma avrei dovuto dare troppe spiegazioni ai miei genitori e agli amici – che erano tutti lí, come al solito: sarebbe apparso impossibile, amavo il basket, amavo le partite della nostra squadra, e quindi avrei dovuto avere una spiegazione molto articolata; e sensata. Fu piú semplice andare.

Mio padre in quel periodo mi diceva sempre due cose: come mai uscivo quando c'era la partita in televisione, e che mi avrebbe mandato a fare il militare a Pordenone.

Credo che Pordenone rappresentasse un qualsiasi concetto di lontananza, anzi forse era il posto piú lontano da dove stavamo, però non capivo come avrebbe fatto a intervenire con il ministero della Difesa; mi sembrava improbabile, ma mi ero messo in testa che in qualche modo ci sarebbe davvero riuscito, e avevo paura. Avevo sedici anni, mancava ancora un po' di tempo, ma poi nemmeno tanto, e cominciavo a chiedere in giro, facendo finta di niente, se i genitori potevano davvero intervenire sulla destinazione di un soldato di leva.

«Cosí sai quanta gente farebbe fare il militare ai figli sotto casa?», mi rispondevano.

Ed era sensato. Però nessuno pensava all'ipotesi opposta: «Sí, ma se volessero tenerli invece il piú lontano possibile, mettiamo: Pordenone?»

Quella domanda spiazzava sempre il mio interlocutore, perché poi pensavamo entrambi la stessa cosa: se non ammettono richieste affinché i figli restino vicino casa, non è detto che non ammettano quelle per tenerli invece molto lontano da casa. Mettiamo: Pordenone.

Anzi.

Quando non ero ancora innamorato, restavo a casa a guardare alla tv ogni tipo di sport, anche le partite di calcio di serie B. Il fatto che fossi diventato comunista non aveva interrotto questa abitudine. Da quando ero innamorato, invece, mio padre mi fermava quando stavo per uscire e mi chiedeva come mai non restavo a guardare la finale della Coppa dei Campioni, considerato che oltretutto avevo visto tutte le partite fin dal primo turno. Rispondevo che mi dispiaceva, ma avevo proprio da fare – e non mi dispiaceva né mi importava piú nulla delle coppe dei campioni; pensavo solo al mio dolore, a come tramortirlo, potevo andare in giro per ore sapendo che Elena usciva da casa per entrare in un'altra, passavo miliardi di volte sotto casa sua solo per guardare se la luce della sua camera era accesa; oppure andavo al bar dai miei amici, ma loro erano rimasti a casa a vedere la partita, e allora restavo a chiacchierare con chiunque incontrassi, con la sola speranza di essere trascinato a una festa e spiazzare il pensiero ossessivo di Elena con qualche diversivo. Però, con quell'umore, spesso alle feste mi mettevo in un angolo, silenzioso, e soffrivo. I miei amici si avvicinavano, mi dicevano ma cos'hai, ma lascia perdere quella stronza e vieni a ballare. Mi innervosivo molto che la chiamassero stronza, solo perché non mi amava. Quando poi tornavo a casa, mi dimenticavo pure di chiedere il risultato; almeno il risultato. Mio padre non ci dormiva la notte, pensava che fossi impazzito. Ma non era per questo che mi voleva mandare a Pordenone. Voleva farlo perché cosí avrei imparato a vivere; che significava che avrei smesso di essere comunista.

Da quel San Valentino sembrava fosse passato un solo giorno, due al massimo; era finito tutto, eppure soffrivo ancora il 23 novembre, una domenica oltretutto – quindi non uno di quei giorni intollerabili in cui lei era seduta accanto a me per cinque ore consecutive, a stento mi rivolgeva la parola, all'improvviso diventava loquace e sorridente, ma sottolineando bene la nuova distanza. Forse ci eravamo sentiti (succedeva), forse avevo saputo qualcosa della sua vita sentimentale (me lo venivano a dire, i miei amici, convinti di avere questa funzione pedagogica: piú mi facevano soffrire, prima avrei dimenticato. E poi ho imparato che di questa forma di affetto pedagogico e feroce non ci si libera mai per tutta la vita, cosí come non ci si libera di quella solidarietà impulsiva che fa dire, di chiunque ti faccia soffrire: è una stronza).

E invece ero lí, a guardare con tristezza una partita di basket che mi avrebbe dovuto appassionare molto. Cosa che nonostante tutto accadde. Perché la Juvecaserta giocava una partita decisiva per la salvezza con il Rodrigo Chieti – era decisiva anche se il campionato era ancora lungo, ma il destino di certe squadre, come la nostra e quella di Chieti, era segnato fin dalla prima giornata; una di quelle partite dalle quali non si poteva uscire sconfitti per non compromettere in modo troppo preoccupante il resto della stagione. Perdere in casa sarebbe stato un vero disastro. La partita fu tiratissima, una volta eravamo in vantaggio noi e un'altra loro. E poi, dopo tutta questa tensione, il nostro americano, un mulatto muscoloso e svagato, Bernard Toone, si trovò a tempo quasi scaduto a guardare fisso il canestro per non sbagliare il tiro libero decisivo: eravamo 89 pari, e se avesse segnato avremmo vinto. Segnò.

I miei amici decisero di andare al bar dove ci vedevamo sempre, euforici per la vittoria. Io invece non ero riuscito a scrollarmi di dosso quella tristezza dolorosa e me ne tornai a casa. Non c'era nessuno.

Mi dispiacque che quella domenica sera mio padre non fosse in casa. Almeno lui avrebbe apprezzato il fatto che stavo guardando la "sintesi di un tempo di una partita di calcio di serie A". Non ero contento di farlo, ma ero troppo triste per stare insieme agli altri, per sentirmi dire che non dovevo essere triste. Avevo sedici anni, era novembre, era domenica sera, era brutto tempo, mi sentivo solo al mondo ed ero solo in casa a vedere il secondo tempo di Juve-Inter. L'unica cosa positiva, era che non sapevo il risultato.

Guardavo e intanto pensavo ai fatti miei. Però a un certo punto Liam Brady, numero 10 della Juventus, avanzando palla al piede, cominciò a muoversi piú stranamente, a dribblare contro nessun avversario, quasi a ballare per scartare chissà chi, a esagerare insomma – e a me sembrò strano e mi sembrò strano pure che avessi per questo una fitta allo stomaco; poi cominciò a ballare anche il televisore, e poi tutta la casa, e quando guardai fuori c'erano i due palazzi di fronte che si muovevano all'unisono.

Ebbi paura, sí, ma ancora non capivo; mi alzai urlando e il secondo passo non trovò il pavimento dove era di solito, ma piú giú, tanto giú che caddi a terra, mentre la luce e Liam Brady scomparvero di colpo, e in ginocchio piansi velocemente lacrime disperate, e la cosa poi durò cosí a lungo, cosí a lungo (non finiva mai) che ebbi il tempo di pensare senza piú dubbi che stavo per morire, tra un decimo di secondo sarebbe crollato tutto e sarei morto, stavolta sarei morto. Pensai: è il terremoto, ora muoio io e muore tutta la città.

Ma all'improvviso finí, e mi misi a correre per le scale insieme a tanti che al buio urlavano e trovammo il portone serrato dalla mancanza di corrente. Spingemmo, forzammo, e finalmente uscimmo in strada. Tutti uscirono in strada. La gente urlava, piangeva, si abbracciava, guardava fisso davanti senza sbattere le palpebre, si inginocchiava sfinita. E riempiva tutta la strada del mio palazzo, la strada in fondo, e l'altra dopo la curva. Ero lí in mezzo, camminavo pensando di essere salvo ma anche di essere solo, senza sapere nulla della mia famiglia, senza sapere nulla di Elena.

Poi arrivarono i miei genitori, ma cosí tardi che ormai era quasi passata la paura.

Se Bernard Toone non avesse segnato quel tiro libero, la partita sarebbe andata ai tempi supplementari. Vuol dire che con ogni probabilità il terremoto sarebbe arrivato mentre eravamo ancora tutti dentro il palasport, che era piccolo e straripante di gente. E non so cosa sarebbe successo.

Invece non morí nessuno nella mia città. Successe solo che per la prima volta, l'unica, eravamo tutti in strada. Tutti noi che abitavamo in città, eravamo in strada. La città era invasa da tutti i suoi abitanti, e tutte le case erano vuote. Eravamo una quantità enorme, e ogni strada era occupata da tutte le persone che abitavano in quella strada. Sembrava che fossimo stati convocati per un censimento. Molte ore dopo, quando tornò la corrente, ci fu un silenzio improvviso e guardammo tutti in alto, verso i palazzi che come d'incanto s'illuminarono e all'unisono cominciarono a urlare attraverso i televisori lasciati accesi. Ma pochissimi ebbero il coraggio di tornare su a spegnerli, e per tutta la notte le strade furono invase dalle voci dei giornalisti che davano le prime notizie sul disastro.

Fu una notte diversa da tutte le altre notti della nostra vita: nessuno dormí a casa, molti dormirono nelle macchine, o in tende improvvisate; altri, compreso me, non dormirono e restarono a vagare tutta la notte. Non c'era modo di telefonare, né di prendere il motorino, quindi di Elena non seppi nulla. Ma le notizie erano rassicuranti per tutti, qui da noi. Il centro del terremoto era in Irpinia, era lí che era successa la tragedia: interi paesi distrutti, gente sotto le macerie – non si sapeva quanti, non si capiva bene dove. In realtà, il problema sembrava proprio questo: non si capiva bene nulla.

Noi invece stavamo lí. Pian piano incontrai un amico, poi un altro, e poi un altro ancora. Facemmo un gruppo e cominciammo a girovagare per gli accampamenti, e c'era gente che mangiava, beveva, parlava, c'erano tende, sacchi a pelo, grandi falò e c'era chi suonava e cantava; noi ci fermavamo ad ascoltare i racconti di cosa era successo a ognuno nel momento in cui era arrivato il terremoto. E raccontavamo le nostre esperienze.

Quando cominciavo a raccontare di Liam Brady, mi chiedevano: «Ma tu a che piano stai».

«Al primo», rispondevo. E allora non mi lasciavano continuare. Capitava a tutti noi che abitavamo ai piani piú bassi.

«Non puoi capire che cosa ho provato io al quarto piano», dicevano, e ci toccava starli a sentire.

Per noi del primo piano, i piú importuni erano quelli del secondo, e anche del terzo. Si sfogavano con noi, raccontandoci quei momenti mille volte, perché a loro quelli del quarto e del quinto li avevano zittiti appena avevano cominciato.

Quando incontravo quelli del quarto e del quinto, e mi chiedevano a che piano stavo, non glielo dicevo che stavo al primo, dicevo che non avevo sentito nulla. Pochi, pochissimi, abitavano al sesto piano, perché da noi c'era un piano regolatore che impediva di costruire palazzi piú alti della Reggia. E quindi, solo alcuni in periferia abitavano in palazzi di sei piani. Intorno a loro si formava sempre un gruppo di persone che li ascoltava in silenzio. Anche noi dei piani piú bassi alla fine ci eravamo convinti che i racconti sul terremoto di quelli del sesto piano erano davvero straordinari.

Cosí, fino alla mattina dopo; all'alba sembrava che ci fossimo scrollati via tutto il terrore, e ormai correvamo e urlavamo dando botte sulle macchine per svegliare quelli che stavano dormendo. Ci sembrava uno scherzo molto divertente. Ci dispiacque che fosse arrivata l'alba, perché era stata una notte bellissima.

Il giorno dopo non andammo a scuola, e nessuno andò a lavorare: chi aveva il coraggio, saliva a casa a prendere qualcosa e poi tornava giú di corsa. E continuavamo a stare tutti in strada. Quasi tutti. Perché alcuni dicevano che ormai era passata, e quindi si poteva tornare. Mio padre era uno di quelli: «Stiamo al primo piano», diceva. Ero distrutto dal sonno, e mi feci convincere a salire. Il soggiorno era come l'avevo lasciato. Non c'erano segni del passaggio del terremoto. Andai sul letto pensando di non riuscire ad addormentarmi, e mi addormentai di colpo. Quando mi svegliai, molte ore dopo, di un altro terremoto non c'era stata traccia, dicevano che c'era uno sciame sismico e ogni tanto qualcuno diceva di sentirlo, ma io no (forse perché ero al primo piano, non so).

Leggevamo i giornali e guardavamo immagini terribili alla televisione. Si parlava di aiuti, di disorganizzazione, di lentezza. Per questo c'erano volontari che partivano da tutta Italia per andare nei paesi distrutti, in molti partivano anche dalla mia città, e noi ci dicevamo continuamente che dovevamo andare, che sarebbe stato giusto, e intanto non andavamo. Eravamo dei ragazzi, avremmo dato fastidio, erano già in tanti. Sapevamo che era una cosa che avremmo dovuto fare, ogni tanto ci dicevano che alcuni dei piú grandi erano partiti, e poi molti adulti. Ma noi restavamo lí.

E cosí arrivò la sera.

Mio padre decise che ormai si poteva dormire tutti a casa. Dissi: «Vado in giro con gli amici, poi torno, però forse tardi». Ci eravamo dati appuntamento. E ricominciammo a girare per le strade. Erano meno intasate della notte precedente, ma erano comunque piene di gente, di televisori che trasmettevano telegiornali e di persone sedute e in piedi che li ascoltavano. Noi girammo e chiacchierammo fino allo sfinimento. Poi dissi: «Ci vediamo domani mattina sotto casa mia». Ero uno dei pochissimi che era tornato a casa.

Quando mia madre seppe che i miei amici sarebbero venuti sotto casa, disse di farli salire. Andò a comprare una gran quantità di latte e cornetti, pane, biscotti, marmellate, nutella. Man mano che i miei amici arrivavano, mi affacciavo al balcone e dicevo: sali. Andavano a lavarsi in bagno e poi venivano in cucina, dove avevamo questo lungo tavolo di legno. Ognuno diceva a mia madre che voleva latte freddo, caldo, col caffè, col nesquik, con lo zucchero, senza zucchero. E poi altri amici e amiche che avevano passato la notte in strada seppero che stavamo facendo colazione a casa mia, e citofonavano e salivano. Eravamo tutti in cucina, stavamo insieme a fare colazione, a chiacchierare, poi uscivamo per strada, ascoltavamo le notizie in tv, vedevamo molti volontari che aiutavano vigili del fuoco e soldati, e ogni tanto, in uno di questi paesini che non avevo mai sentito, tiravano fuori qualcuno vivo, e tutti ci commuovevamo. Altre volte no, e cosí aumentava il conteggio dei morti. Avevamo in mente, tutti, come se ci ondeggiasse davanti, la pagina del Mattino con scritto a caratteri cubitali FATE PRESTO: ci aveva molto colpiti un grido di dolore cosí preciso. Era diventata la risposta perfetta, come se avessero trovato le uniche parole da dire in questo momento. Anche perché era la risposta alla disorganizzazione, a un inizio troppo lento dei soccorsi – a una

sorta di impreparazione che tutti giudicavano incomprensibile, e poiché lo ripetevano come una cantilena, allora
mi resi conto che nonostante pensassi che nessuno può essere preparato a un evento cosí improvviso e inaudito, la
verità invece era che una comunità deve essere preparata
a tutto – è questo il senso piú profondo di una comunità:
in qualche modo, di tutte le cose della vita quotidiana gli
esseri umani singoli possono occuparsene, capirle, rifarle,
sostituirle, possono perfino correggere le direttive della
comunità. Ma sulla calamità, proprio su quella soltanto
la comunità avrebbe dovuto e potuto avere i mezzi e la
preparazione per intervenire, i singoli non potevano farci nulla. Si sosteneva, cioè, che le calamità erano vicende
della comunità, per la comunità; era lí che appariva nella
sua nitidezza – e nella sua nudità – lo Stato.

La lentezza degli aiuti aveva spinto ancora altri singoli
cittadini a partire. Questa solidarietà collettiva ricostru-
iva, in modo rocambolesco e disordinato, il senso della
collettività. Noi ci sentivamo di far parte di tutto questo, sia chiaro; però continuavamo a restare lí, e a sentire
un'incontrollabile ebbrezza del tempo straordinario, delle
scuole chiuse, delle tende e dei televisori per strada, dei
giorni e delle notti in giro a camminare: un gruppo di ragazzi e di ragazze che andavano in salumeria a mangiare
panini, poi girovagavano fino a notte fonda e poi la mattina dopo, per quattro o cinque giorni almeno, salivano
tutti al primo piano del mio palazzo e facevano colazione.
Mia madre non chiedeva nemmeno piú come volevano il
latte, lo aveva già imparato. Era sorridente, affabile, gentile. Superficiale, senz'altro; ma la guardavo con orgoglio.
E avrei voluto dire: quella è mia madre.

L'unica cosa che non funzionava in lei, in questi giorni
speciali, erano le improvvise cadute nel terrore. Diceva una
cosa che non riuscivo a capire; la diceva sia mentre parlava
con i miei amici, sia quando restavamo solo noi cinque, in
casa. Era una specie di cantilena, che non mi pare volesse

tenere a freno, ma se pure avesse voluto, non credo ci sarebbe riuscita. Le venivano le lacrime agli occhi e diceva, a proposito di un'altra eventuale scossa di terremoto: «A me basta che moriamo tutti insieme. Se moriamo tutti insieme, a me va bene». Cioè a lei non importava di morire, se fossimo morti tutti e cinque nello stesso momento. In modo che nessuno dei cinque soffrisse per la morte degli altri. Non so se non voleva che soffrissimo noialtri per la sua morte, oppure lei per la morte di noialtri membri della famiglia. Quel «tutti insieme», poiché lo diceva a noi, ho sempre immaginato che si limitasse a noi cinque, a questa specie di famiglia primaria. Ma avrebbe anche potuto intendere – non ho mai avuto abbastanza lucidità e calma per chiederglielo – tutta la famiglia, compresi i parenti; oppure, di piú: tutte le persone che conoscevamo, quindi anche gli amici che venivano a fare colazione; o ancora di piú: tutta la città. Cioè, avrebbe potuto pensare, o facciamo la fine di Pompei o niente. O io vivo nella mia città, o la mia città viene spazzata via. Una sorta di fine del mondo limitata a Caserta. Ma non credo arrivasse a tanto: secondo me voleva che morissimo tutti e cinque simultaneamente; questo, credo, le bastava.

A me invece non andava bene per niente. Non volevo che morisse nessuno, in particolar modo nessun membro della mia famiglia. Non pensavo che se morivamo tutti insieme, tutto sommato, si poteva sopportare. No. A quel punto – anche se era un ragionamento che da solo non avrei fatto, era stata lei a costringermi a farlo – se davvero qualcuno doveva morire, allora preferivo non tutti e cinque ma il numero minore possibile: uno, due al massimo. E, onestamente, non volevo essere tra quelli. Se c'era da restare qui a soffrire per la morte di altri, restavo io, soffrivo io. Tanto un giorno, pian piano, come avevo imparato, tutte le sofferenze si sarebbero dileguate.

Poi in tv, un signore che dicevano fosse il coordinatore dei soccorsi ai paesi dell'Irpinia, fece una specie di appello: grazie a tutti quelli che arrivano qui per dare una mano, ma basta, chiediamo loro di tornare indietro, molti non sanno cosa fare e sono d'intralcio per i lavori di soccorso.

Cosí, toltomi l'ultimo peso dallo stomaco, visto che potevamo dire di aver fatto bene, in fondo, a non andare, potevo finalmente ammettere con me stesso, in modo definitivo e indicibile, che i giorni successivi al terremoto erano stati – li avrei ricordati per sempre come: i piú belli della mia vita.

L'avevo imparato dai tempi del colera, mettendo a confronto gli eventi assoluti, quelli che raccontavano tv e giornali, e gli eventi della nostra vita. Ma adesso, in primo piano, c'era un esempio pratico e molto sorprendente: quei giorni e quelle notti passate insieme ai miei amici, quelle colazioni meravigliose preparate da mia madre, la porta di casa lasciata aperta in modo che la gente entrasse e uscisse senza dover suonare il campanello o congedarsi con tutti; quella vita straordinaria, che pure stava per finire, mi aveva fatto dimenticare il dolore per Elena. Non ci avevo pensato piú, senza nemmeno rendermene conto. Lo sentivo, lí in fondo, che c'era, e che si stava ritirando con costante velocità, percepivo con precisione che mi stava abbandonando. Non l'avevo piú vista, sapevo che i suoi genitori, i compagni del Movimento, e chissà se anche lei, erano andati in Irpinia a dare una mano. Ma in ogni caso, a Elena ci pensavo poco, sempre meno. Certo, tra qualche giorno saremmo tornati a scuola, ma non era piú uno spettro che mi faceva paura.

In quei giorni, insomma, sono diventato Stuart di *Con tanta di quell'acqua a due passi da casa*. Gli altri pescatori erano i miei amici. Quel tentativo antico di mia madre di trasfondermi la superficialità, era in qualche modo riuscito. E mi serviva: abbandonarmi all'allegria mentre tutto intorno era infelice, mi aveva consentito di dimenticare Elena e il dolore che mi procurava.

Il rapporto tra la mia vita privata e il ragazzo della comunità che volevo essere – e che comunque ero, lo volessi o no – ondeggiava a seconda delle difese e della convenienza. Ma di piú: si confondeva. Del resto, la domanda che si fa Claire è nella sostanza la domanda che ogni essere umano, prima o poi, si farà: si può essere felici, mentre gli altri sono infelici? Potevano i quattro continuare a stare lí fermi a pescare mentre da qualche altra parte tutte queste persone che oggi sono al funerale non sapevano ancora cosa fosse successo a questa ragazza? Si possono passare nottate in giro con gli amici in mezzo a gente che dorme in strada perché è terrorizzata dal terremoto?

Da quei giorni, non ricordo piú di aver sofferto nel modo in cui avevo sofferto prima. Da quei giorni, ogni sofferenza nella mia vita è stata come attutita; ne ho provate tante di sofferenze, di vario genere e grado, ma sono state tutte non proprio dentro di me, sempre accanto. Le avvertivo, ma con un piccolo sforzo. Sono tornato a sedere di fianco a Elena, nel banco di scuola, e l'ho guardata con il fiato corto perché era bella, mi piaceva, forse ne ero ancora innamorato. Ma non provavo piú dolore. Posso dire di non essermi allontanato da Elena, ma dalla sofferenza.

E in piú, nonostante fossi l'unico comunista tra loro, ho accettato di vivere insieme ai miei amici. Era quella la mia comunità. Gli unici giorni in cui mi sentivo sereno, allegro, erano quelli che passavo con i miei amici. Loro erano tutto quello che Elena e gli altri del Movimento detestavano, ma erano i miei amici. Ci divertivamo, andavamo alle feste, mi volevano bene e in qualche modo mi consideravano anche tra i migliori di loro, perché avevo questa parte di passione politica che in fondo ammiravano, anche se non si può dire che li incuriosisse. Adesso avevamo passato insieme giorni e notti, erano venuti tutti, ogni mattina, a fare colazione a casa mia. E nel momento in cui avevo compreso tutto questo, era finita la fatica, la tensione, l'idea di dover scalare una montagna altissima per riuscire in un risultato minuscolo: essere accettato da persone a cui non piacevo e non sarei mai piaciuto, che mi sentivano comunque diverso, e questa diversità non sarei riuscito ad accorciarla. Adesso i miei amici erano un buon rifugio da tutte le frustrazioni che avevo avuto. Quando scrivevo, a casa, ero in un rifugio. Quando stavo con i miei amici, ero in un rifugio. Ero diventato proprio come Robert Redford in *Come eravamo*.

Avevo avuto la fortuna di accettare di liberarmi da tutto questo peso proprio all'inizio degli anni Ottanta, quando il modo di vivere con i miei amici stava per avere una legittimazione impensabile fino a poco prima. Essermi liberato delle costrizioni di un'altra vita che pure non ero riuscito a vivere, era coinciso con un'energia ludica e mondana, che non avrei mai immaginato. Stava avvenendo, insomma, proprio nel momento in cui l'avevo introiettata, la liberazione della superficialità; stava diventando legittima – almeno per quel mondo dove passavo la maggior parte del tempo. Adesso potevo andare alle feste, stare davanti al bar senza fare nulla, andare in discoteca fino alle quattro di mattina; e intanto, per i fatti miei, potevo leggere i libri a casa, scrivere racconti, leggere i giornali e continuare a ragionare sulla politica. E forse finalmente potevo anche, visto che non dovevo rendere piú conto a Elena e agli altri, ricominciare a sentirmi vicino al Partito comunista, senza che nessuno mi giudicasse un borghese di merda.

Oltretutto, il legame con Berlinguer si era fatto piú intimo, perché avevo visto i suoi occhi intristirsi e la solitudine di noi comunisti – una solitudine nei confronti del mondo – farsi piú evidente. In qualche modo, Berlinguer mi commuoveva perché mostrava orgoglio e forza, energia viva che ci spingeva a pensare ancora che un giorno sarebbe finalmente accaduto chissà che – ma la verità era che l'occasione era andata perduta, e vivevamo una specie di vita postuma, in cui non bisognava dirlo e nemmeno pensarlo che l'occasione era andata perduta. Berlinguer aveva con i partiti che erano al governo lo stesso rapporto che avevo io con i compagni del Movimento: voleva averci a che fare, voleva farlo per dare l'apporto suo e del partito al Paese. Ma era considerato comunque diverso, e non lo volevano. Cosí anche lui decise che l'unica soluzione che potesse dare sollievo alle frustrazioni fosse starsene con i suoi amici, con quelli che lo apprezzavano e gli volevano bene. Smettere di cercare coloro che erano diversi, e restare insieme a coloro che si assomigliavano.

Cominciai a vivere in modo costante una contraddizione tutta mia, che non dovevo piú comunicare a nessuno: la pena per il mio partito e per le speranze che avevamo, e la frenesia del divertimento, del gruppo di amici, del consumo fino in fondo di tutte le energie. Insomma, intanto che Berlinguer si intristiva e si irrigidiva, io mi liberavo e mi lasciavo andare. Questa contraddizione avrebbe caratterizzato tutto il resto della mia vita, probabilmente: ero comunista, ma ero in sintonia con gli anni Ottanta. Da qui partiva una distanza con il mondo, un senso di non appartenenza – che poi deve essere ciò che ha smesso di farmi soffrire nel modo in cui avevo sofferto fino a quel momento: cioè, soffrire davvero.

Una domanda molto simile riguardo ai diritti privati dei sentimenti e ai doveri pubblici di un comunista, la fa Mario, il personaggio interpretato da Vittorio Gassman ne *La terrazza* di Ettore Scola: «È lecito essere felici, anche se questo crea infelicità?»

Mario è un deputato del Pci, piuttosto scontento, perché ormai da qualche tempo è stato messo da parte nel partito. Alle cene che si fanno sulla terrazza, da anni, sempre con gli stessi amici – e infatti il film ritorna a raccontarne sempre una, tanto equivale a tutte – incontra Giovanna (Stefania Sandrelli). I due si conoscono grazie a un litigio rapido, poi si innamorano. Sono entrambi sposati, Mario da trentacinque anni con una compagna, che quando durante la cena passa davanti a lui, accarezza sulla testa; Giovanna invece è infelice e vuole andare a vivere subito con lui.

In una scena che si svolge davanti alle cassette postali del Parlamento, Mario parla a un suo collega di partito di un vecchio progetto sugli intellettuali comunisti, propone un ritiro ristretto di alcuni, parla di un malessere nel sentirsi giudicati, soprattutto dai compagni giovani. Ma la questione, gli ribatte il collega, è di priorità, non vedi che il mondo ci casca addosso? Per l'ennesima volta, lo scoraggia. Però poi Mario, dopo aver esitato, gli chiede le chiavi del suo monolocale. Deve scrivere un articolo per Il Contemporaneo, dice. Il compagno gliele dà, poi dice: «Bada però che lo scaldabagni è guasto». Mario: «Ti ho detto che è per scrivere un articolo». E l'altro: «E io ti ho detto che lo scaldabagni è guasto».

In seguito, mentre è al XV congresso del partito, al palasport di Roma, il suo amico-compagno, quello che gli ha prestato il monolocale, gli mostra Eva Express, chiedendo: «È questo l'articolo che hai scritto nel fine settimana?» In copertina ci sono Mario e Giovanna che escono da un ristorante, lui che sta mandando a quel paese il fotografo; il titolo è "Deputato P.C.I. con bella sconosciuta". All'interno si dice che ha preso a maleparole i fotografi. Lo scandalo, o l'aggravante dell'adulterio, sta nel fatto che Mario è un deputato comunista: quindi la sua moralità deve essere integra; ma di piú: non deve perdere tempo con passioni e sentimenti.

La questione è sostanziale: se ci si occupa troppo dei propri fatti privati, si toglie tempo all'impegno per cambiare il mondo. Cosí, il suo amico gli propone di andare

a Milano per la preparazione del convegno "Arti visive e
televisione": starà fuori quindici giorni. Lui obbedisce,
andrà a Milano e la storia con Giovanna finirà. È questo
che gli ha chiesto il partito, Mario esegue.

Ma c'è una parentesi, al congresso, appena dopo
questo dialogo. Mario si accorge che uno dei suoi amici
(Mastroianni) lo sta chiamando. Lo raggiunge nei corridoi del palasport: è venuto a dargli la notizia della morte
di un altro amico del gruppo della terrazza. A quel punto,
Mario si avvicina a una delle gallerie d'ingresso nel palasport, guarda da lassú l'intervento di un compagno, ma
quella voce va scomparendo.

Adesso, sul primo piano del volto addolorato di Mario,
si sente «Compagni e compagne...»: è la sua voce. Infatti
è lui adesso sul palco, e sta cominciando il suo intervento. Parla della morte del suo amico, e della piú comune
aspirazione di tutti gli uomini: la ricerca della felicità, e
chiede (si chiede) se questo è individualismo. Quindi dichiara di essere salito sul palco per parlare di un suo problema personale (al congresso del Partito comunista!): la
platea reagisce, nel brusio si sente piú chiaro un «Non si
potrebbe». Propone una serie di quesiti all'assemblea: è lecito, per un compagno della mia età, innamorarsi? Sarebbe
legittimo che per vivere con questa donna abbandonassi
la mia compagna dopo trentacinque anni? È conciliabile
con il diritto alla felicità di mia moglie, con l'eguaglianza
tra il plurale e l'individuale? In sintesi, è lecito essere felici anche se questo crea infelicità? Compagni, io vi chiedo
un sí o un no. Grazie.

La sua domanda genera nell'assemblea silenzio e per-
plessità. Quando torniamo sul volto di Mario fermo lassú,
sul limite tra il corridoio e l'ingresso del palasport, parte
un applauso fragoroso, come se fosse davvero diretto a lui;
come se la risposta del congresso al diritto alla felicità fosse di approvazione entusiasta. E invece tutto, come pre-
vedibile, è frutto della sua immaginazione, di ciò che vor-

rebbe fare ma che non avrà mai il coraggio di fare. Tutto, ma non l'applauso scrosciante; quello c'è veramente, ed è l'applauso rivolto all'arrivo sul palco del segretario del partito, Enrico Berlinguer. Nel film si vede proprio lui, Enrico Berlinguer, aspettare sobriamente la fine dell'applauso per cominciare a parlare.

Nei primi giorni di quel novembre, al Comitato centrale, quando era già chiaro che la Dc aveva deciso di escludere per sempre il Partito comunista dalla maggioranza, Berlinguer aveva insistito: non c'era altra strada, per il partito, che continuare a cercare la collaborazione con la Dc, cercare ancora di costruire in altri modi, con altre strategie, e nonostante la guerra aperta di Craxi, il compromesso storico.

Ma il terremoto cambiò tutto. Quando Pertini in televisione, dall'Irpinia, si disse sconvolto per i paesi distrutti e altrettanto sconvolto per il fatto che dopo quarantotto ore gli aiuti erano ancora del tutto insufficienti, Berlinguer capí che la vera opposizione in difesa del Paese civile, in difesa delle popolazioni povere e devastate dal terremoto, la stava facendo il capo dello Stato (un socialista). Si rese conto che attendere il cambiamento della politica della Dc stava neutralizzando il dovere di un partito di opposizione: adesso, quando c'era da denunciare con energia e credibilità l'inadeguatezza del governo e dei partiti che lo formavano – ed era appena emersa anche la storia inquietantissima della loggia massonica P2 – il Pci se ne stava seduto in disparte, in attesa di eventi che (ormai era chiaro) non si sarebbero mai piú verificati. Erano due anni e mezzo che la politica stava andando in altre direzioni, era dall'inizio di quell'anno che – considerata anche l'esclusione di Zaccagnini dalla segreteria, ultimo legame con Moro e per questo ultima speranza di un ripristino del dialogo

– il compromesso era stato cancellato dalla realtà. Cosí, dalla sera alla mattina, decise di cambiare rotta per sempre: il Partito comunista italiano ritirava ogni intenzione di rapporto politico con la Democrazia cristiana e con il Partito socialista, sceglieva l'opposizione come collocazione stabile, in autonomia (in isolamento, per meglio dire). La decisione fu cosí repentina che molti dei dirigenti furono svegliati nel mezzo della notte, e alcuni altri, addirittura, lo lessero la mattina dopo sulle pagine dell'Unità.

Il compromesso storico era nato ufficialmente nei giorni del colera, e moriva ufficialmente nei giorni del terremoto. Ma solo ufficialmente, perché in tutta evidenza era morto prima: insieme ad Aldo Moro.

La nuova linea politica si chiama *alternativa democratica*. È piuttosto sorprendente, visto che negli articoli sui fatti del Cile Berlinguer aveva usato «alternativa democratica» in funzione del tutto opposta: non voleva parlare di alternativa di sinistra, ma democratica, proprio per coinvolgere tutte le forze democratiche, la Democrazia cristiana piú di ogni altra. E ora usa la stessa formula per definire il ritiro dai propositi di collaborazione, una solitudine che ha intenzione di essere definitiva. Si propone una battaglia piú netta, e di nuovo incline all'opposizione: la questione sociale, la questione morale, la riforma del sistema. Pone in alternativa a quello in carica un "governo degli onesti". In realtà è un governo astratto, irrealizzabile nei fatti. Il Pci non ha piú la forza propulsiva di qualche anno prima, non ha piú la possibilità di concludere il compromesso storico. Lo ha sancito il cambio di rotta della Democrazia cristiana dopo la morte di Moro: il nuovo alleato è Bettino Craxi. Ormai è ineluttabile.

Ci sono varie interpretazioni di questo improvviso arroccamento di Berlinguer. Quella che ha avuto piú credito – che ha formato la generazione futura dei comunisti e dei postcomunisti – sostiene che era questo il dna piú autentico di Berlinguer e del partito. Lo dimostra (lo dimostrerebbe) il discorso del teatro Eliseo a Roma, passato alla storia come "il discorso dell'austerità". Era il 1977, quindi poco prima che il compromesso storico si concretizzasse. Berlinguer prese le distanze dalla gestione del Paese da parte dei partiti di governo, con riferimento diretto alla Dc. E propose un Paese diverso, quindi governato diversamente. Un Paese incline al passo giudizioso, non sperperante. Austero, appunto. Il suo era un programma etico ancor piú che politico, alternativo e democratico. Ma in ogni caso, in quel discorso, Berlinguer si proponeva direttamente come uomo di governo.

Poi c'è questa decisione dell'alternativa democratica, che pone il Pci al di fuori degli eventi politici del Paese, se gli eventi politici erano quelli che si vedevano.

Infine, come altro atto simbolico, ci sarà in seguito l'intervista data a Scalfari su Repubblica, il 28 luglio 1981, a proposito dei partiti politici. Porrà in modo inequivocabile la questione morale, e comincerà cosí: «I partiti non fanno piú politica». In pratica, Berlinguer tira fuori il suo partito da tutto il sistema, mettendolo nel punto dello sguardo esterno, cioè dall'alto, e con un giudizio molto severo su ciò che si vede. Per noi comunisti la passione politica non è finita, dice Berlinguer, per tutti gli altri sí.

Una strada, quindi, molto diversa da quella perseguita con il compromesso storico, che era fatta di acciacchi, sconfitte, sporcature, difficoltà, perfino di umiliazioni. Quest'altra è invece la strada pulita, senza macchie. La strada giusta. Un po' astratta, ma inattaccabile.

Questo credito al dna che viene attribuito a Berlinguer parte quindi da un presupposto (pregiudizio) quasi antipolitico. E cioè che il compromesso storico fosse una concessione alla corruzione, allo sperpero, alla connivenza con i vizi di potere della Democrazia cristiana. Nonostante Berlinguer avesse spiegato bene, in tempi meno sospetti, nei tre articoli di Rinascita, sia i motivi di incontro sia i motivi di differenza con la Dc, nel pensiero dei comunisti contrari all'accordo ogni idea di compromesso sarebbe stata soltanto una resa. Quindi appresero con sollievo la decisione del nuovo corso di stare fuori dai giochi.

L'altra ipotesi, che io adesso immagino piú valida, forse semplicemente perché ci sono nato dentro, sono diventato comunista in coincidenza inconscia con la nascita del progetto di governabilità, è questa: sia il discorso dell'Eliseo, sia la decisione dell'alternativa democratica, pur contenendo convinzioni reali e tenuta etica inequivocabile, erano delle mosse politiche, avvenute in momenti della Storia in cui il compromesso storico era messo in dubbio, era in un passaggio delicato, fragile. Nel 1977, la mossa dell'Eliseo ebbe un risultato concreto – perché il Pci era forte e la Dc aveva paura; e infatti spinse Moro ad accelerare i tempi del compromesso.

Nel 1980 non ebbe nessun risultato perché era un gesto politicamente disperato, una specie di ultima mossa: Berlinguer voleva (intendeva, sperava di) dimostrare che senza il Pci il Paese non ce l'avrebbe fatta, i democristiani e i socialisti non sarebbero riusciti a governare. Se nel 1977 era stato un atto di forza, stavolta era un atto di debolezza. E infatti non sortí nessun effetto, e il Pci rimase lí dove si era collocato, autoestromettendosi, dopo essere stato già nella pratica estromesso dagli altri.

Il rapporto tra i personaggi de *La terrazza* di Ettore Scola e la scelta di Berlinguer è in realtà molto stretto. Il film racconta, con una certa disperazione trattenuta dal cinismo, di un ceto intellettuale di sinistra (sceneggiatori, politici, critici, produttori, giornalisti) ormai scontento di tutto: della vita pubblica, professionale e privata; che ha perduto prospettive e tensione morale. È un gruppo che si sente postumo, come se avesse mancato qualcosa. E quel che ha mancato, appunto, nel 1980, è il cambiamento che si aspettava, che era arrivato vicinissimo due anni prima. Berlinguer decide di reagire con animo e coraggio a questa scontentezza, ritirando se stesso e il suo mondo dal potere che, ormai, è precluso.

Quella posizione oppositiva, definitiva, isolata, costituirà, in tutti gli anni che seguiranno, la caratteristica principale della sinistra italiana.

Il terremoto mi avvicinò a Berlinguer, liberandomi delle posizioni estreme di Elena e dei compagni. Ma mi allontanò anche, visto che la sua posizione austera e isolata era in netta contrapposizione alla vivacità degli anni Ottanta. Per risolvere questa contraddizione, mi sembrò sufficiente avere una posizione emotiva netta: amare Berlinguer, odiare Craxi.

E intanto, al contrario di Berlinguer, pensavo a divertirmi. Insomma, alla questione posta da quel personaggio di Gassman, se si può essere felici mentre altri sono infelici, io stavo rispondendo: sí.

Cosí come mi è rimasto il sospetto eterno per le cozze, allo stesso modo il rapporto con il terremoto è diventato saldo, calmo. Dopo quella scossa ce ne furono almeno altre due molto forti, nelle settimane (forse nei mesi) successive, e subito ci sentimmo capaci di gestirle, di allontanare il panico. Ogni volta, in seguito, quando mi sono trovato dentro i secondi di una scossa di terremoto, non ho avuto abbastanza paura, e ho saputo aspettare che finisse. Anche quando una notte a Roma abbiamo sentito dei rumori, e mia moglie si è svegliata dicendo: è entrato qualcuno in casa, ho immediatamente capito che quello era il rumore assoluto del terremoto (era quello dell'Aquila), l'ho bloccata e abbiamo aspettato, come fossi un esperto. Da quella sera di novembre del 1980 penso sempre che è terribile, ma devo aspettare, e se aspetto, finirà.

Nella sostanza, nella mia vita sono stato sfiorato da ogni cosa, ma mai colpito in pieno. Sono stato vicino agli eventi, ma non dentro fino in fondo. Ecco cosa ha formato il mio carattere, nonostante il fatto che il terrore di morire di colera e il terrore di morire durante il terremoto li abbia vissuti completamente da solo. Il colera non mi ha colpito, ma non ne sono stato lontano. Il terremoto non è successo proprio nella mia città, ma non è successo lontano. Cosí, è nata in me una convinzione del tutto opinabile ma del tutto salda: qualsiasi cosa fosse accaduta, mi avrebbe soltanto sfiorato. Sarebbe entrata a far parte della mia vita, ma non l'avrebbe rovinata e nemmeno risollevata. Il mondo, per me, adesso, si divideva tra coloro che erano stati colpiti in pieno dal vibrione – e non ero io. E coloro che stavano lontano dal vibrione e che forse non ne avrebbero mai sentito parlare – e non ero io. Tra coloro che erano stati colpiti dal terremoto – e non ero io. E coloro che non avevano mai vissuto l'esperienza spaventosa del terremoto – e non ero io.

Stavo in mezzo, ero il compromesso tra queste due faccende della vita. Ero il compromesso tra il coinvolgimento totale e l'estraneità. Era, insomma, il mio sguardo sul mondo, che non sarebbe piú cambiato.

Dopo qualche giorno, le strade si svuotarono di nuovo. La gente cominciò a risalire in casa. Tornammo a scuola, e in tutta la città furono montate maniglie girevoli a ogni portone d'ingresso, e l'interruttore elettrico non si usò mai piú.

Un po' di tempo dopo, il postino consegnò una raccomandata per me: c'era scritto che a causa del terremoto avrei avuto il congedo illimitato dal servizio di leva.

A Pordenone ci sarei stato, per mia volontà, molti anni piú tardi, in occasione di un festival di letteratura.

La casa dove abitavamo era in un complesso residenziale di vari lotti. Erano palazzi con balconi ampi e protetti da vetri fumé, che mi sembrava la caratteristica piú sofisticata. Il nostro palazzo faceva parte di un lotto di tre, accanto ai quali c'era una stradina della città vecchia, protetta da un muro alto in mattoni che sembravano antichi ma erano soltanto vecchi, al di là del quale sorgeva il carcere femminile. Proprio accanto a noi, in mezzo alla città. Ma non ce ne occupavamo troppo. Qualche volta, di notte, si sentivano le urla di chi cercava di comunicare con qualcuno all'esterno (nella stradina), e altre volte c'erano dei colpi contro le sbarre. Da casa mia si vedeva qualche finestrella, e un paio di finestre piú grandi che credo fossero uffici. È incredibile quanto poco significativo fosse quel luogo, per noi che abitavamo lí accanto. A dire tutta la verità, il fatto che ci fossero delle donne eliminava, per sbagliato che fosse, la paura, anche quella irrazionale.

Era il maggio del 1982. Erano giorni di scuola strani, almeno per noi che dovevamo fare l'esame di maturità: ci sentivamo già al di là delle lezioni, ci organizzavamo per studiare le materie scelte per l'esame. L'estate che stava per arrivare era strana per questo, un tempo ovattato e fermo perché c'era una prova che ci sembrava insormontabile e per questo non si poteva pensare ad altro, non si poteva immaginare di divertirsi davvero, non si riusciva a immaginare un futuro, dopo gli esami. Continuavo a vivere la vita che vivevo, però era un po' sospesa, e lo sarebbe stata fino a luglio inoltrato.

Per questo, credo, ho un ricordo molto vago, poco nitido, nonostante gli occhi di tutto il mondo in quei giorni si fossero improvvisamente girati dalla nostra parte, senza preavviso, senza senso forse. Non solo dalla nostra parte, ma lí: a due passi da casa. È davanti al carcere femminile che il 19 maggio una folla gigantesca (di cui decisi di non fare parte), una quantità incalcolabile di fotografi, cameramen e giornalisti provenienti da tutto il mondo, videro arrivare un'auto scortata da tre gazzelle della polizia. Una donna doveva entrare nel carcere di Caserta per evitare quel clamore che invece stava avvenendo, come se le autorità avessero pensato che a Caserta il mondo non sarebbe potuto arrivare; che è la stessa cosa che avevo pensato io fino a nove anni.

Quella donna, l'auto che la portava, e le tre gazzelle ci misero un sacco di tempo per superare la barriera umana. Poi Sophia Loren scese, a meno di un metro dal portone, e un applauso fortissimo liberò tutti da quella stranezza. Sophia era circondata da agenti, provava a fare i due passi necessari per entrare, ma i fotografi e la gente pressavano, e intanto l'applauso non smetteva, continuò per molti minuti. Lei pianse, o almeno cosí sembrò. Alla fine, riuscí a infilarsi dentro a fatica; e con molta fatica e molte spinte delle forze dell'ordine si riuscí anche a richiudere il portone del carcere. Da quel momento, Sophia Loren fu detenuta nel carcere femminile di Caserta, a circa cinquanta metri da casa mia.

L'accusa era di frode fiscale. Era conseguenza di un accertamento avvenuto nel 1973, e alla fine la Loren era stata condannata a un mese di reclusione, nel 1977. Aveva vissuto in Svizzera, e poi si era trasferita negli Stati Uniti. Ma dopo la condanna non sarebbe piú potuta tornare in Italia. Era una questione insolita, ma le leggi dicevano questo, per un essere umano comune e per Sophia Loren, alla pari. Infine, grazie al fatto che la madre non stava bene, stava invecchiando e non poteva sempre viaggiare per raggiungere la figlia in qualche parte del mondo; grazie al fatto che gli avvocati la convinsero a tornare promettendole al massimo due settimane di carcere, con la buona condotta; e anche grazie al fatto che la Loren sperò molto in una grazia fulminea del presidente Pertini, che aveva richiesto ancora prima di mettersi in viaggio – una mattina di maggio sbarcò a Ciampino, anche lí tra una marea di giornalisti, e si dichiarò arrabbiata e addolorata di dover subire tali conseguenze per l'errore di un commercialista che adesso era morto: «Ho fatto questo passo per rimettere piede nel mio Paese».

Adesso era qui da noi, pallida e silenziosa, con un tailleur verde e tacchi altissimi. Non disse nulla. Parlò il suo avvocato, sbrigò le pratiche. Infine venne rinchiusa nella sua cella: letto e comodino di ferro, armadietti in fòrmica, un piccolo televisore. Non chiese mai nessuna eccezione. Se ne stava in cella a leggere riviste, a guardare la tv, a rispondere alle lettere. Solo quando le altre detenute protestarono, decise di passare del tempo con loro, nell'ora d'aria, e di rispondere alle mille domande delle donne che erano con lei. In carcere arrivarono regali di tutti i tipi, compreso un mazzo di rose rosse che alcuni vollero attribuire a Mastroianni.

All'improvviso, mentre eravamo solo noi, non eravamo piú solo noi. Quando mi affacciavo al balcone, vedevo sui tetti dei palazzi intorno gente sdraiata con l'obiettivo puntato sul carcere, altri che fumavano e parlavano, in attesa di chissà cosa. Stavano lí per ore, per giorni. Uscivo da casa e intorno al mio palazzo vedevo che si muovevano altri fotografi con macchine varie appese al collo. Chiedevano come si poteva salire sulla cima di un palazzo, dove portava quel garage, se potevano venire a casa a installare una postazione. Ci avrebbero pagato. Sembrava che l'unica cosa che valeva, nella nostra città, fosse riuscire a fare una foto a Sophia Loren dietro le sbarre. Una volta ci fu un grande assembramento nella stradina, e andai a vedere: c'era un camion dei pompieri, alcuni poliziotti e altra gente che parlava con un signore steso sulla cima del muro, in uno spazio stretto e pericoloso. Era un fotografo, era riuscito ad arrampicarsi sul muro del carcere, con la speranza di veder uscire Sophia per l'ora d'aria. Tutti cercavano di convincerlo a scendere, ma lui era irremovibile: fino a quando non avesse ottenuto la foto, sarebbe rimasto lí. Nemmeno le minacce di arresto lo convinsero. Solo dopo molte ore lo tirarono giú.

Non passavo mai per la stradina, intasata di folli. Quasi mai davanti al carcere, dove c'erano sempre curiosi, oltre che giornalisti e fotografi, e due cameramen giapponesi che in pratica vivevano davanti al portone. Intorno, bancarelle che vendevano foto di Sophia. Questa vicinanza, questo coinvolgimento mi inquietavano. Gli amici e i miei genitori riportavano come vere le cose che leggevano sui giornali: Sophia usciva ogni giorno a pranzo per andare al ristorante, e i miei genitori continuavano a chiedersi in quale, e soprattutto come mai non era andata nel loro, che era considerato il migliore. Oppure si diceva che suo marito, Carlo Ponti, andava a dormire con lei tutte le notti – e che lei avesse lí dentro una specie di suite dove viveva con agio e accoglieva gli amici. Si diceva anche che stavano girando un film dentro il carcere, approfittando della detenzione, con la Loren che interpretava una carcerata. E poi, quando arrivarono mille rose rosse, si parlò di attori vari, di emiri, di amanti, e anche di un famoso playboy casertano che provava a conquistarla.

Due fotografi cominciarono a vivere giorno e notte sul tetto del nostro palazzo, e quando uno di loro usciva o rientrava, salutava i condomini con un sorriso affettuoso, come se facesse parte di noi.

E poi una foto fu pubblicata. Non si vedeva nulla, a dire la verità. Solo le sbarre di una finestra, e all'interno, nella semioscurità, l'ombra di una persona che poteva essere (e poteva non essere) Sophia Loren. Alcuni dubitarono, altri si mostravano sicuri. A me sembrava lei, e oggi ho sostituito quell'ombra con un'immagine piú nitida, che riconosco, un vestitino leggero a fiori, i capelli legati e il viso stanco di Sophia Loren in *Una giornata particolare*.

Ma la cosa pazzesca – e lo chiedemmo ai nostri due nuovi condomini, ma loro dissero che non si poteva dire, e lo dicevano con quello sguardo furbo di chi desidera essere considerato il vero colpevole – è che sembrava proprio il punto di vista di un teleobiettivo dall'alto un po' spostato a destra, e cioè presumibilmente una foto scattata dalla cima del nostro edificio.

Cosí, quel mondo che mi sembrava lontanissimo, non solo si era avvicinato a pochi metri, ma aveva preso come centro di uno scoop il palazzo dove vivevo.

La fontana della Reggia in fondo ai giardini, in alto, sotto la cascata, quella che ho guardato una sera d'estate di tanti anni fa, solo in tutto il parco, per poi guardare sotto di me il silenzio che arrivava fino al Palazzo Reale, ha due gruppi di statue distanti tra loro, che sembrano galleggiare sull'acqua. In una c'è la donna seminuda, attorniata da altre donne che cercano di coprirla, di proteggerla dallo sguardo altrui. Nell'altra c'è un cervo con il corpo di uomo, attorniato da cani che sono sul punto di sbranarlo.

In realtà, sono due scene di tempo diverso, nonostante abbiano un'armonia di movimenti, l'uno di protezione e l'altro di assalto, che spingono a considerarle contemporanee.

Secondo il racconto di Ovidio, in una valle chiamata Gargafia c'era un antro incontaminato dall'uomo, meraviglioso, con una fonte d'acqua limpida che sgorgava tra i margini erbosi. Lí Diana, la dea della caccia, quando era stanca, andava a riposarsi e a rinfrescare il suo corpo. Attorniata dalle ninfe, consegnava loro le armi, i sandali e la veste, poi si immergeva nuda nelle acque.

Un giorno Atteone, un giovane cacciatore che vagava per quel bosco senza conoscerlo, scova questo antro mai visto da essere umano. Incuriosito, entra nella grotta e si trova davanti le ninfe, che urlano e accorrono a proteggere Diana dalla vista del giovane. Ma Diana le sovrasta tutte per altezza e imponenza, e quindi il suo corpo nudo è inevitabilmente violato dallo sguardo di Atteone. La dea volta la faccia per la vergogna, ma la rabbia la spinge a una reazione: non avendo con sé le frecce, spruzza l'acqua sul volto del giovane, urlandogli: E ora racconta di avermi vista senza veli, se sei in grado di farlo!

Senza aggiungere altro, fa apparire corna di cervo sulla sua testa, gli fa orecchie appuntite, gli allunga il collo, trasforma le braccia in zampe, e gli fa comparire chiazze sul corpo. In piú, gli infonde la timidezza. Cosí Atteone subito fugge via, vergognandosi, e stupendosi di essere cosí veloce. Si ferma a una fonte, si specchia e si rende conto di essere diventato un cervo. Cerca di gridare aiuto, ma si accorge di non riuscire piú a pronunciare parole, solo un suono a lui estraneo. In quel momento, lo raggiunge il branco dei suoi tanti cani da caccia. Che non si ritrovano davanti il loro padrone, ma un cervo. E gli si avventano addosso, tutti, mentre lui cerca di dire che è il loro padrone, ma le parole non le ha piú. Cosí, i suoi cani lo sbranano.

Atteone sorprende Diana in un atto di intimità, quando Diana è sicura di essere al riparo dallo sguardo di qualsiasi altro essere umano. Diana lo trasforma in cervo non tanto per vendetta (è vero, Atteone è stato troppo curioso, ma è stato il caso che lo ha portato davanti a una grotta sconosciuta); ma per non farlo parlare, per non far dire al mondo intero che ha visto nuda la dea. Atteone non avrebbe resistito.

Pertini non concesse la grazia a Sophia Loren, anzi reagí con durezza, dicendo che le carceri non sono come quelle di una volta, e sapeva che la Loren aveva la cella singola, e una tv. La lasciò lí dov'era. Ma alla fine, in virtú della buona condotta, le fu concesso un permesso di tredici giorni, dopo diciassette giorni in carcere. La sera prima, Sophia distribuí alle altre detenute i regali che aveva ricevuto in quei giorni, non dormí quasi nulla, fece una doccia quando non era ancora spuntato il giorno, e bevve un cappuccino. D'accordo con la direttrice, decise di uscire all'alba, per ridurre al minimo l'impatto con l'esterno. Varcò il portone del carcere alle 6 e 20. Stavolta non uscí con un vestito semplice, bensí con un elegante completo color panna con una cintura dorata, dei grandi occhiali oscurati e un sorriso un po' malinconico, ma liberatorio. Di fronte a lei, poco dopo le sei di mattina, una folla meno gigantesca che al suo arrivo – sia perché si era riusciti a non diffondere troppo la notizia della fine della pena, sia per l'orario; ma c'erano comunque piú di cento giornalisti di tutto il mondo, che sapevano o che non si erano mai mossi da lí, e una quantità di fotografi e cameramen tutt'intorno alla macchina. La Loren però stavolta esita, si concede, concede uno sguardo a quella piazzetta anonima davanti al carcere, e alle telecamere dice: «Mi hanno trattata bene, ma nessuno poteva evitare che udissi in continuazione il tonfo delle porte che si chiudono dietro di te e tu non hai le chiavi». Poi si infila in macchina e sparisce per sempre da qui.

Quella mattina mi svegliai tardi. Non sapevo nulla, ma notai una strana mancanza di confusione. Mi affacciai, e nella stradina o sui tetti dei palazzi erano spariti tutti, non c'era piú nessuno. Capii subito che lei se n'era andata.

Quando uscii, notai che ogni cosa era tornata comprensibile; non c'era piú quell'energia guizzante, faticosissima, che non produceva nulla e si accaniva sull'intimità di una persona pubblica. Provai sollievo per la vita quotidiana che tornava. E soprattutto, sollievo per il mondo che si allontanava di nuovo, dandomi un po' di respiro.

Ma la fotografia della Loren dietro le sbarre, se è mai esistita, e se davvero quell'ombra era lei – forse no, visto che non ha resistito al tempo, non si trova piú – è la foto che Atteone scatta a Diana. Tutti i fotografi erano Atteone, in quelle strade accanto alla Reggia. Anche la foto che Eva Express mette in prima pagina, quella del deputato Mario reo di avere una vita privata, era la foto scattata da Atteone; e la colpa di tutti questi Atteone non è quella di aver visto, ma di aver diffuso. Anche la Cederna era stata Atteone nello scrivere quel libro, che mi piacesse o no.

E per quanto mi riguardava, anche zio Nino era stato Atteone, quando avevamo parlato solo noi due; e poi lui, senza curarsi delle conseguenze, aveva riportato il nostro dialogo agli altri.

Oggi, a vederla da qui, la vicenda cominciata la mattina del 16 marzo 1978 sembra piú chiara, per quanto riguarda la ragione di Stato e la vita di un uomo. Sembra che l'idea che lo Stato abbia fatto resistenza alle richieste dei rapitori sia l'errore decisivo che fu compiuto, piú o meno dolosamente.

Ma a prescindere dal giudizio che ognuno può avere oggi, in quei giorni le cose furono molto diverse. La scelta del governo, della Democrazia cristiana e del Partito comunista, condivisa (all'inizio) da tutto il Parlamento, e dalla maggioranza del Paese, fu quella di non cedere. La fermezza, come fu chiamata. Le Brigate Rosse chiedevano di essere riconosciute. Lo Stato si oppose, mettendo cosí a rischio la vita di Aldo Moro. E separando, di fatto, come può accadere soltanto in tempo di guerra, l'uomo pubblico – colui che sarebbe stato sacrificato in nome dell'integrità dello Stato – dall'uomo privato – colui che la famiglia, gli amici, gli allievi, volevano fosse riportato a tutti i costi a casa.

Poi, pian piano che passavano i giorni, che cresceva la pena, il partito della fermezza, cosí ampio, si incrinò. Bettino Craxi fu il primo a indicare la questione privata come problema politico. Lo fece per molti motivi, per convinzione e per strategia, e furono decisivi per il prosieguo della storia del Paese. Lo fece anche Fanfani, con piú esitazioni, sempre piú pressato dalla famiglia. Craxi e Fanfani erano accomunati anche da un'insofferenza comune: per il compromesso storico.

C'è stato però un momento decisivo nella vicenda di Aldo Moro. Un momento, arrivato troppo presto, in cui il passaggio tra le operazioni per salvarlo e l'idea che si potesse non salvare più, è stato causato da un'incomprensione tra Moro e le Brigate Rosse, e riguarda in maniera precisa la questione del linguaggio pubblico e del linguaggio privato. Se sono state prese delle decisioni, da parte dei potenti della Democrazia cristiana; se abbiamo la sensazione forte, quasi la certezza, che da un certo punto in poi Moro non si volesse più vederlo uscire vivo dalla prigione dei terroristi, è con ogni probabilità a causa di quella incomprensione.

Moro immette una dimensione privata nel colloquio con i suoi colleghi di partito. Decide di abbandonare il ruolo, e di parlare in altro modo. È questo che risulterà decisivo per il suo destino.

Tre giorni dopo il rapimento, arriva la foto che testimonia che Aldo Moro è vivo. Ma solo dopo più di dieci giorni gli viene concesso di scrivere (o di spedire, più precisamente) le prime lettere. Ne scrive tre: una a sua moglie Nora, del tutto personale; cerca di rassicurarla e trae conforto dai ricordi della vita familiare – e questa sarà la caratteristica principale delle parole che arrivano dalla prigionia: un uomo che parla ai suoi cari, più che il grande uomo di Stato processato nella prigione del popolo. Calvino lo dirà subito: «Fin dalla prima lettera è stato chiaro che Moro ha rinunciato alla sua immagine pubblica e assumeva quella di uomo di famiglia cui interessa solo che lo lascino tornare a casa».

Le altre due lettere sono per il suo collaboratore Nicola Rana e per il ministro dell'Interno Francesco Cossiga. Anzi, per dirla meglio, per Francesco.

È questo che dice la lettera a Rana: le consegno una lettera per mia moglie e poi, «sul caso politico», una lettera «da portare nelle proprie mani del Ministro Cossiga e con la comprensibile immediatezza». E continua: «La mia idea e speranza è che questo filo, che cerco di allacciare, resti segreto il piú a lungo possibile, fuori da pericolose polemiche». Quindi chiede di ricevere la risposta con altrettanta segretezza. Seguono poi delle frasi sottolineate che supplicano con autorità e preoccupazione di bloccare ogni sorveglianza. E, sempre sottolineata, la frase che chiude la lettera: «È chiaro che un incidente farebbe crollare tutto con danno incalcolabile».

L'atteggiamento di Moro, la prima volta che le sue parole escono dalla prigione, è deciso, e certamente molto preoccupato; ma sembra capace di gestire la situazione, e decide di parlare direttamente con i suoi compagni di partito. È l'atteggiamento di chi ha piena speranza di salvarsi, ma sa che ha il compito di provarci in prima persona.

Nei giorni della prigionia, nei colloqui con Mario Moretti, sente che la situazione ristagna. È probabile che Moretti se ne lamenti con lui, che gli dica: non sta succedendo niente. La proposta della lettera a Cossiga arriva dal prigioniero. Il dialogo tra i due è evidentemente vivo, attivo. Moro dice: mi lasci scrivere a Cossiga una lettera in privato.

Ecco la questione.

Moretti ci pensa, ma poi dice sí. A giudicare da quello che succede dopo, prende questa decisione da solo – ipotesi del tutto verosimile, considerando il carattere e il ruolo: è lui il capo dell'operazione.

Quando Moro comincia a scrivere la lettera, quindi, è convinto che le sue parole resteranno segrete; sa bene che esiste il linguaggio delle lettere pubbliche, che vengono pubblicate dai giornali; e il linguaggio, piú esplicito, piú brutale, delle lettere private, in cui non ci sono terzi a guardare e giudicare.

Moro scrive la lettera con linguaggio privato non soltanto perché Moretti gli ha promesso che verrà recapitata senza renderla pubblica; ma anche perché sa che la lettera che sta scrivendo è importante per aiutare la causa comune che adesso rapitori e rapito condividono, per forza di cose. Tutti vogliono uscire da lí dentro, Moro vivo e i brigatisti con una contropartita. Quindi, se Moro ha fatto questa proposta e Moretti ha accettato, è perché pensano che una lettera al ministro dell'Interno possa far andare avanti le cose. Moro ha tutte le ragioni per fidarsi (e del resto, non è nelle condizioni in cui può valutare e scegliere liberamente; deve prendersi qualche rischio); sa cosa vogliono ottenere le Brigate Rosse, se riusciranno lui verrà liberato. Quindi è possibile avere una strategia comune. Moro poi sa bene che queste parole che scrive, una volta finite nelle mani del suo amico Francesco, proprio per il tono e i modi che usa, rimarranno per forza segrete.

La decisione viene presa nel momento in cui tutti, compresi i rapitori, cominciano a rendersi conto non solo della fase di stallo, ma della mancanza di corrispondenza con l'esterno. Si aspettavano di piú (si aspettavano che alle parole di Elena: «È cominciata la rivoluzione», seguisse qualcosa). Non si aspettavano né la reazione emotivamente compatta del Paese, con le manifestazioni in tutte le piazze in favore di Moro e della scorta uccisa in modo cosí barbaro; né l'immediata fermezza dello Stato. Probabilmente nemmeno Moro si aspettava l'immediata fermezza dello Stato.

Bisogna uscire da questa situazione. Moro propone la sua mossa, Moretti la accetta.

Moro scrive le lettere e gliele consegna. Moretti comunica ai compagni che cosa bisogna fare.

Ma qui c'è l'intoppo.

Gli altri brigatisti non sono d'accordo. La loro tesi, lí dentro, dal loro punto di vista, ha una logica che Moretti comprende subito quanto sia difficile da contrastare: siamo contro la Dc e i suoi giochi, e cosa facciamo? Ci rendiamo garanti di parole segrete tra Moro e Cossiga? Non se ne parla. Il popolo deve sapere. Sembra che Moretti abbia fatto resistenza, abbia insistito, ma alla fine non c'è stato nulla da fare. I due postini delle Brigate Rosse, Morucci e Faranda, lasciano le lettere in un'intercapedine tra l'edicola e il muro di piazza Sant'Andrea della Valle. Poi chiamano Rana e gli danno indicazioni. Ma intanto hanno fotocopiato la lettera per Cossiga, e in tarda serata, quando Rana ha già consegnato la lettera al ministro, le fotocopie vengono recapitate, insieme al comunicato n. 3, in varie redazioni: Il Messaggero, Radio Onda Rossa, il Corriere della Sera, il Secolo XIX, la Gazzetta del Popolo. Di conseguenza, Cossiga ha letto la lettera nella forma privata che aveva, e solo in seguito ha scoperto che era stata resa pubblica.

Sono le parole di un uomo che prova a dire nel minor numero di righe il maggior numero di cose possibili. Di conseguenza è una lettera confusa, sbrigativa, che contiene frasi che vogliono dire di più, in alcuni passaggi minacciosa, senz'altro disperatissima. Il linguaggio è secco, non si tratta certo del Moro pubblico – nemmeno del Moro che scriverà in seguito, sapendo ormai di essere ogni volta letto da tutti, anche se a quel punto sarà ancora un altro linguaggio, senza freni del pudore, visto che la lettera a Cossiga ha – appunto – rotto gli argini tra pubblico e privato.

«Caro Francesco», comincia la lettera in forma privata. Moro dice di avere ben presenti le responsabilità di un ministro e le rispetta. Ma ha da fare «alcune lucide e realistiche considerazioni». È fuori discussione, dice, che è considerato prigioniero politico. Quindi, comunica a Cossiga, sono qui dentro ma rappresento tutti voi, voi siete qui con me. Mi fanno un processo e vogliono «accertare le mie trentennali responsabilità». «In tali circostanze ti scrivo in modo molto riservato, perché tu e gli amici [...] possiate riflettere opportunamente sul da farsi, per evitare guai peggiori». Il linguaggio di Moro è esplicitamente e implicitamente privato: lo dichiara, e procede con una sintassi rapida e diretta; ma

riguarda il ruolo pubblico suo e degli altri. Dice con durezza che quindi è tutto il gruppo dirigente a essere chiamato
in causa: «Nelle circostanze sopra descritte entra in gioco,
al di là di ogni considerazione umanitaria che pure non si
può ignorare, la ragione di Stato».

Moro, quindi, non punta affatto sulla questione umana
dell'uomo che ha diritto a rivedere la sua famiglia – anche
se vi accenna e in seguito vi punterà decisamente, man mano che l'ineluttabile si palesa; vi punterà perché ci crederà
davvero, perché è quello che vuole dire in questa lettera,
anche se affronta la questione in termini politici: vuole essere salvato, non vuole essere un astratto rappresentante
del partito al potere che viene condannato come simbolo
di quel potere. Finisce per scrivere una frase che ha l'intenzione di avvertire, quasi minacciare, e che verrà usata come risolutiva del rebus dell'autenticità: «io mi trovo sotto
un dominio pieno ed incontrollato», e quindi potrà essere
indotto a parlare «in maniera che potrebbe essere sgrade-
vole e pericolosa in determinate situazioni».

Moro gioca tutte le carte che può giocare, subito, con
Cossiga. Lo minaccia con la sua autorità – Cossiga è un
suo allievo; minaccia il partito; minaccia lo Stato. Ma lo
fa – pensa di poterlo fare – perché la sua lettera è in forma privata. Quella minaccia invece, quando verrà resa
pubblica, suonerà inaccettabile. E quindi, la soluzione a
questa inaccettabilità sarà la negazione della sua autenticità: quelle non possono essere parole di Moro, scrive sotto
dettatura, sotto tortura ancora piú probabilmente, è stor-
dito da farmaci (droghe, insomma), e ce lo sta comunicando: questo vuole dire «mi trovo sotto un dominio pieno
ed incontrollato». Stanno dicendo, coloro che sostengono
la tesi dell'inautenticità, che un uomo di Stato del calibro
di Moro non si comporterebbe cosí; non anteporrebbe la
salvezza dell'uomo al sacrificio dello Stato. Stanno soste-
nendo che ci deve per forza essere perfetta corrispondenza
tra le decisioni prese fuori dalla prigione, e il prigioniero.

Invece la posizione di Moro è chiaramente – perfino: semplicemente – in opposizione alla scelta della fermezza dello Stato, del suo partito e del Partito comunista. Ed è questa posizione chiara, solida, che Moro espone con strumenti di cui è capace soltanto lui, supportando la sua richiesta ferma con l'esempio del caso Lorenz, leader democristiano berlinese, sequestrato e rilasciato nel 1975 con uno scambio di prigionieri. Cita anche gli scambi tra Brežnev e Pinochet dopo il golpe in Cile (il Cile ritorna anche qui). Lo fa risoluto, con un'altra frase che a tutti sembra troppo brutale per essere di Aldo Moro: «E non si dica che lo Stato perde la faccia».

Può mai un leader di quell'importanza trattare in questo modo lo Stato? No, se sta parlando in pubblico; in qualche modo sí, se sta parlando al suo amico Cossiga in una situazione tragica e prendendosi la responsabilità di intervenire, pregando e minacciando il suo partito, dicendo con risolutezza tiratemi fuori di qui, perché mi stanno facendo un processo e se continua cosí comincio a dire cose sgradevoli. Solo a Cossiga può dire che la ragione di Stato non vale la vita di un essere umano; con molta probabilità, nelle condizioni di questo momento – quando le sue parole private non sono ancora state rese pubbliche – se sapesse di scrivere una lettera pubblica, non lo direbbe; o non lo direbbe in questo modo diretto, ruvido, senza esitazioni. Addirittura, non cita mai gli uomini della scorta uccisi. Perché piú che una lettera, è un circostanziato biglietto segreto nel quale cerca di dare un ordine che vuole sia eseguito. Cosí si conclude la lettera: «Un atteggiamento di ostilità sarebbe un'astrattezza ed un errore. Che Iddio vi illumini per il meglio, evitando che siate impantanati in un doloroso episodio, dal quale potrebbero dipendere molte cose».

È il suo disperato e minaccioso: Fate presto.

Moro aveva piena coscienza della tragicità della lettera che aveva scritto, anche del valore documentario da ultimo atto. Lo dimostra la raccomandazione fatta a Rana: resti segreta il piú a lungo possibile. Quindi Moro scrive una lettera personale, sapendo di essere in una bolla della Storia, e quindi sapendo che quel documento un giorno potrebbe diventare pubblico. Ma è questo il segno che gli importa solo di avere salva la vita, piú di ogni altra questione, piú di ogni altro simbolo che lui rappresenta. E infatti la raccomandazione rivela un'intenzione precisa: è una lettera segreta, perciò parlo in un modo in cui non potrei parlare in pubblico; dovesse un giorno essere rivelata a tutti, non importa, basta che sia il piú tardi possibile. Cioè: basta che sia dopo che sono riuscito a farmi tirare fuori da qui. E d'altra parte, il linguaggio della lettera è talmente fuori dagli schemi ricevibili, che sia Rana sia Cossiga non ne parlerebbero mai. Questo è ciò che pensa Moro. Ma il linguaggio della politica, quello da non riportare mai all'esterno, e che si svolge nelle stanze private, nei colloqui a tu per tu, è anche questo. Il linguaggio della lettera di Moro spaventa non perché nessuno immagina che esista, ma solo perché è stato svelato.

In seguito, pian piano che sono passati gli anni, lo hanno pensato e teorizzato in tanti, e adesso sembra che sarebbe dovuta andare davvero cosí, la storia di Moro, come chiedeva lui nella prima lettera a Cossiga: riconoscere le Brigate Rosse come avversario politico – forse in quel momento non era nemmeno ancora necessario lo scambio di prigionieri. Oggi, da qui, sembra ormai a tutti che Moro avesse ragione. Da qui, dopo aver ridimensionato nei fatti e nel tempo la sostanza dell'organizzazione terroristica. Ma allora le cose non stavano esattamente cosí. Per molti, per quasi tutti. Fino a quando Craxi prima e Fanfani poi (con piú esitazione e con piú rovelli) non posero la questione in altro modo, la soluzione della fermezza appariva non solo la piú sensata, ma l'unica possibile. L'orrore che le Brigate Rosse avevano immesso nel Paese, con questo atto terroristico che aveva fatto presagire in alcuni l'inizio della rivoluzione, era enorme.

Tutto quello che è successo dopo quella lettera ha un valore distorto. Moro avrebbe continuato a scrivere, e ormai si sarebbe trovato in una posizione di completa spudoratezza nei confronti del Paese (le parole scritte in privato a un amico per spingerlo a soccorrerlo, erano diventate le parole del presidente Aldo Moro contro il suo partito e la ragione di Stato), e per giunta ogni volta che avrebbe scritto si sarebbe dubitato che le parole fossero le sue; e infatti lo Stato – l'opinione pubblica – si sarebbe mosso solo tra due ipotesi: la perdita di lucidità di Moro o l'inautenticità delle lettere. È qui che poi è stata fondata la paura del dopo. Di quando Moro sarebbe uscito dal carcere, se ne fosse uscito vivo.

Cossiga dirà che lui e Andreotti si sono detti un giorno: se Moro esce da lí, per noi è la fine. Da qui in avanti, da questa frase in avanti, si possono trarre le conclusioni che si vogliono. Perché a quel punto salvarlo sarebbe diventato un problema. Per esempio: se poi si scopre che quelle lettere sono autentiche, cosa ne sarà della Democrazia cristiana? Anche perché Moro, dopo, non avrà piú possibilità di coprirsi, e spingerà la sua causa senza piú pudore. Già la lettera a Zaccagnini, pochi giorni dopo, oltre a essere straziante, sarà di una severità e di una violenza che sono impossibili da sopportare, per chiunque.

Ma quello che importa, è che quella prima lettera a Cossiga, resa pubblica, cambiò la storia del rapimento e di conseguenza la storia del Paese.

Quindi, la domanda è: furono illuminati per il meglio, Cossiga e gli altri? Secondo le richieste di Moro, evidentemente no. Secondo l'idea che ci siamo fatti adesso, col tempo, sicuramente no. Ma noi oggi accumuliamo il presente di allora a tutto quello che abbiamo sentito, capito e digerito dopo.

L'immagine di Moro libero, l'immagine potente di un uomo che scappa dalla prigione e all'alba gira per le strade silenziose, con passo sostenuto e sguardo sia perduto sia fiero, è quella del finale del film di Marco Bellocchio, *Buongiorno notte*. Però Bellocchio opera in modo cosciente ciò che gli italiani hanno operato in modo inconscio: l'uscita dal carcere di Moro, vivo e solitario, è la conseguenza del fatto che durante la prigionia viene messo in scena il tormento dei brigatisti; e quindi si immagina che una di loro risolva il tormento lasciando la prigione incustodita, per permettere al prigioniero di scappare. Ma il tormento che Bellocchio mette in scena, è il tormento che i brigatisti hanno avuto in seguito, e quindi ciò che l'emotività ha rinsaldato in seguito. Come se venisse portato alla luce un desiderio disperato di allora (perché non si rendono conto che è un uomo, un essere umano come ogni altro, e lo lasciano andare?), e una domanda ingenua che ci si è fatti dopo (perché ne hanno preso coscienza cosí tardi?)

Del resto, la deliberata scelta narrativa di Bellocchio assomiglia molto alle scelte che opera la memoria di ognuno. È un atto creativo e allo stesso tempo naturale. Assomiglia alla rivisitazione di fatti privati e pubblici che io stesso sto facendo, cercando di ricostruire un cammino: una serie di piccoli spostamenti di prospettiva riguardo ai fatti storici, e cioè tenendo conto, a volte, piú dello sguardo di ora che del pensiero di allora. Non è una modifica; è un fatto inevitabile a causa della consapevolezza delle conseguenze, e quindi poter dare senso o sottrarre senso agli eventi che ci sono accaduti, che abbiamo incrociato.

Il desiderio autentico di quelle settimane del 1978, quello sincero e pulito, era avere Moro vivo, ma non venendo meno all'idea di fermezza: lo Stato non può trattare con un gruppo terroristico. Poi, di quella idea della fermezza, si è approfittato per porla davanti, come un muro, a qualsiasi altra soluzione.

L'idea della fermezza si è apparentata, nel pensiero degli anni successivi, con la mancanza di volontà di liberare Moro. Il pensiero che si è stratificato negli anni ha schiacciato in una sola massa compatta due azioni e opinioni completamente diverse: la prima era la fermezza – la ragione di Stato, appunto. Moro era un rappresentante dello Stato – forse il rappresentante piú prestigioso, sebbene in quel momento non avesse cariche istituzionali ma fosse soltanto il presidente della Democrazia cristiana (fu proprio questa combinazione tra personalità significativa e temporanea mancanza di ruolo istituzionale che spinse le Brigate Rosse a sceglierlo come obiettivo – insieme al fatto che abitasse, al contrario di altri, in strade non anguste e avesse abitudini consolidate). Le Brigate Rosse non avevano rapito l'essere umano Moro – o meglio, a loro non importava questo, ma il ruolo che aveva nella politica italiana (le Brigate Rosse si erano comportate con questo criterio guerrigliero fin dalla loro nascita); quindi era stato rapito un simbolo dello Stato – e nel rapimento erano stati uccisi degli uomini, il che è fondamentale ricordare per la reazione netta che ebbero tutti, dal presidente della Repubblica (Giovanni Leone, appunto), al Parlamento, al governo costituendo, fino a tutti i cittadini italiani, o quasi tutti. Quindi opporre al terrorismo nel suo atto di guerra piú feroce, eclatante, di sfida aperta allo Stato – opporre la fermezza fu immediato; e credo si possa azzardare: inevitabile. Infatti, le incrinature di questa presa di posizione dello Stato non saranno politiche, nei giorni della prigionia, ma di portata emotiva: la famiglia, le lettere disperate di Moro, le sue foto, il pensiero insopportabile di quell'uomo potente preda di un dominio di altri. Quindi, man mano che i giorni passavano, il simbolo dello Stato arretrava, l'essere umano avanzava in primo piano per i cittadini che assistevano allo strazio senza poter fare nulla.

Ecco, questa situazione, e questa scelta, oggi si confonde troppo con la seconda, che da un certo punto in poi non si sia piú voluto salvare Moro per tante ragioni e per varie paure delle conseguenze. La mancanza di volontà, dolosa, si è arrampicata sulla fermezza come un parassita, in modo da esserne giustificata; questa confusione ha fatto in modo che le due istanze, quella autentica (giusta o sbagliata che fosse) e quella torbida, diventassero una sola. La prima era limpida e moralmente solida. Discutibile quanto si vuole, perché come per lo scontro tra Creonte e Antigone, si può propendere per la superiorità del bene pubblico sulla pietà umana, o per la superiorità della pietà umana sul bene pubblico. È, appunto, una questione di grandissima potenza, che riporta di continuo davanti alla mente il rapporto tra individuo e uomo sociale. Ed è, come nella tragedia di Sofocle, un'opposizione inconciliabile, il punto dove una sola delle ragioni può sopravvivere. E in quel momento, poiché nei confronti di Moro prevalse l'idea del bene pubblico (Creonte), nel tempo e per senso di colpa sappiamo dire soltanto le ragioni di Antigone. Soprattutto perché non abbiamo mai creduto all'onestà di tutti i Creonte. Ma l'errore che si fa ora è quello di tenere dalla stessa parte – e anzi, ripeto, di rendere confuse in un solo pensiero – la fermezza e la mancanza di volontà di far tornare Moro vivo.

È questo che condiziona la nettezza con la quale praticamente tutti ora propendiamo per una sola ipotesi; aggiungendo il fatto concreto e senz'altro vero che, essendo cambiati i tempi, le tensioni, e l'atteggiamento nei confronti della politica, le ragioni dello Stato appaiono deboli davanti a quel concetto sublime, inattaccabile e a volte ricattatorio che va sotto il nome di "umanità". E certo, non si può nascondere il fatto che la ragione di Stato è meno difendibile quando i rappresentanti dell'istituzione sono coloro che macchiano la pulizia degli intenti con le trame che confondono per prime il loro ruolo.

Ciononostante, va detto, se si crede ancora in uno Stato e per questo si continua a vivere e a occuparsi di questo

Paese – ciononostante, la politica della fermezza fu una posizione pulita, necessaria, e per molti versi condivisibile. In piú, è innegabile un risultato di quella politica, pagato a un prezzo senza dubbio altissimo: la sconfitta delle Brigate Rosse. Che in quel momento apparvero all'apice della loro dimostrazione di forza, mentre fu semplicemente l'inizio della loro fine. La capacità di ridurre e ricattare lo Stato venne meno. E oggi noi rivediamo quella storia del rapimento con gli occhi del ridimensionamento successivo delle Brigate Rosse, ma soltanto perché quella storia ha contribuito in modo decisivo a determinarlo.

Il prezzo maggiore fu pagato dalla famiglia, ma anche dalla classe politica – quella migliore, quella che aveva messo lo Stato, e cioè l'unità dei cittadini, davanti a tutto. Il simbolo di quella classe politica, ai miei occhi di allora e di ora, rimane il volto terreo di Zaccagnini, il segretario della Democrazia cristiana, il vero delfino di Aldo Moro: la sua incapacità di parlare, il suo lunghissimo silenzio, la malattia conseguente. Fin dal giorno di via Fani, Zaccagnini aveva abbassato lo sguardo per non alzarlo praticamente piú. La testa piantata verso il pavimento, quando entrava e usciva dalla sede del partito, le parole lente, con pause difficili e commosse tra una e l'altra. E poi, il giorno del ritrovamento del corpo in via Caetani, i suoi passi in uscita dalla sede di piazza del Gesú sono accorti, il viso pallidissimo, le rughe piú segnate. I giornalisti, le telecamere si fanno intorno, i microfoni gli tolgono la possibilità di respirare – ma Zaccagnini sembra non voglia respirare. È come se fosse crollato l'apparato interno del suo corpo, e fosse rimasto un involucro inservibile. Sta zitto. Dice una parola, come per iniziare, e poi con lo sguardo basso a trattenere le lacrime, sta zitto. E tutti quelli intorno stanno fermi davanti a lui. Vogliono aspettare che cominci, vogliono testimoniare quel dolore. È un tempo eterno, in cui non succede nulla, e noi tutti a casa assistiamo con imbarazzo e commozione.

È in quel silenzio di Zaccagnini lí, in tv, davanti a tutti, ai microfoni e ai taccuini, al rumore che possono fare coloro che devono riportare le parole dei protagonisti delle vicende, che mi sono immedesimato quel giorno della morte di Moro. Fu lui che riuscí a rappresentare il sentimento di impotenza e di rovello e di frustrazione di noi tutti. Ho capito dopo che succedeva probabilmente perché il suo dolore era l'involontaria sintesi di chi era stato allo stesso tempo Creonte e Antigone, ipotesi insostenibile per un essere umano. E infatti le parole di Moro dalla prigione erano state spietate e profetiche: il piú fragile segretario che abbia mai avuto la Dc. Zaccagnini se ne ammalò, poco dopo.

Quell'immedesimazione fu per me la presa di coscienza, in un giorno tragico per il Paese che come in una trasfusione collettiva diventava tragico nella vita intima di ognuno, che in qualche modo bisognava provare a tenere insieme, sempre, il bene pubblico e l'amore per l'essere umano, anche se era una lotta impossibile da portare a termine con un compromesso.

Era una presa di coscienza non totale, non definitiva – ma quasi. Non c'era armonia tra quell'uomo che era il segretario della Dc, che apparteneva alla Dc; e me, che sentivo di appartenere a qualcos'altro. Ma c'era il dolore dell'amico e il dolore di chi aveva deciso di non trattare, insieme; e dovevano essere insopportabili. In quel momento, identificai Zaccagnini con la persona che mi era piú vicina, di cui potei vedere la stessa reazione e lo stesso dolore: mio zio Nino. Fu quello il pensiero che arrivò con precisione mentre guardavo Zaccagnini attorniato dai microfoni che stava zitto, esausto. Perché a quel mio zio ero molto legato, non ne condividevo le idee, ma sapevo rispettarle perché aveva una dolcezza anche nella discussione (anche se quella volta aveva fatto la spia). Quella fragilità, quel tormento interiore per i fatti della Storia che si materializzavano davanti ai miei occhi, mi comunicavano una tenerezza per quegli uomini, il segretario della Dc e mio zio, e tutti e due insieme riuscivano a sintetizzare il dolore della famiglia e del Paese, quel giorno.

Era un passaggio importante, una tappa di avvicinamento a quell'immedesimazione totale che avvenne qualche anno dopo – quando mi sentii esattamente un altro che non conoscevo.

Del giorno della morte di Moro, non ricordo altro. Mentre ricordo ogni secondo del giorno del rapimento. Non so se è successo cosí per le conseguenze del rapimento, e cioè che negli anni la memoria ha concepito quei mesi come un unico tempo, e attribuisce giustamente la tragedia a via Fani e non a via Caetani, che ne è solo la conclusione. Oppure se è già in quel momento, nel presente, che ho attribuito una definitività a quell'atto – non soltanto dal punto di vista storico, che già basterebbe – ma anche dal punto di vista umano. Chissà se, insomma, nel momento in cui ho saputo che Moro è stato rapito, ho anche concepito l'ineluttabilità della sua morte. Se cioè è successo anche dentro di me ciò che è successo realmente in quei mesi di trattative mancate o tentate: che ci si abituava alla tragedia, e la prova generale venne fatta sulla questione del lago, quando vivemmo la morte per qualche ora, cosí da concepirla e abituarci. Quando venne diffusa la notizia che il corpo di Moro si trovava nel lago della Duchessa, e si videro elicotteri, militari e ricercatori intorno al lago, io, come tutti, provai la sensazione della morte, molto prima di via Caetani. Si disse che quella manovra era stata fatta con l'intento di abituare la popolazione all'idea della morte di Moro; anzi, di piú: fargliela provare prima che accadesse. Ed è quello che è successo alla grande maggioranza delle persone. Ed è quello, uno di quei momenti in cui il mio desiderio di essere come tutti si è naturalmente avverato.

Poiché ho cercato con ostinazione ossessiva il momento preciso in cui tutto è cambiato, adesso so che è stato l'attimo in cui sono arrivate le fotocopie della lettera ai giornali; o prima, nell'attimo in cui è stato deciso che bisognava renderla pubblica. Forse intorno al tavolo della cucina, mentre di là c'era nascosta dietro una libreria la minuscola prigione di Aldo Moro.

Con la diffusione pubblica della prima lettera a Cossiga, termina la speranza concreta, finora quasi (quasi) scontata, che Moro possa essere salvato. Termina la possibilità, anche, che Moro possa essere salvato dai suoi colleghi o amici del partito. Di conseguenza, termina un processo politico che nelle circostanze era cominciato con i tre articoli su Rinascita di Berlinguer, ma che nella sostanza si può far risalire fino agli accordi tra Togliatti e De Gasperi nel primo governo del dopoguerra. È anche la data precisa (anzi, l'attimo preciso, quando i brigatisti decidono di rendere pubblica la lettera) della fine del compromesso storico, di una storia diversa del Partito comunista italiano e della concreta e potente strategia politica del suo segretario.

Molti anni dopo, il Partito comunista cambierà nome. E sembrerà un passaggio decisivo. Non lo è stato, perché il cambiamento piú profondo, il punto in cui non si è potuto piú ricominciare, è questo.

Da quei giorni, zio Nino e zia Rosa smetteranno di litigare. Invece, la Democrazia cristiana e il Partito comunista si separeranno per sempre. Con un accordo preso nei giorni del rapimento, Fanfani, che era stato il maggiore avversario di Moro sul compromesso storico, si accordò con Craxi e il Partito socialista: avrebbero sostituito, e di conseguenza escluso, Berlinguer e il Pci. Il Partito comunista esiterà per piú di due anni, senza sapere cosa fare. Poi ritornerà una volta per tutte all'opposizione, sottolineando la propria diversità.

L'unico filo che legherà questi due anni con la decisione dell'alternativa democratica, sarà lo scontro continuo e il reciproco odio tra i due segretari che alla messa solenne per Moro sono seduti uno accanto all'altro, come se dovessero condividere un destino che invece li ha appena separati per sempre.

La scala mobile venne introdotta nel 1975 grazie a un accordo tra i tre grandi sindacati (Cgil, Cisl e Uil) e la Confindustria. Mise in moto, per un po' di anni, un automatismo per cui all'aumento dell'inflazione corrispondeva un aumento proporzionale dei salari, in modo che i lavoratori non ricevessero danni all'aumento dei prezzi. In pratica succede che quando l'inflazione aumenta, aumenta il prezzo di un qualsiasi bene di largo consumo; se aumenta anche il denaro in busta paga di un lavoratore, il sistema viene ribilanciato: il lavoratore riesce a comprare quel bene mantenendo lo stesso rapporto con lo stipendio che aveva prima. In teoria, tutto si rimette a posto. Nella pratica, però, l'inflazione in quegli anni aumentò in modo vorticoso. C'erano tante ragioni, soprattutto la crisi petrolifera che coinvolse l'Italia in modo violento. Ma presto ci si arrese anche a un'altra spiegazione: la scala mobile contribuiva direttamente all'aumento dell'inflazione. Nella sostanza, agganciare il salario all'inflazione costituiva un peso tale da accrescere l'inflazione, e quindi i prezzi salivano anche a causa dei salari, e quindi i salari di conseguenza crescevano di nuovo, pesavano ancora di piú, e la storia ricominciava: all'aumento dell'inflazione corrispondeva un aumento dello stipendio immediato (veniva calcolato mese per mese), e all'aumento dello stipendio corrispondeva un ulteriore aumento dell'inflazione. Da parte di tutti c'era la consapevolezza che bisognasse fermare questa spirale e trovare una soluzione di uscita. Anche perché tutto questo non contribuiva a dare al salario "reale" piú potere d'acquisto; a volerla vedere da un punto di vista opposto, infatti, si poteva constatare che il salario aumentava di continuo senza che per questo aumentasse il suo potere. Era la questione che veniva messa sul tavolo della trattativa: se si riduce l'inflazione, si torna a difendere il salario reale.

Era prassi (ed era sensato) che una soluzione la si trovasse insieme ai sindacati, insieme ai partiti della sinistra parlamentare, e insieme ai rappresentanti dell'imprenditoria. Quindi, quando Craxi divenne presidente del Consiglio, nell'agosto del 1983, si immaginò fosse l'occasione giusta per trovare un accordo di uscita dalla spirale inflazionistica: l'uomo a cui affidare la trattativa sia con i sindacati sia con la Confindustria per risolvere in qualche modo la questione della scala mobile. Se poi ci fosse stata la collaborazione diretta del Partito comunista, il mondo dei lavoratori avrebbe avuto abbastanza forza da ottenere in cambio altre garanzie. Ma una soluzione era ormai necessario trovarla: in quei mesi l'inflazione era salita al diciassette per cento, una cifra spropositata.

Craxi cominciò le trattative, che furono subito difficilissime. Furono difficili con la Confindustria, che voleva soluzioni drastiche; con i sindacati, che proponevano soluzioni blande. Intanto il tempo passava e la questione diventava sempre piú urgente. Ma la sostanza dello scontro avvenne con la parte del sindacato che si riferiva al Partito comunista: la Cgil. Perfino il segretario Lama fece capire piú volte di obbedire a una decisione che non condivideva: quella di non trattare, di non cercare nessun accordo. Infatti, la decisione di chiusura totale alla trattativa l'aveva presa Enrico Berlinguer.

Berlinguer rifiutò fin dal primo istante ogni trattativa. Anzi, vide nel tentativo di Craxi di mettere mano alla questione della scala mobile, una sfida al Partito comunista, e piú precisamente una sfida diretta a lui.

Alla fine, dopo aver tentato fino all'ultimo secondo

di chiudere un accordo condiviso da tutte le parti, il 14 febbraio del 1984 il governo emanò un decreto legge che metteva in moto il processo di abolizione della scala mobile, tagliandola di quattro punti (percentuali). Come si disse piú volte nei mesi successivi, si era trasformata in una questione simbolica (nella pratica, il decreto avrebbe inciso pochissimo sugli stipendi, quindi la soluzione era, come volevano i sindacati, blanda); ma era un cambiamento epocale sia rispetto al rapporto tra il salario e l'inflazione sia (soprattutto) rispetto all'idea di condivisione e collaborazione tra governo e parti sociali. Perché quello di Craxi fu uno strappo – dopo mesi di trattative – dalla cui parte si schierarono due grandi sindacati su tre, e che quindi segnò la fine anche dell'armonia sindacale. All'interno della Cgil ci fu la divisione tra socialisti e comunisti; e tra i comunisti ci furono parecchie tensioni, perché non tutti erano d'accordo. Nella sostanza, anche se il cammino fu tortuoso, la storia della scala mobile si risolse di fatto il giorno in cui il governo di Craxi emanò il decreto. Quel decreto venne chiamato, ed è ancora oggi chiamato da tutti: il decreto di San Valentino.

Quindi, quando Elena mi disse che anche il giorno di San Valentino si fa politica, non mi stava soltanto rimproverando, ma stava anche facendo una specie di profezia concreta. Su noi due, e sul Paese. Su noi due si concretizzò all'istante, sul decreto qualche anno dopo.

Per questo Elena rifiutò il mio regalo, e fece bene. Certo, non mi amava; ma adesso potevo comprendere senza piú ambiguità che non mi amava perché una di sinistra non amava uno cosí.

Il decreto di Craxi in opposizione alla volontà di Berlinguer fece ingresso nella mia vita per dare il colpo finale anche a quel mio azzardo sotto forma di Snoopy avvolto nella carta rosa. Dimostrava in pratica – quasi si potrebbe dire che quantificava – la grandezza del mio errore, quanto fossi fuori sincrono con il mondo a cui aspiravo, e perfino con l'amore a cui aspiravo.

Nel giorno di San Valentino, in due tempi diversi, si è perfezionato, anche se a mio sfavore (e né qualche anno prima né in quel momento avrei potuto immaginare quanto), il mio rapporto tra la vita privata e la vita pubblica. Perché da quel giorno il rapporto con l'amore sarebbe cambiato per sempre, trascinandosi dietro un incontrollato desiderio di rivalsa, di riscatto, di vendetta – per sintetizzare, avrei vissuto l'amore per il resto della mia vita con un misto di concretezza (avere a che fare soltanto con amori possibili) e di cinismo (non avere nessun timore di provocare sofferenza, perché ero in credito illimitato con la sofferenza); la mia idea di me stesso, in piedi nel buio con un pupazzo di Snoopy in mano, sarebbe diventata l'immagine di un rimprovero continuo: prima a me stesso, e poi a chiunque volesse amarmi. Ma anche la giustificazione a ogni malefatta sentimentale per il resto della mia vita: ne ho diritto perché ho sofferto in modo inconsolabile quando ho amato la prima volta.

E all'opposto, quattro anni dopo, la mia adesione al Partito comunista eliminò ogni possibile criticità, e cominciò a correre verso la risoluzione delle contraddizioni.

Oltre che per un'idea concreta e del tutto sincera, da parte di Craxi e del suo governo, di tentare di mettere un freno all'inflazione, il destinatario reale di quel decreto era davvero Berlinguer, era la sfida definitiva lanciata al suo avversario.

Berlinguer accolse la sfida.

La scala mobile era il mezzo per la divisione tra due partiti – tra due uomini. Era l'oggetto della disputa, ma era anche il modo di concretizzare una disputa che era nell'aria da tempo, cosí come Elena aveva usato lo Snoopy per stanare la distanza tra noi due. Quello fu l'ultimo giorno del nostro fidanzamento, quell'altro fu l'ultimo giorno in cui si poté sperare in un dialogo tra le due sinistre.

Fu l'inizio di un processo che in quei pochi mesi mi portò a identificarmi in modo totale con Berlinguer, come se la mia emotività e la sua non solo coincidessero, ma diventassero tutt'uno; allo stesso tempo – come per ogni eccesso di identificazione – fu implicitamente il primo germe di un distacco che si sarebbe compiuto poco dopo. In quel giorno di San Valentino del 1984 cominciò un conflitto dentro di me, che respinsi per molto tempo; e quel conflitto – era questa la profezia di Elena – era stato fondato nella condizione di diversità politica e sentimentale tra me e Elena, tra me e i comunisti piú autentici. Probabilmente la differenza tra me e gli altri era semplice: gli altri non erano diventati comunisti a causa di un gol in una partita di calcio; che significa qualcosa di piú inquietante di ciò che può sembrare, e cioè: quel gol avrebbe potuto non esserci, Sparwasser avrebbe potuto non raggiungere quel pallone che arrivava da lontano, il pallone avrebbe potuto non rimbalzargli in faccia in modo favorevole, il portiere avrebbe potuto chiudere lo specchio della porta di quel tanto in piú di quel che fece.

Ma il gesto di Craxi fu decisivo ed ebbe una forza simbolica tale, che da quel San Valentino vennero molte conseguenze: finí per sempre l'unione tra i tre grandi sindacati italiani; finí per sempre una certa idea di assistenza economica che si stava avviluppando su se stessa; si mise per la prima volta in discussione, dopo tanto tempo, quel patto che era condiviso nella pratica da anni, secondo cui il governo non prendeva decisioni fondamentali per il Paese senza che ci fosse un accordo di qualche tipo con l'opposizione. Infine, con il decreto di San Valentino venne dato il colpo finale al Pci, e soprattutto al suo segretario, Enrico Berlinguer. Il Pci non aveva voluto riconoscere la fondatezza della posizione antinflazionistica della politica craxiana; Berlinguer giudicò la politica di Craxi addirittura un pericolo per la democrazia. Il decreto di San Valentino e tutto il corso della lotta, è semplicemente la guerra esplicita e visibile, definitiva, tra Craxi e Berlinguer.

Contro il decreto si organizza una manifestazione imponente. È il giorno dell'ECCOCI scritto in rosso e con grandi caratteri sulla prima pagina dell'Unità, quando Berlinguer si fa fotografare sorridente con il giornale in mano. La manifestazione finisce, la gente sta per andare via; sotto il palco viene portata una sagoma di Craxi in divisa da fascista e viene bruciata mentre si urlano slogan contro il presidente del Consiglio. In Parlamento, quando c'è il dibattito sulla conversione del decreto, Berlinguer è sempre presente e prende la parola piú volte: «Ostinarsi a mantenere in piedi il decreto rasenta i limiti – se mi si consente l'espressione – di un atto osceno in luogo pubblico». Una frase inconsueta per la sua sintassi. Craxi lo sfida e pone la fiducia sul decreto, un atto che è probabilmente inutile visto che già possiede una maggioranza, ma significativo dello sprezzo per l'opposizione del Pci. Il testo definitivo arriva alla Camera e una settimana dopo il Partito socialista inaugura il congresso piú trionfante della sua storia, a Verona, nel palazzetto dello sport. Si attende l'arrivo, come al solito, degli ospiti, cioè dei segretari degli altri partiti.

L'11 maggio 1984, nel momento in cui è entrato nel palazzetto dello sport di Verona, e tutto il pubblico ha cominciato a fischiare, io sono diventato Enrico Berlinguer. È stato il momento esatto in cui il mio sentimento pubblico e il mio sentimento privato, che in quei mesi di scontro avevano aderito ogni giorno, sono balzati via da me per infilarsi dentro lo sguardo perduto del segretario del mio partito – che stava davanti a quella gente con la stessa incapacità di organizzare un'espressione che avevo avuto io davanti a Elena che strappava la carta da regalo;

ho sentito che mi riguardava cosí tanto, mi faceva soffrire cosí tanto, richiamava cosí precisamente il dolore mio personale, che non ci poteva essere piú nessuna distanza tra me e lui; guardavo il suo viso teso, sperduto, e sentivo che con lui c'ero anch'io, anche se non ero lí.

Ho fatto come Mario (Vittorio Gassman) ne *La terrazza*: guardando giú verso il congresso, ho subito immaginato di essere al posto di – insieme a – Berlinguer; solo che invece di essere applaudito, mi fischiavano.

Non ci hanno fischiato soltanto, hanno cominciato a scandire «scee-mooo, scee-mooo», mentre braccia si levavano per mostrare garofani rossi e il segno delle corna. Noi avanzavamo seguendo le indicazioni di una signora, avevamo tanta gente intorno che faceva in modo di proteggerci, ma in realtà nessuno stava tentando di aggredirci. Ero Berlinguer per la tristezza e la rabbia che provavo, per l'impotenza identica che sentivamo, là in mezzo a un palazzetto gremito di gente. Non trovavamo la strada, come inebetiti, mentre uno speaker urlava che eravamo loro ospiti e bisognava accoglierci come degli ospiti. Ma i fischi diventavano piú forti, anche per coprire la voce dello speaker, e si sentiva anche, insieme, altrettanto limpido, il suono ritmato di sceeemoooo urlato da una specie di coro. Noi eravamo il segretario del Partito comunista, eravamo la persona piú amata da tutti, anche dagli avversari, e ci dicevano sceemooo e ci fischiavano in modo assordante. I fotografi intorno scattavano foto per cogliere un'incrinatura del nostro sguardo, ma c'era solo un'aria persa, non del tutto visibile, e poi sembrava che l'unica domanda che arrivasse dai nostri movimenti e occhi interrogativi, fosse: dove ci dobbiamo sedere.

Finalmente arriviamo in una specie di lungo banco – ci hanno indicato il posto, ci siamo diretti lí. Alziamo lo sguardo solo un attimo, in modo quasi distratto, perché a quel punto abbiamo tutta la gente di fronte, un semicerchio tonante, ma è sufficiente per vedere garofani e corna

agitarsi di piú. Per sentire anche «venduto», «buffone».
Poi ci sediamo. Senza aver fatto un solo gesto di insofferenza, di sfida, di accusa. Siamo stati impassibili, anche
se scioccati. Perduti.

Craxi parlò tre giorni dopo, nel discorso di chiusura
dei lavori. «Mi dispiace che il congresso del partito sia
venuto meno ad un dovere di ospitalità nei confronti del
segretario del Partito comunista compagno Berlinguer e
della delegazione comunista». E qui l'assemblea applaude convinta, come se il segretario la stesse spingendo a
delle scuse. Lui se ne rende conto e allora va subito con
voce serena contro gli applausi, li copre con uno scandi-
to *però* – che zittisce tutti.

«Però quando una norma cosí ben conosciuta anche
da noi viene violata, il che è un fatto grave, vuol dire che
avviene per una ragione grave». La posizione di Craxi sta
deviando verso un'altra conclusione, ma continuando a
simulare la denuncia dell'accaduto. Dice: «So bene» – e
qui fa una di quelle pause sue, famose, molto lunghe, che
sembrano (o vogliono realmente) riacchiappare la chiarezza
del pensiero per esporlo in modo ordinato, in quel modo –
bisogna ammetterlo – inimitabile, in cui la complessità del
giro di frase e la chiarezza del significato, sono inequivo-
cabili. C'è silenzio totale dopo quel «So bene» detto indi-
cando tutti e poi guardandosi intorno come per godersi il
conforto della sua gente e fermandosi con lo sguardo fisso
in un punto, nel vuoto, come se non dovesse continuare
piú – poi riprende all'improvviso, rivolgendosi a tutta la
platea, di nuovo con il braccio sinistro steso verso l'alto,
il dito indice puntato verso qualcuno...

«... che non ci si indirizzava ad una persona» – e qui
un'altra pausa, guardando dritto negli occhi tutti, davanti a lui; e poi il braccio e il dito fanno un giro largo,
inclusivo: «ma ad una politica che questa persona forse
interpreta con maggiore tenacia di altri e non sappiamo

fino a che punto convincente anche per tutto il suo stesso
partito, una politica che noi giudichiamo profondamente sbagliata». Qui nessuno applaude, perché la virata è
forte, violenta. Sorprendente, nonostante l'inimicizia.
Ma manca ancora l'affondo teatrale, plateale: ruotando
sul posto lentamente, tenendo il braccio largo a include-
re non piú tutti, ma ognuno, per spingerli all'attenzione per ciò che sta per dire, che sembra voglia dire da tre
giorni, Craxi conclude:
   «E se i fischi erano un segnale politico che manifestava contro questa politica, io non mi posso unire a questi
fischi solo perché non so fischiare».
   Mentre la sua gente scoppia in un boato entusiasta, lui
incurante non la guarda, come se non avesse detto quello
che ha detto, con tanta sfrontatezza, ma con altrettanta
sfrontatezza abbassa lo sguardo verso il bicchiere d'acqua,
lo prende, e beve. Come se la pausa non fosse per il boato
di approvazione, ma solo perché aveva sete.

   Non si è unito ai fischi che ci hanno fatto, solo perché
non sapeva fischiare. Una frase che non è stato mai possibile accettare. Un punto fermo della mia divaricazione,
da cui non era piú possibile tornare indietro: l'amore per
(l'identificazione con) Berlinguer, l'odio per Craxi.
   Prima, una collettiva dimostrazione di inimicizia, violenta, mai prima espressa nei confronti di Berlinguer (nostri),
da nessuno schieramento avversario. Poi la frase di Craxi.
Da uomo libero e autonomo, dico con serenità che non ho
(non abbiamo) mai perdonato e che non perdonerò (per-
doneremo) mai. Per me Craxi, da quel momento, rimarrà
per sempre quello che dice che non ha fischiato solo perché
non sa fischiare. Non c'era ancora il crescendo sfacciato del
finanziamento ai partiti, il dilagare del potere senza controllo, Tangentopoli, l'esilio di Hammamet e tutto il resto.
Tutto quello che è venuto dopo, e che riguarda Craxi e il
suo disfacimento personale e politico, non mi ha piú toccato

nel profondo; certo, mi sono indignato come quasi tutti gli italiani, mi è stato chiaro che i modi di fare politica erano inaccettabili – ma nulla di tutto questo mi ha davvero piú toccato. Il mio rapporto con Craxi, di simpatia o antipatia, di speranza per un'alleanza tra socialisti e comunisti, e il resto che (non) ne conseguí, è finito nell'attimo in cui ha detto, studiando cosí bene le pause, che non aveva fischiato anche lui soltanto perché non sapeva fischiare.

Dopo Verona, Berlinguer cambia tono. Nel direttivo del 5 giugno propone con forza il referendum abrogativo della legge sulla scala mobile, e spinge con altrettanta forza verso una decisione rapida. È evidente, da una parte e dall'altra, che non c'è soltanto una questione di principio, in cui entrambi credevano – sí alla scala mobile, basta con la scala mobile – ma una sfida politica nella quale uno deve uscire vincitore e l'altro perdente.

Due giorni dopo, Berlinguer va a Padova per un comizio per le elezioni europee. Mentre parla si ferma. Non ce la fa, sta male. Il pubblico lo applaude, gli urla «Enrico» per incoraggiarlo. Lui si toglie gli occhiali, beve dell'acqua, poi ricomincia, continua ad asciugarsi le labbra con un fazzoletto, va avanti ma la voce si perde, gli urlano «basta» perché non ce la fanno a vederlo cosí. Lo fanno smettere con applausi e urla, scandiscono «Enrico-Enrico». Lui riesce a dire una frase finale e poi va via, spinto dalle insistenze delle persone intorno. Arriva in albergo, si stende sul letto dicendo che ha mal di stomaco. Non riprenderà mai piú conoscenza.

Il giorno dopo, l'8 giugno, Gerardo Chiaromonte annuncia al Senato che il Pci comincia immediatamente a raccogliere le firme per il referendum abrogativo dell'articolo 3.

Craxi arriva all'ospedale di Padova il 10 giugno. Il fratello di Berlinguer, Giovanni, è sceso in strada a chiede-

re a tutta la gente di accogliere il presidente del Consiglio
con compostezza. Quando l'auto di Craxi si ferma davanti
all'ospedale, passa tra due ali di folla silenziosissima. Lo
stesso, quando esce.

Berlinguer è in coma. Sono in molti che vanno a omag-
giarlo e però anche a osservarlo, e a giudicare dalla sua vita
e dalla sua timidezza, non ne sarà stato contento (di nuovo
tanti Atteone che vogliono guardare Diana). La famiglia
cerca di arginare la processione dei politici, in rispetto del
padre e degli altri malati nella sala rianimazione, ma non
può opporsi piú di tanto. Craxi chiede poi di salutare la
moglie e i figli di Berlinguer; ma gli viene fatto sapere che
preferiscono non incontrarlo.

Berlinguer muore il giorno dopo, l'11 giugno. Un mese
esatto dopo i fischi di Verona.

TUTTI è l'enorme titolo rosso che l'Unità dedica ai funerali in piazza San Giovanni; parla di una folla immen-
sa, forse due milioni. È l'amore per Berlinguer a essere
immenso, quel tipo di amore che ho provato io quando ho
voluto essere lui per accompagnarlo e proteggerlo al congresso socialista di Verona. Ecco perché il mio sentimento è feroce, digrigno i denti e sento una specie di rabbiosa
felicità quando Nilde Iotti ringrazia Pertini e dalla folla
parte un lunghissimo applauso, e poi, dopo una pausa breve e faticosa, quasi sospira ringraziando «il presidente del
Consiglio» – senza dire Craxi, non si sa se per non aizzare
la folla, o per un sentimento di contrasto anche da parte
sua; ma è piú probabile la prima ipotesi.

La folla di San Giovanni, che riempie la piazza e tutte
le strade intorno, comincia a fischiare senza freni.

Qui, durante il funerale, durante questi fischi, la separazione tra due mondi, che era già evidente, diventa definitiva. C'è un mondo che si identifica pienamente con
Enrico Berlinguer, con il suo cammino e con quell'ultima
fase di resistenza contro un cambiamento che giudicava

come l'annullamento di conquiste fatte grazie al suo partito. C'è un altro mondo che appare spietato, vincente, che vuole modernizzare il Paese con disinvoltura, anche con arroganza. Questi due mondi si sono divisi.

Tutti. Sono partiti tutti per piazza San Giovanni, chiunque fosse comunista, chiunque avesse la possibilità di prendere un pullman, un treno, un'auto.

Io, invece, sono rimasto a casa.

A Caserta, a casa mia, da solo.

Quello che so è che avevo deciso di restare solo per una strana pigrizia che mi prendeva sempre, quando sentivo un disagio poco chiaro. E il disagio è stato il sentore che mi ha allarmato. E poi l'ho, appunto, schiacciato.

«Non volevo andare in un posto triste per sentirmi piú triste ancora».

«E che c'era di male a sentirsi piú triste?»

«Tanto il presidente non può resuscitare. E la cosa non è successa a te. Tutto quello che succede nel mondo non succede a te personalmente».

Sono seduto su una poltroncina larga e scomoda, in camera da letto dei miei genitori. Sto guardando un televisore piccolo, di là ci sono i miei fratelli – i miei genitori sono al lavoro, probabilmente. Mi sono chiuso di qua perché potrei essere osservato mentre guardo le immagini del funerale di Berlinguer. Non voglio. E mentre guardo, qualcun altro è di sicuro entrato in casa, perché nel momento in cui, senza poterne fare piú a meno, ho cominciato a piangere senza freni, e ho alzato il pugno verso l'alto, lí, solo nella camera da letto dei miei genitori, seduto su una poltroncina larga e scomoda, mentre a piazza San Giovanni c'erano TUTTI (tutti tranne me, a quel punto) – mi ricordo che ho pensato: speriamo che nessuno apra la porta (piú sinceramente: speriamo che mio padre non apra la porta).

E non perché mi sarei vergognato, ma solo perché sarebbe stato un intruso tra noi, noi tutti che eravamo comunisti e amavamo Berlinguer e odiavamo chiunque gli avesse fatto del male – Craxi piú di ogni altro. Ma anche mio padre e mia madre, che non erano tutti noi.

Adesso leggo quell'ADDIO rosso a caratteri cubitali tenuto alto dalle braccia di tantissimi per mostrare al mondo di far parte di TUTTI. Provo un dolore precisissimo. E a quel dolore reagisco, sia con disperazione, sia con commozione: piango e alzo il pugno verso l'alto mentre la bara di Enrico Berlinguer avanza lentamente nella strada e io lo saluto da casa dicendo con disperazione che ci sono anch'io, che anch'io sono parte di TUTTI.

Eravamo, probabilmente, l'Italia civile e moderna a cui si rivolgeva Berlinguer l'anno prima, in un discorso che sembrò definitivo. In cui ribadiva l'alternativa alla politica come si andava svolgendo, e l'alternativa per come si stavano caratterizzando quegli anni. Chiunque legga il discorso del congresso dell'83, lo unisca a quello sull'austerità, alla scelta di andare all'opposizione solitaria e all'intervista sulla questione morale e contro i partiti, si identifica con facilità. Perché Berlinguer e il suo popolo avevano una simbiosi, una sensibilità comune; e non c'è dubbio che avevamo molte ragioni. *Una proposta all'Italia civile e moderna* è un ritratto nero dei tempi, tutto negativo sui valori nuovi. È un appello a una parte del Paese, quella comunista. E anche alla parte migliore non comunista: lasciar perdere quella politica e quei modelli di vita, e unirsi a noi per ricostruire l'Italia dalle fondamenta. La relazione del congresso, in fondo tra le meno interessanti della lunga carriera di Enrico Berlinguer, si caratterizza per una scelta definitiva: non far parte del mondo dominato da potere, cinismo, egoismo, e infine superficialità. Nella sostanza, Berlinguer non soltanto si rifiuta di far parte di governi democristiani e socialisti (a cui nessuno gli aveva chiesto di far parte), ma intraprende un atteggiamento piú ampio: questo non è il nostro mondo, noi ce ne tiriamo fuori, per farci custodi di valori che non devono essere perduti. È il gesto che ha già fatto nel 1980, quando comincia a fondare i due valori guida che poi si delineano nella conversazione con Eugenio Scalfari del 1981: noi siamo un altro Paese, migliore di quello che vediamo, noi vogliamo difendere e conservare la purezza dell'etica e della volontà che ci caratterizza. Tutti i valori a cui teniamo non si vedono piú nel mondo che è cambiato, quindi noi erigiamo una barriera a difesa di quei valori.

Ovviamente, decidere di tenersi fuori e di difendere i valori perduti vuol dire non partecipare piú al presente, in qualche modo nemmeno occuparsi piú di comprenderlo.

Nella sostanza le caratteristiche erano diventate due: essere diversi dagli altri – in un modo che è possibile definire: la purezza; frenare il forsennato ammodernamento della società – un atto che è impossibile non definire: la reazionarietà.

Se io stavo in mezzo, se cioè seguivo tutte le idee di Berlinguer da quando ero diventato comunista, e se allo stesso tempo vivevo una vita borghese e allegra che adesso veniva identificata con il cinismo e il godimento craxiano, dovevo scegliere. O meglio, è chiaro che avevo già scelto – o ancora meglio: non avevo scelta. Adesso dovevo fare di piú: dovevo strapparmi a una parte di me. Quando Berlinguer cerca e trova la purezza, io devo accoglierla e prenderla insieme a lui, tutta, come gli altri.

Il sentimento della purezza – parlo di sentimento perché in tutti e due gli episodi si tratta di emotività, non di pensiero – appare incontestabile in me, spazzando via ogni esitazione e anche il pudore di ciò che ero stato fino ad allora, insieme a Berlinguer, entrando con lui – come se fossi lui – nel palazzetto dello sport di Verona. Ecco cosa ho fatto: mi sono messo accanto alla purezza, e ho sfidato tutti quei fischi impuri che arrivavano. Non era merito mio, molto probabilmente, ma colpa della violenza e del senso di ingiustizia che sentivo verso di noi. Entravamo in quel palazzo con la testa alta perché difendevamo le persone giuste e rifiutavamo di cambiare le cose. Io e Berlinguer avevamo lo stesso orgoglio, in quel momento, l'identica convinzione di stare dalla parte della ragione.

In quel momento, quindi, ho avuto la possibilità di riscattare la mia vita impura fino ad allora. In questo ciclo di conseguenze che derivavano da San Valentino, avevo però compiuto un movimento davvero strano: mi ero mosso dal punto in cui ero, di fronte a Elena sul motorino e con lo Snoopy nella tasca, ed ero salito sul motorino con lei, indignato come lei: però, in questo modo, di fronte a noi, a me ed Elena, non c'era più nessuno. Cioè, non c'ero più io.

Ero diventato comunista perché sentivo ripetere dal segretario del partito e dalla sua gente, di continuo, la parola progresso, la volontà di cambiare il mondo. Erano contraddizioni che con tutta evidenza si addensavano nella mia testa a formare quel groviglio che poi sarebbe stato difficile sciogliere. Presa coscienza di questa diversità, misi in campo la superficialità che avevo imparato in altre occasioni: e scalciai tutto questo alzando il pugno e piangendo lacrime sincere e piene di dolore per la morte di Enrico Berlinguer.

Ho espiato, mi sono detto, non andando al funerale. Mi sono purificato. Sono pronto. E il giorno dopo, quando ho letto TUTTI sulla prima pagina dell'Unità, mi sembrava che ormai ci potevo essere anch'io. Che ce l'avevo fatta. E l'aggrovigliato malessere che era salito su per le ossa, era sotterrato, non sapevo nemmeno dove.

Noi a quel funerale eravamo l'Italia civile e moderna (lo eravamo senza alcun dubbio) e avevamo la percezione che il cambiamento in atto portava verso il peggio. Quel TUTTI si diffonde e materializza. Tutti a sinistra diventiamo così: puri e reazionari.

Il 1984 non era stato soltanto l'anno della morte di Berlinguer. Qualche settimana prima, a Varese, era nata una nuova idea politica: la Lega lombarda. Qualche mese dopo il funerale, le tv commerciali, un fenomeno che ormai faceva concorrenza alla tv pubblica, vennero oscurate dal provvedimento di un pretore. In pratica, esse aggiravano il divieto della diretta su territorio nazionale (esclusiva della tv pubblica) mandando in onda, contemporaneamente, videocassette identiche dai vari network locali. Il governo Craxi mise in piedi, in fretta, un decreto specifico che imponeva la sospensione dell'oscuramento. Il decreto venne chiamato "salva Berlusconi", dal nome del proprietario dell'impresa televisiva privata, grande amico di Craxi.

Appena dopo la morte di Berlinguer, l'ondata emotiva ricadde sulle elezioni europee, e il Pci realizzò il sorpasso storico sulla Democrazia cristiana. Un evento per nulla significativo nella vita politica italiana – infatti non lascerà tracce. In seguito, invece, l'evento significativo riguarderà la sconfitta finale sulla scala mobile: il referendum. Craxi era disposto ad abbassare ancora i punti percentuali per trovare un accordo ed evitare di andare alla conta. Ma l'ultima volontà politica che Berlinguer aveva espresso prima di morire era il referendum abrogativo. Quindi trovare un qualsiasi accordo con Craxi avrebbe voluto dire: tradiamo Berlinguer. Quindi, si fece il referendum. Craxi disse che se avesse perso sarebbe andato a portare le dimissioni al presidente della Repubblica «un minuto dopo».

Vinse il no all'abolizione della legge. Ma soprattutto vinse definitivamente la politica di Craxi e perse definitivamente la politica di Berlinguer.

Senza possibile scarto di errore, posso dire che il pomeriggio del 13 giugno, nel momento preciso in cui ho alzato il pugno da solo nella camera da letto dei miei genitori, ho smesso di essere giovane. Avevo vent'anni esatti, e sono diventato adulto, in un modo aggrovigliato. Sia chiaro: ho schiacciato il groviglio sotto il peso delle convinzioni, ma il groviglio si era ormai formato in modo ineliminabile, ha atteso di essere compreso in seguito e poi in qualche modo risolto – e chissà se adesso, mentre scrivo dopo tanti anni, è stato davvero risolto. Da quel pomeriggio, la politica è diventata un elemento quotidiano della mia vita, me ne sono occupato come ci si occupa dei figli, perché li ami e perché lo devi fare. Non sono riuscito piú a percepire in me una vita privata, se non legata in modo indissolubile a ciò che accadeva nel Paese; e non sono mai piú tornato indietro.

È come se quel pomeriggio si fossero interrotte le storie della mia formazione. Non sarei riuscito piú a delimitare il campo, a produrre esperienze personali che non fossero in relazione con un sentimento piú generale, quasi sempre malinconico. Come se avessi avuto sempre qualcos'altro da pensare accanto agli studi, poi al lavoro, agli innamoramenti, ai litigi in famiglia, alle feste natalizie – qualcosa che voleva dare un senso ulteriore a quello che facevo nella mia città, con i miei amici. Ma che rendeva alla fine tutto insoddisfacente. La sensazione era che la vita si era ristretta, diventando adulti. I fatti diminuivano e aumentavano i ragionamenti sui fatti. La sensazione era anche che la vita diventava piú costante, scandita dall'abitudine. E le novità erano fuggevoli, oltre che rare. Come se tutto dovesse svolgersi con piú precisione, meno sorpresa.

Ecco: non ero piú concentrato. Qualcosa se n'era andato via per sempre con Berlinguer. Le cose accadevano intorno a me, le valutavo; e le valutavo secondo le nuove regole: non dovevo compromettermi con quello che non mi piaceva, dovevo combattere – o meglio, lamentarmi – del mondo com'era diventato. Ripetevo la parola che condiva ogni discorso dei comunisti che si stavano trasformando in persone piú genericamente di sinistra perché il mondo cambiava: *ormai*, dicevamo. Come se tutto il senso delle cose fosse (ormai) alle spalle. Tutto questo era in rapporto stretto con la mia vita quotidiana: si stabilizzò dentro di me una tristezza di sottofondo che si diffondeva in tutto quello che facevo. La mattina mi svegliavo e facevo il conto dei miei impegni: universitari, lavorativi, sentimentali, mondani; e vi spargevo sopra la tristezza che avevo accumulato leggendo i giornali.

La tristezza accompagnava perfino i regali che facevo a San Valentino a delle ragazze che erano felici e tiravano fuori a loro volta il loro regalo di San Valentino per me, con le quali avevo imparato a fare sesso, e mi sembrava l'unico sollievo alla sfocatezza dei giorni e dei sentimenti – per questo forse cominciai a essere spietato e a tradire con rabbia: perché piú sesso inseguivo, piú avevo modo di sentirmi estraneo alla vita immobile che avevo.

Per questi motivi, per tutti questi motivi, credo, rimasi piantato nella confusione per dieci anni. Perché quei dieci anni erano stati tutti già visibili in quei pochi mesi. Ormai. La mia vita rimase ferma, come aggrappata al trauma – come se dal trauma non volesse staccarsi. Mi identificavo completamente con quella piazza, ero rimasto fermo seduto sulla poltroncina scomoda di casa mia. Quando cadde il muro di Berlino, non potei che ripensare con nostalgia a Jürgen Sparwasser. Quando Occhetto da un giorno all'altro decise di cambiare il nome al partito, mi sembrò un atto troppo frettoloso e allo stesso tempo didascalico, visto che era stato fatto già da tempo nella sostanza, anche se non nella forma. E non riuscii ad appassionarmi per davvero al dibattito focoso che ne venne fuori. In fondo, pensavo, i comunisti hanno fatto come ho fatto io il pomeriggio dei funerali di Berlinguer: hanno scacciato l'aggrovigliato malessere, hanno fatto finta che non ci fosse. Non sapendo, o sapendo benissimo, che pian piano sarebbe tornato a chiedere conto. E invece mi sembrava – mi sembra ancora adesso – che essere stati comunisti in Italia, era qualcosa di cui non ci si doveva vergognare, anzi bisognava esserne orgogliosi.

Le morti di Moro prima e di Berlinguer poi avevano già fatto finire tutto. Ormai. Per me, quello che era accaduto era esaustivo – non c'è una parola piú precisa per raccontare la definitività dei miei pensieri e delle mie scelte; e anche l'impossibilità, in seguito, che altri eventi, per molti anni, potessero essere determinanti anche per la mia vita privata. Quando la gente si era radunata davanti all'Hotel Raphaël per lanciare le monetine a Craxi, non pensai nemmeno per un momento che avrei voluto esserci anch'io, lí. La rabbia verso Craxi l'avevo già consumata tutta, non ne avevo piú, ero poco concentrato su di lui e avevo dei sussulti solo quando il suo linguaggio tornava a fare circonlocuzioni che mi portavano alla sintassi perfetta e sicura di Verona. Perfino mentre rispondeva in aula ad accuse pesanti sui finanziamenti illeciti ai partiti, e aveva la lucidità di rispondere con frasi come «né la Montedison, né il gruppo Ferruzzi, né il dottor Sama né altri, né direttamente né per interposta persona, a me personalmente hanno mai dato una lira; diversamente, tanto il gruppo Ferruzzi che il gruppo Montedison hanno versato contributi all'amministrazione del partito, a partire da quando non saprei dire, ma certamente da molti anni» – subivo la bellezza del suo linguaggio, le pause lunghe e piene di tensione, la gestualità sicura, fortemente sensuale. Erano frasi che non annullavano la sostanza dei fatti, ma conservavano una grandezza linguistica che mi affascinava, anche se me ne vergognavo.

In pratica, senza proclami e cercando di farlo nella maniera piú morbida possibile, cominciai a non frequentare piú i miei amici. Una sera dicevo che dovevo finire di studiare un esame, un'altra sera tornavo a casa presto, un'altra ancora dicevo che sarei andato con loro e poi non andavo.

Pian piano, come sapevo succedeva nei gruppi, cominciarono a chiamarmi di meno, le abitudini si consolidarono piú sull'assenza che sulla presenza. Riuscii a sfilarmi senza che se ne accorgessero troppo, e quando ci incontravamo per caso, in seguito, mi sorridevano e mi abbracciavano, solo per farmi capire che se fossi tornato davanti al bar il giorno dopo, loro avrebbero fatto finta che non fosse accaduto nulla. Solo con uno di loro continuavo a giocare a tennis tutte le settimane, e in quelle due ore insieme provavamo a risolvere il distacco che avevo imposto.

Comprai un taccuino, perché avevo letto i *Taccuini* di Fitzgerald, in cui era ossessivo l'esercizio sulla frase, sulle descrizioni, sui dialoghi. Mi resi conto con semplicità che la distanza tra il mio desiderio di scrivere e ciò che scrivevo effettivamente, era troppo grande. A prescindere dai sogni, dalle ambizioni, avevo voglia – necessità – di accorciare quella distanza. Smisi completamente di scrivere i romanzi incompiuti o i racconti poco compiuti. Presi il taccuino; e lí, come se dovessi ripartire da capo, cominciai a scrivere, tracciando un segno di divisione, delle frasi brevi, che mi sembravano piú significative delle pagine lunghissime che scrivevo con la frenesia di prima. Mi sembrava già cosí di accorciare di molto la distanza tra il mio desiderio di scrivere e quello che scrivevo.

Cominciai a frequentare altri amici, in modo meno morboso, e con alcuni di loro d'inverno andavamo a teatro a Napoli e d'estate andavamo a vedere i concerti; poi alla fine dell'estate andavamo a Venezia alla mostra del cinema. La pensavamo tutti allo stesso modo, ed eravamo tutti convinti di vivere in un'epoca barbarica, e che tutto quello che ci sarebbe piaciuto, o era già successo, o non era successo, ormai.

Avevo tolto a me stesso una parte che andava estirpata, non ne ero nemmeno pentito. Ma il risultato era che mi annoiavo e che ero diventato noioso. Me ne rendevo conto, ma non avevo intenzione di cambiare le cose. Mi sembrava che la noia che provavano gli altri davanti alla mia vita immobile, fosse il segno della loro incapacità di comprendere. Mi sembrava, nella sostanza, che fossero superficiali; e che io, con queste due compagne di vita, la purezza e la reazionarietà, mi stessi allontanando – riscattando – dalla superficialità, che identificavo con la divisione tra la vita propria e la vita di tutti.

Era il mio modo per allontanarmi dalla famiglia, per cominciare a pensare che, forse, era arrivato il momento di andare via dalla mia città di provincia, che aveva quell'aria familiare che corrispondeva a tutta la vita fino ad allora, fino al giorno in cui Berlinguer era morto. In pratica, i mesi, gli anni, divennero soltanto un allontanamento ostinato dalla vita contraddittoria di prima, dalla superficialità di mia madre e della mia città. E dalla mia superficialità, che avevo usato con o senza coscienza – non l'ho mai capito bene.

Avevo fatto vari lavori, e avevo anche cominciato a scrivere di sport su alcune riviste. A Caserta il basket continuava a essere lo sport principale, e non lottavamo piú per la retrocessione: avevamo addirittura vinto un campionato. Sia io sia questo mio amico con cui giocavo a tennis, avevamo cominciato a scrivere di basket, e dopo le partite correvamo in sala stampa per dettare consuntivi di cui andavamo molto orgogliosi. In qualche modo, era un inizio: scrivere di qualcosa che conoscevo, ed essere pagato. Farne un lavoro, per quanto poco fruttuoso. Adesso però era arrivata un'occasione, piccola ma concreta: mi offrivano un lavoro a Roma in una piccola rivista letteraria. Mi avrebbero pagato poco, ma potevo continuare a scrivere di basket anche lí. Tutto sommato, potevo provarci. Erano passati quasi dieci anni dal funerale di Berlinguer. Roma avrebbe reso tutto piú semplice. I miei amici sarebbero stati lontanissimi, e mio padre e mia madre sarebbero rimasti lí dov'erano sempre stati. Zio Nino era morto, e zia Rosa aveva seguito mia cugina a Roma; sarei andato a vivere insieme a loro. Cosí, di colpo, mi sarei lasciato dietro tutte le contraddizioni.

Il tragitto breve tra Caserta e Roma sarebbe stato come un filtro attraverso il quale far passare soltanto le cose e le persone che mi assomigliavano; il gesto di ingresso nella vita pubblica, il piú lontano possibile da casa. Forse è per questo che il giorno della partenza avevo infilato nel portafogli, come un talismano, un articolo che era uscito sulle pagine di Repubblica molti anni prima. Si intitolava *Vecchie carte da gioco*. Era di Rosellina Balbi. Ricordo perfettamente il giorno in cui l'avevo letto, ancora oggi. Cosí come ricordo che lo ritagliai e lo tenni per anni sulla scrivania. E poi, il giorno della partenza, in funzione simbolica, lo infilai nel portafogli.

Adesso, mentre scrivo, è ancora qui. In una cartellina con scritto "Politica". È giallo e vecchio. Tutto il resto degli articoli vecchi li ho ricopiati oppure li ho trovati negli archivi digitali e li conservo cosí; questo invece non ho alcuna intenzione di buttarlo.

In *Vecchie carte da gioco* Rosellina Balbi affronta la questione di cosa significhi essere di sinistra. E soprattutto quella che definisce «la tragedia dell'eguaglianza». Conclude l'articolo cosí, sotto il mio evidenziatore giallo ben calcato: «Personalmente, sono ancora e sempre del parere che la distinzione da fare sia quella tra l'eguaglianza e il diritto all'eguaglianza: la prima non esiste (per fortuna): ciascuno di noi deve fare la sua corsa e arrivare dove potrà, saprà e vorrà. Altra cosa è la parità delle condizioni di partenza: è questo che la sinistra deve ottenere, cosí come deve continuare a battersi perché la innegabile diversità tra gli uomini non diventi pretesto per la discriminazione e il sopruso dei forti nei confronti dei deboli».

Ora, e allora, mi faccio e mi facevo la stessa domanda, dopo aver letto questo articolo: ma è possibile che non lo sapessi? Che per me fosse una rivelazione? È possibile che era una cosa che dovevo leggere, ancora leggere? E allo stesso tempo, dicevo e dico: se era stato scritto, se Rosellina Balbi l'aveva scritto con tanta nettezza, se aveva detto «personalmente» – era perché bisognava ancora chiarirlo, confermarlo. In qualche modo, dirlo.

Però cosí avevo trovato all'improvviso la mia risposta semplice all'ossessione di mio padre per il comunismo. O meglio, la risposta a me stesso, per i dubbi che mio padre mi aveva messo nella testa: quanto mi sentissi rassicurato, quando ero comunista da ragazzo – e anche dopo, forse –, dal fatto che il comunismo non sarebbe venuto veramente, come diceva lui, e avrei potuto continuare a vivere la mia vita di borghese agiato e felice, con pensieri alti e seri. E quanto – anche – fossi, mentre ero comunista, preoccupato dall'idea di eguaglianza eccessiva che mio padre aveva espresso in modo patologico. Fino alla lettura di parole semplici e chiare che mi mettevano tranquillo per sempre.

Nella sostanza, quell'articolo di Rosellina Balbi mi venne in soccorso anche per il senso che aveva avuto la mia vita fino ad allora, e i pensieri che mi avevano attraversato. Grazie a Elena, avevo letto (mi aveva costretto a leggere) tutti i classici del comunismo. Ma un articolo oggettivamente trascurabile, uscito nella pagina culturale di un quotidiano in un giorno qualsiasi, ha avuto un'importanza decisiva per i miei pensieri. Mi ha, diciamo cosí, rasserenato. È come per le canzoni stupide, che finiscono per appartenerti per tutta la vita perché le hai ascoltate in un momento particolare, e anche se le ascolti dopo tanti anni ti commuovi ancora, perché ti riportano in modo preciso a quel momento. Allo stesso modo puoi leggere Marx, Marcuse, Lenin, Luxemburg, e anche Dostoevskij, Balzac, però poi un giorno, data la fragilità teorica, le debolezze emotive o politiche, leggi un articolo, lo senti preciso e determina qualcosa in te.

Non lo usai, quell'articolo. Né l'ho usato finora. Perché

non parlo di politica con mio padre da molti anni, e non voglio ricominciare. Ma tengo l'articolo da parte, come un documento, per ogni evenienza.

Questo mio amico si chiamava Alessandro. Tra tutti gli amici del bar, era quello che avevo scelto fin da ragazzo. Stavamo spesso insieme, aveva seguito nel tempo tutto il mio dolore inutile per Elena, era quello che piú mi ripeteva che era una stronza e dovevo dimenticarla – come se questo potesse farmela dimenticare. Lui era innamorato di una ragazza molto scura che si chiamava Adriana, abitava lontano da noi. Alessandro passava gran parte dei suoi pomeriggi ad accompagnarla a casa a piedi, a stare sotto casa di lei a parlare, la baciava solo qualche volta, poi tornava a piedi dalle nostre parti. Quindi non c'era quasi mai quando andavo alle riunioni o a inseguire Elena; e se c'era, non si stupiva, era quello che mi comprendeva di piú. Poi Adriana ed Elena sparirono, e noi ci davamo conforto e passavamo ad altro.

Parlavamo di tutto, io e Alessandro, ma di politica no. Quasi mai. Lui era nipote del sindaco democristiano, il padre era democristiano, anche i cugini, tutta la famiglia. Quindi anche Alessandro era democristiano. Ma non stava lí a dirlo, era come se fosse nato cosí. Quando avevamo parlato di politica, all'inizio, la differenza tra noi due era stata netta: io dicevo che quello che avevamo intorno era brutto e da cambiare, lui diceva che era facile dire cosí, e che invece c'erano molte cose che erano migliori di quello che sembravano, e quindi i cambiamenti dovevano essere lenti, oculati, bisognava stare attenti. A me innervosiva molto la sua pacatezza, a lui innervosiva molto la mia improvvisa irruenza.

Nella sostanza, quindi, io e Alessandro preferivamo parlare delle nostre sofferenze d'amore, dei desideri erotici per alcune ragazze o alcune signore che vedevamo per strada. Preferivamo parlare della nostra squadra di basket e anche discutere alzando la voce riguardo alla Juventus o al Milan – ma in quei casi non sentivamo distanza, anzi mentre ci arrabbiavamo ci sentivamo uniti, provavamo simpatia l'uno per l'altro.

Abbiamo giocato a tennis regolarmente, per anni. Due volte alla settimana. Abbiamo smesso soltanto quando sono andato via. Era il nostro modo di stare da soli. Infatti, in seguito, quando cominciai ad allontanarmi anche da lui, a causa del mio irrigidimento sulle differenze, tenevamo in salvo la nostra amicizia perché non rinunciammo alle nostre partite di tennis e perché ci ritrovavamo insieme a scrivere di basket, anche lí con metodi e idee diverse.

Abbiamo giocato per anni, e le partite erano sempre uguali. Eravamo autodidatti. Avevamo imparato tutti i colpi guardando i tennisti in tv. Cercavamo di imitarli, riuscendoci poco; imitavamo molto bene le preparazioni alla battuta, la pallina infilata nella tasca, la racchetta che colpiva il piede per togliere la terra rossa dalle corde; i cambi di campo con l'asciugamani e l'acqua o le bevande con i sali minerali quando comparvero; e poi, soprattutto, le imprecazioni, la rabbia con se stessi, il complimento all'avversario per il bel colpo, battendo la racchetta su una mano per applaudire. Però, si sa, se giochi con regolarità per anni, in qualche modo migliori. Eravamo su per giú uguali, in quanto a bravura. E insieme miglioravamo, sempre continuando a essere su per giú della stessa forza. A me piaceva andare spesso sotto rete, rischiare il colpo, chiudere lo scambio facendo punto; a lui piaceva stare a fondo campo, aspettare che sbagliassi io, fare pallonetti precisi che rincorrevo a fatica per poi rimettermi in mezzo al campo e provare di nuovo ad andare sotto rete.

Abbiamo giocato cosí, per anni.

Se ero in giornata, lo pressavo, chiudevo bene i colpi, e soprattutto indietreggiavo con intuito sapendo che stava per arrivare un pallonetto, e schiacciavo con precisione. Se non ero in giornata, mi innervosiva, mi debilitava facendomi rincorrere i pallonetti. Insomma, finiva che l'andamento delle partite dipendeva piú da me che da lui. Cosí andavano le partite, almeno fino a un certo punto. Quando non ero in giornata e cominciavo a perdere, non ero affatto dispiaciuto: mi piaceva lottare con tutte le forze, fare calcoli continui sulle possibilità di rimonta (adesso vinci questo gioco, poi provi a strappare la battuta, dài, pensa a un punto alla volta) – e casomai vincevo due punti consecutivi ma poi non riuscivo a chiudere il gioco, e alla fine perdevo. Nelle giornate negative, perdevo e basta, ma non nettamente, perché lottavo moltissimo, anche se ero 6-2, 4-1. Continuavo a giocare senza dare tregua, sperando di poter ribaltare lo stato psicologico mio e suo. Non ero a disagio, guardavo Alessandro e lo vedevo soddisfatto, sicuro, pulito, poco sudato. Non mi dispiaceva avere davanti un'agonia tutta mia che potevo allungare e allungare ancora, se riuscivo a vincere un game e a lottare nel successivo.

Quando cominciavo a vincere, invece, accadeva il fatto strano. I colpi entravano tutti e dicevo sí!, Alessandro cambiava espressione, protestava su un punto, s'incupiva, cominciava a trattarmi male. Sentivo che gli stavo antipatico perché ero piú bravo di lui, quella mattina. Quando vinceva, nei cambi di campo parlavamo. Quando perdeva, non diceva nulla, e rispondeva a monosillabi. Mi sembrava proprio che non sapesse perdere.

Ma la questione non riguardava lui, riguardava me. Ero a disagio. Ero 4-0 nel primo set; oppure lo vincevo con facilità. E non mi divertivo. Non mi divertivo quanto mi divertivo a recuperare quel punticino mentre ero nettamente in svantaggio. Questo non voleva dire che desiderassi perdere, ma poiché non mi divertivo, il mio adattamento psicologico alla partita mutava. In qualche modo insensato, incontrollabile, cominciavo a rischiare di piú, a tentare colpi che potevano riuscire soltanto se fossi stato un grande tennista come quelli che guardavo alla tv. Dopo l'errore, mi dicevo che non dovevo cominciare, sapevo cosa mi stava succedendo, mi era chiaro; e mi dicevo che volevo vincere, ma intanto una specie di ombra velocissima percorreva il mio cervello che dava segnali al corpo completamente diversi da quelli che avevo organizzato. Cosí, Alessandro cominciava a recuperare. Si esaltava, ridiventava loquace e sorrideva un po'. E in qualche modo insensato, che non riuscivo a comprendere, a me non dispiaceva. Anzi, di piú: mi piaceva. L'idea che tra poco mi avrebbe riagguantato e avremmo cominciato a lottare, punto su punto; l'idea che la partita stava per tornare in equilibrio e che ogni colpo sarebbe stato significativo – mi eccitava. E appena andavo di nuovo un poco sotto, poco poco, tornavo a stare bene. Mi rimettevo in quella situazione di gioco che mi piaceva tanto: davanti a me l'abisso della sconfitta, ma anche la possibilità, se facevo questo punto e il prossimo, di ribaltare di nuovo il risultato.

Quando ero in una di quelle giornate buone, senza che potessi farci nulla, mi autodebilitavo per ritornare a giocare partite che ci vedevano alla pari; e poiché il nostro atteggiamento psicologico era diverso, con uno che propendeva per la vittoria e con l'altro che propendeva per essere a un passo dalla sconfitta, finiva davvero che lui tornava in vantaggio e io dovevo inseguire. Era il momento che mi piaceva piú di tutti, piú di quando perdevo molto, piú di quando ero in vantaggio nettamente, o un poco; piú di quando eravamo in parità. Mi piaceva stare un poco in svantaggio, dover recuperare, stare per scivolare nella sconfitta e ribellarmi a essa con tutte le forze.

Insomma, alla fine perdevo.

E non dipendeva da lui, ma da me. Lui ci stava male nella sconfitta, io ci stavo bene. Sapevo che se fossimo rientrati negli spogliatoi a farci la doccia, in quel momento in cui ci raccontavamo un sacco di cose della nostra vita, e ci lasciavamo andare a confidenze di fragilità e debolezza che in mezzo agli altri non mostravamo mai – se fossimo entrati in quegli spogliatoi io da vincitore e lui da sconfitto, quelle conversazioni sarebbero state morte, sillabate, tese. Lo avevo provato quelle pochissime volte – quasi mai, ma pure una volta o due capitava – in cui lui era davvero in una giornata in cui non avrebbe mai potuto vincere. Quindi era ancora piú incupito e arrabbiato. Erano delle docce, quelle, delle vestizioni tristi, distanti. Quando invece perdevo, negli spogliatoi c'era un'aria perfetta: era felice lui perché aveva vinto, ero felice io perché avevo perso, però avevo lottato. Mi sentivo amato, quando perdevo. Mi sentivo a mio agio. La mia propensione alla sconfitta – e piú precisamente il piacere di combattere contro avversari imbattibili, e migliorare e conquistare qualche punto in piú, resistere ogni volta un po' di piú prima di soccombere – era ciò in cui mi ero identificato da sempre, in tutti i campi della mia esistenza.

Volevo ritrovare a tutti i costi quella condizione della Germania Est contro la Germania Ovest; l'unica posizione che mi interessava era quella: essere piú debole, fare fatica, essere sul punto di perdere, e poi con uno scatto improvviso vincere a sorpresa. Non riuscivo in nessun modo a godere della vittoria essendo forte, schiacciando, avendo superiorità. Era un istinto, me ne sono reso conto soltanto ripensandoci dopo, ma era quello che cercavo.

Volevo sempre che Alessandro fosse la Germania Ovest e io la Germania Est. Ma la cosa terribile che scoprii è che da quella condizione di debolezza e di essere sul punto di perdere, poi si perdeva per davvero. Quasi sempre. Anzi, sempre. Quel gol di Sparwasser non si ripeteva nemmeno ogni tanto, forse non si sarebbe ripetuto piú.

In realtà, l'articolo che portavo con me nel portafogli diceva anche che le vecchie carte da gioco non servivano piú, perché la partita che bisognava giocare per vincere era «nuova». Quel vecchio mazzo di carte rappresentava il «tono morale» di chi lo possedeva. «La sinistra – questo il punto – non va necessariamente identificata con questa o con quella dottrina, con questa o con quella strategia, ma piuttosto con la volontà di cambiare le cose». E metteva addirittura in guardia dal successo che in quegli anni avevano avuto i Verdi in Germania, perché «dovrebbe far riflettere sui pericoli che certi temi vengano fatti propri da ideologie regressive, nel senso che si risolvono in invettive contro la civiltà moderna, identificata come madre di catastrofi: per cui i giovani vengono chiamati a raccolta non già perché, resi consapevoli delle minacce che l'umanità deve fronteggiare, si impegnino a ricercare le possibili soluzioni, ma perché si entusiasmino di fronte alla favoleggiata – ed impossibile – prospettiva di un ritorno a ere preindustriali dipinte come arcadici paradisi […] non piú la religione del progresso, ma la fede dell'antiprogresso».

La questione definitiva della sinistra alla quale mi sentivo di appartenere senza alcun dubbio, fu questa: Craxi rappresentava un'innovazione troppo cinica, disinvolta, corruttibile, poco oggettiva e famelica; di conseguenza – e questa è stata una transizione di pensiero del tutto decisiva per la storia della sinistra italiana – fu l'innovazione stessa a significare cinismo, disinvoltura, corruttibilità, famelicità. La sinistra si ritirava per sempre, e con assoluta convinzione – sicura di stare dalla parte della ragione – dal proposito del progresso per trasformarsi in forza reazionaria. Dall'entrata mancata nel governo e dal rapimento di Moro, nasce un'idea di purezza – interpretata come un destino – che non morirà piú. Quello che Moro aveva temuto, si verifica alla lettera: il Pci diventa interlocutore esterno della realtà. Ma quello che Moro indicava come un pericoloso punto di forza, diventa una condanna alla marginalità, alla sconfitta.

È qui che sta il grande cambiamento: della vittoria non

importava piú nulla; bisognava soltanto segnare una volta
e per sempre una linea di demarcazione, un'idea definitiva di diversità; bisognava sfilarsi dalla vita pubblica reale
e rappresentare un'alternativa astratta, pulita, arroccata.
Un'alternativa pura.

Da quel momento in poi, ogni sconfitta politica diventa un rafforzativo delle proprie idee. Una conferma che il
mondo è corrotto e che il progresso è malato. Una conferma, quindi, che le persone giuste e i pensieri giusti sono
minoranza, fanno parte di un mondo altro, che non comunica piú con il Paese – perché il resto del Paese, impuro e
corrotto, si è perduto.

Berlinguer lascia in eredità l'etica politica – un elemento necessario; ma non si affianca piú alla strategia politica,
bensí la sostituisce.

Seconda parte

La vita impura: io e Berlusconi

La sera del 9 luglio 1994, il presidente del Consiglio Silvio Berlusconi è rimasto un sacco di tempo ad ammirare la fontana di Diana e Atteone nella Reggia di Caserta. Non posso dire che quelli che erano insieme a lui fossero i suoi amici, però anche lui era dentro la Reggia chiusa al pubblico, e senza nemmeno aver dovuto scavalcare. Era già buio, ma per la prima volta era stata accesa un'illuminazione notturna sull'intero parco – vuoto.

C'erano anche sua moglie Veronica, Bill e Hillary Clinton, Eltsin, Mitterrand, John Major e altri. Quell'anno la riunione tra le grandi potenze del mondo, il G7 (a cui si era aggiunta la Russia di Eltsin, per un giorno), era stato organizzato a Napoli. C'erano stati incontri diplomatici, passeggiate delle first ladies sul lungomare e al Maschio Angioino, una gita in costiera amalfitana, Clinton era andato a mangiare in una pizzeria del centro. Ed era stata fissata una cena di gala, l'ultima sera, nei saloni della Reggia di Caserta. Mi raccontavano che nella nostra città c'era molta eccitazione, e lavori di riqualificazione: era stata progettata un'illuminazione speciale nel parco. Noi avevamo vissuto per tutta la vita con la Reggia che chiudeva prima del tramonto, un buio silenzioso e spaventoso accanto alle nostre case vive, in città. La sera della cena di gala, il presidente della Repubblica Scalfaro ha accolto gli ospiti, incantati dal Palazzo Reale, e le luci si sono accese illuminando l'intero parco, fino a lassú, alla cascata.

Dopo cena, le auto hanno portato tutti a fare un lungo giro, infine si sono fermate in alto, alla fontana. Berlusconi e gli altri, insieme alle mogli, sono scesi dalle auto e hanno passeggiato intorno alla fontana. Qualcuno ha anche sfiorato l'acqua con le dita. E mentre la serata era fresca e bellissima, e tutti ammiravano lo sguardo sorpreso di Diana e i cani che sbranavano Atteone, l'acqua della cascata che rompeva con dolcezza il silenzio, e laggiú l'intero parco deserto e splendente, Berlusconi ha constatato che il luogo e la serata fossero molto romantici, ha atteso le traduzioni e poi si è aperto in un sorriso furbo, molto furbo, e ha concluso: «Attenzione che sennò questa notte aumentiamo la prole».

Il giorno dopo ha anche detto che una fontana cosí bella non l'aveva mai vista in vita sua.

Era il luogo in cui era nato tutto, per me. Non voglio dire che lo consideravo soltanto mio – al contrario, era stato il momento in cui mi ero accorto degli altri. Ma da qui a vedere gli uomini piú potenti della terra nello stesso punto in cui eravamo stati io, Massimo e il ragazzo con le lentiggini; da qui a vedere Berlusconi, lí, in quel punto preciso – al posto mio – e sentirgli pronunciare un tipo di frase maliziosa e goffa – oltretutto a gente di età molto avanzata e quindi con ogni probabilità non piú in grado di avere figli –, con l'intenzione di condividere un'eccitazione tenuta poco a bada; insomma, vedere quel punto specifico della mia Reggia occupato dagli uomini piú potenti della terra, nelle stesse condizioni speciali (chiusa al pubblico, solo per pochi) in cui ero diventato parte del mondo, e allo stesso tempo sentire una frase cosí infelice, di un'insana e rovinosa malizia da strizzatina d'occhio, da barzellette della Settimana Enigmistica – mi diede la percezione esatta del tempo che era passato; mi diede la percezione esatta di ciò che era accaduto con l'elezione di Berlusconi.

E anche questa volta ebbi l'intuito non pieno, ma fuggevole, che quella purezza su cui tanto mi impegnavo – e quale tempo e quale luogo erano simbolicamente piú puri di quel pomeriggio e di quella fontana? – era troppo difficile da afferrare. Almeno per me. Soprattutto se veniva gente fino a casa mia, a violentarla. Soprattutto se me n'ero andato, e avevo lasciato campo libero.

In qualche modo, se quel lontano giorno di inizio estate ero diventato non soltanto il ragazzo di Caserta che stava svaligiando un frigorifero, ma un italiano in piú, nel momento in cui stava per avere coscienza di esserlo; adesso c'era la conclusione narrativa di quel lampo di consapevolezza: tanti anni dopo, avevo la colpa di aver abbandonato la mia città, il presidio di quello spazio specifico e rivelatore davanti alla fontana di Diana e Atteone; e lo spazio era stato subito occupato dall'italiano scelto come rappresentante di tutti gli italiani, davanti al mondo, che stava dicendo ai presidenti dei Paesi piú importanti: che serata frizzantina, attenti che stanotte si scopa.

E la questione delle scopate, in seguito, sarà una parte non irrilevante della vita privata e pubblica – della confusione tra privato e pubblico – di questo imprenditore ricchissimo che era diventato presidente del Consiglio.

Berlusconi in quella occasione è nella versione piú ufficiale e pubblica possibile: è il presidente del Consiglio italiano che ospita le nazioni piú potenti del mondo. E spinge tutto sul privato, sull'intimità della camera da letto – luogo che in seguito, appunto, segnerà la sua vita pubblica, anzi la sua vita privata in pubblico. Parla dell'intimità davanti alle persone piú potenti del mondo. E io nello stesso luogo, tantissimi anni prima, da solo, nell'atto piú privato possibile della solitudine di un ragazzino inconsapevole, intuisco che esiste una vita al di fuori della mia.

Di conseguenza, per quanto riguarda me e lui, Berlusconi è Atteone che sta guardando me che sono Diana. Non ha importanza che l'immagine condensi due tempi diver-

si, perché anche la scena della fontana sintetizza la storia
allineando due tempi diversi. La questione tra me e Berlusconi, all'improvviso, in un giorno d'estate, era diventata una questione personale. Da quella sera in poi sarebbe
stato mio compito capire come affrontarla.

Alle elezioni di due mesi prima eravamo in netto vantaggio, ci eravamo presi il compito di cambiare l'Italia e
provammo – con una volontà psicologica molto simile a
quella che adoperavo giocando a tennis con Alessandro
– a indebolirci per giocare una partita piú emozionante
contro l'uomo nuovo che diceva che l'Italia era il Paese
che amava, e qui aveva le sue radici, le sue speranze, i
suoi orizzonti. Cosí alla fine, come capitava a me tutte le
volte, la propensione alla sconfitta, l'attrazione verso la
sconfitta, l'idea che la sconfitta fosse davvero la perfezione della purezza (noi restiamo fuori) e della reazionarietà
(noi non possiamo cambiare il mondo perché siamo troppo occupati a rimproverare tutti gli altri per aver modificato quello che c'era prima), ci fece perdere per davvero.
Imparai una lezione che sarebbe servita per le eventuali
partite di tennis future: se vuoi vincere a tutti i costi, le
tue probabilità di vittoria aumentano, ma non sono sufficienti per vincere; se invece vuoi perdere, se hai la propensione psicologica alla sconfitta, allora perdi con certezza matematica.

Come avevo immaginato, a Roma si era davvero compiuto uno strano cammino di perfezione, di rotondità di
questa mia nuova vita di puro e reazionario, e in questa
nuova vita di puro e reazionario era entrata la possibilità
di scrivere: il fatto di collaborare con una rivista mi aveva
consentito di frequentare scrittori, uno di loro aveva letto alcuni miei racconti e li aveva dati alla sua casa editrice. Quando ero andato a Milano a incontrare la direttrice
editoriale, mi aveva subito detto: «Ah, sei di Caserta, che

bella la Reggia: non mi ricordo se ci sono stata oppure ne ho letto in un romanzo». Ed era sembrato anche a me, come a lei, che fosse la stessa cosa.

Tutto questo, unito alla propensione alla sconfitta, aveva attutito la sensazione tragica che provavo nell'assistere a una svolta epocale nella storia della Repubblica italiana: un imprenditore proprietario di tre canali televisivi era diventato, pochi mesi dopo aver deciso di entrare in politica, presidente del Consiglio, e aveva formato un governo molto diverso non solo da quello che avevamo immaginato per noi (tanto noi preferivamo perdere), ma anche da quelli che avevo visto scorrere finora nella mia vita. Avevo coscienza che era un evento scioccante per il Paese, o per quella parte di Paese che non lo aveva votato (l'Italia civile e moderna) – ma il fatto che la mia vita proseguisse senza ostacoli eccessivi, non mi faceva trovare il momento giusto per frenare, e arretrare.

In piú, proprio in quei giorni avevo incontrato una ragazza che mi piaceva molto. Avevamo visto insieme i risultati delle elezioni; eravamo in una casa con un salone molto grande, mangiavamo e bevevamo, eravamo chiassosi, e poi all'improvviso era calato un silenzio molto serio, preoccupatissimo, complicato. Scuotevamo la testa, ma non avevamo il coraggio di dire nulla. È vero che i sondaggi avevano suggerito di stare all'erta, ma ciò che stava accadendo sembrava impossibile a noi che eravamo l'Italia civile e moderna. Ogni tanto, se appariva uno di quelli che avevamo votato, qualcuno urlava un insulto – qualcosa di generico contro la sinistra; era un urlo stonato, in mezzo al silenzio, e veniva accolto con altro silenzio.

E allora questa ragazza, che era seduta per terra davanti alla tv, si voltò solo un attimo per afferrare il suo bicchiere di vino rosso, poi disse: «Va bene, che sarà mai, Berlusconi ha vinto le elezioni e governerà, cosa può succedere?»

Quella frase ruppe il tappo del silenzio. Le si scagliarono tutti contro, dicendo che forse non si rendeva conto, elencando cosa aveva fatto Berlusconi fino a quel momento, come si era procurato i soldi, in quali rapporti era stato con Craxi. Il baratro che ci aspettava. E molti dicevano soltanto questa frase, come un mantra: dobbiamo andare via dall'Italia. Cosa ci sarebbe capitato, da quel giorno in poi, non si poteva nemmeno immaginare. Dovevamo andare a vivere in un altro Paese, piú civile, piú vicino a noi, perché l'Italia era caduta nelle mani di esseri umani che non sapevamo nemmeno che esistessero.

Io non dicevo nulla, però continuavo a guardare quella ragazza che ascoltava tutti, diceva sí lo so però dài, che sarà mai, e continuava piuttosto serenamente a sorseggiare il suo vino. L'unica impressione che dava era che quel vino le piacesse. Non so perché, e non importa, ma mi si piantarono dentro due sensazioni precise: una maggiore tranquillità verso quello che era appena accaduto, e un innamoramento diverso da tutti quelli che avevo avuto finora; non chiassoso, solido. Furono queste due sensazioni ad aiutarmi a sopportare la violenza personale che Berlusconi mi avrebbe fatto quella sera di luglio, nella mia città, davanti alla mia fontana.

Quando ho pubblicato il primo libro, alcuni quotidiani hanno cominciato a chiedermi di collaborare. Erano articoli nella pagina dei commenti, e se i fatti che commentavo erano particolarmente importanti, partivano dalla prima pagina. In qualche modo, finalmente, anche io potevo entrare a far parte, non importa con quale rilevanza, a quale grado della scala, della vita pubblica: sarebbe bastato che un lettore leggesse la mia opinione, le mie considerazioni, le mie riflessioni, e dicesse di essere in accordo o in disaccordo, e l'elastico tra la mia vita personale e la mia vita tra gli altri si sarebbe allentato, come se non ci fosse piú bisogno di tirare da una parte o dall'altra.

Mi telefonavano e mi dicevano: una barca di immigrati clandestini è naufragata, ti va di scriverne? Lo chiedevano a me come ad altri per altri giornali. E io e gli altri scrivevamo un articolo indignato e addolorato in cui dicevamo che era molto brutto che la barca fosse naufragata, che le barche sarebbe molto meglio che non naufragassero; che era molto brutto che gli immigrati non venissero accolti, che era molto brutto in generale che la gente nel mondo soffrisse di fame e di povertà e fosse costretta a prendere barche per andare a cercare fortuna in Paesi piú ricchi e che poi queste barche naufragassero. Poi ci chiamavano e ci dicevano che una donna era stata violentata in una città del Nord, noi scrivevamo che era molto brutto che le donne venissero violentate, e che non bisognava violentarle, e che era molto brutto in generale che ci fosse qualsiasi tipo di violenza, non solo nel Nord, ma anche nel Sud, e che tutte le persone, e in special modo le donne, dovevano essere rispettate e amate. Ci eravamo perfino spinti a scrivere, alcuni di noi, che era molto brutto che Israele e Palestina fossero in guerra da cosí tanto tempo, e che bisognava trovare una soluzione; non avevamo idea quale, ma nessuno ne aveva idea, quindi il proposito era sufficiente; e poi pensavamo, scrivevamo, che in tutti i luoghi del mondo ci sarebbe stato bisogno di pace e non di guerre. Scrivevamo che bisognava dare lavoro ai disoccupati, che la cultura era importante, e un sacco di altre cose che sono tutte lí, a testimoniare il mio (nostro) senso civile.

Non era compito nostro trovare soluzioni, però era compito nostro tenere desta l'indignazione. La richiesta dei giornali e il mio desiderio coincidevano alla perfezione: i giornali cercavano scrittori che dicessero le cose giuste che c'è bisogno di dire; io avevo cercato con tutte le forze di essere cosí; i lettori andavano ogni giorno in edicola e vedevano confermato in pieno quello che pensavano. Tutti avevano già pensato questi pensieri, è vero, ma il motivo era molto semplice: dicevamo cose giuste. Ci sentivamo rassicurati, nonostante ritenessimo di vivere tempi particolarmente bui: almeno c'era una comunità che difendeva una fortezza dentro la quale non ci importava nemmeno troppo cosa custodissimo.

Infatti, alle parole giuste cominciarono ad arrivare ulteriori risposte. Altri scrittori, o politici, o responsabili di associazioni, cominciarono a chiamarmi per chiedermi di firmare un appello. Era un altro segno che la mia vita pubblica era ormai avviata. Gli appelli erano molto simili agli articoli che scrivevo: volevano la pace, la fine della violenza sulle donne e sui bambini, la solidarietà a qualcuno che era stato insultato indegnamente, che era stato licenziato, che aveva subito un'ingiustizia. E firmavo. Insieme a tanti altri.

E poi, visto che per ora non ce n'eravamo andati dall'Italia, potevamo aggiungere l'indignazione verso Berlusconi.

Abbiamo collezionato tutti noi, me compreso, una considerevole quantità di articoli e appelli in cui ci siamo mostrati indignati per il fatto che Berlusconi si candidasse, venisse votato, facesse il presidente del Consiglio, concepisse delle leggi che lo avrebbero favorito, e si comportasse in modo insoddisfacente in tutte le occasioni politiche. Ci sentivamo sollevati di essere tutti d'accordo sulle questioni fondamentali della vita umana e sulle questioni fondamentali della politica italiana. Ed era come se ci fosse un collettivo scuotimento del capo, di tutti noi civili e moderni, alla vista di ciò che stava accadendo nel nostro Paese.

Lo scuotimento del capo era piú intrusivo di quello che pensavo. Ero appena entrato a far parte di una comunità, come tutti gli esordienti in qualsiasi lavoro, in qualsiasi disciplina. Quindi, desideravo adattarmi a tutte le regole che mi pareva di decifrare. C'era un sentimento comune difficile da comprendere, ma che coinvolgeva gli scrittori, gli editori, i critici, e tutti coloro che incontravo in quello che ormai era il mio mestiere: una costante stanchezza, un certo malumore, in pratica un atteggiamento un po' negativo, una specie di depressione consapevole. Un modo di fare le cose che comprendeva una stanchezza nel farle. Piú che stanchezza, noia. Piú che noia, insofferenza. In pratica, quando veniva commissionato un racconto, oppure un articolo; quando arrivava l'invito di un festival, la presentazione di un libro, un incontro pubblico – la regola che avevo colto, e che quindi avevo adottato prima con stupore e anche un po' controvoglia, poi con sempre maggiore capacità di adattamento, era fare ciò che mi veniva richiesto (scrivere il racconto, andare al festival, presentare un libro) e intanto lamentarmi di doverlo fare, poi lamentarmi di averlo fatto. C'erano perfino delle feste (simili a quelle a cui ero abituato, dentro le quali quindi mi trovavo, anche in modo inconsapevole, a mio agio), alle quali si andava e ci si lamentava di essere a quella festa; cene alle quali si andava e ci si lamentava di essere a quella cena. Addirittura alle feste e alle cene e alle presentazioni c'era un lamento piú costante, generale, generico, puntuale, su Roma – a quello però, poiché ero arrivato da cosí poco tempo, non riuscivo ad abituarmi. Mi dicevano: quant'è diventata noiosa Roma, quant'è diventata brutta Roma; mi dicevano che un tempo era una città bellissima e adesso era diventata invivibile: un'altra cosa che era meglio prima.

Anche questa era una forma evidente di purezza. In fondo se non stavamo bene in questo mondo, se non stavamo bene nemmeno alle cene, se eravamo persone costantemente un po' infelici, non solo mostravamo un'intelligenza esistenziale, ma voleva dire che tutto il resto del mondo (in cui vivevamo) non ci piaceva. Se dici che il mondo non ti piace stai dicendo implicitamente che tu non partecipi. E noi in quel mondo in cui era stato eletto Berlusconi, non ci volevamo stare (puri), volevamo restare in quello che c'era stato prima (reazionari). Scrivevamo articoli e firmavamo appelli su questo. Quindi, funzionava. E quindi, ci bastava.

Questo atteggiamento era una sorta di opposizione costante alla superficialità. Cioè, se fossimo andati al festival o alla cena e ne fossimo stati contenti, avremmo mostrato tutta la nostra superficialità. Se fossimo stati contenti del nostro lavoro, avremmo peccato di superficialità. Poiché tutto ciò che stavo provando a fare nella vita era allontanarmi dalla superficialità di mia madre, dei miei amici, della mia città – e soprattutto asportare la mia ormai incastonata superficialità personale – mi ero adattato piuttosto facilmente a queste regole. Pronunciavo le frasi che andavano pronunciate – perfino quelle su Roma, anche se ero appena arrivato e non avevo nessuna intenzione di andare a vivere da un'altra parte.

E invece il presente si rivela sorprendente. La ragazza che aveva detto «che sarà mai» aveva visto le cose con piú semplicità di tutti, e meglio: infatti, il governo di Berlusconi perde la fiducia della Lega Nord; e senza che nessuno ci sperasse, cade. Eravamo già rassegnati al fatto che Berlusconi si sarebbe impadronito del Paese per anni, forse alcuni si erano davvero trasferiti all'estero, e invece dopo qualche mese aveva già concluso la sua deludente e scarna carriera politica. Si ritorna a votare, nel 1996. Stavolta, nonostante la predilezione per la sconfitta, perdere è troppo difficile. Gli avversari sono divisi, il candidato del centrosinistra è rassicurante: Romano Prodi.

Ma un conflitto che macera noi puri e reazionari, c'è. C'è ancora (c'è sempre, scoprirò poi). Ed è il seguente: come possiamo far parte di una coalizione dove ci sono anche gli ex democristiani, alcuni ex socialisti, alcuni protagonisti di quel tempo in cui avevamo deciso di ritirarci?

Insomma, se stavolta davvero è impossibile perdere, come possiamo vincere rimanendo puri? Come possiamo farne parte e allo stesso tempo non farne parte?

Nella sostanza, la domanda che mi facevo era: chi è il vero erede di Berlinguer? È la coalizione di centrosinistra che incarna la versione aggiornata, un po' improvvisata, ma anche compiuta, del compromesso storico; oppure è Rifondazione comunista, che ripropone in versione piú labile l'alternativa democratica? Devo votare per il mio partito che ha cambiato nome ed è ritornato a dialogare con la parte piú vicina dei cattolici, oppure devo votare per quel partito piú piccolo che è rimasto legato alla parola "comunista" e ad alcune preclusioni che aveva suggerito Berlinguer negli ultimi anni?

La risposta sta in una seduzione irresistibile: con Rifondazione comunista possiamo sia esserci sia non esserci; possiamo evitare che Berlusconi vinca le elezioni, ma evitare anche di partecipare direttamente al potere; ci sembra di poter tenere fede, in questo modo, a ciò che ci aveva chiesto Berlinguer prima di morire.

Viene messo in piedi un patto di desistenza tra Rifondazione comunista e la coalizione di centrosinistra; cioè, in alcuni collegi Rifondazione non presenta un candidato e dà indicazione di votare il candidato del centrosinistra; e cosí fa il centrosinistra con Rifondazione, in altri collegi. Quindi, Rifondazione non entra nella coalizione ma dà un contributo esterno (c'è e non c'è); qualora si dovesse vincere, non parteciperebbe al governo, ma darebbe quella che si chiama "fiducia esterna". Nella sostanza, assicura il suo voto in Parlamento, senza avere ministri. Si elimina il pericolo che torni a vincere Berlusconi, si dà la possibilità a un governo di centrosinistra di nascere, finalmente; e allo stesso tempo, si resta al di fuori di tutto questo. E in piú, si ha funzione di controllo verso il programma.

Era la strategia del segretario di Rifondazione comunista, Fausto Bertinotti. Molti la accolsero con convinzione, come se fosse esatta; altri con un senso di sollievo; altri ancora – e a me pare di essere tra questi – come una soluzione a favore della sinistra e a sfavore del centro: votare Rifondazione comunista significava spingere verso sinistra un eventuale governo di centrosinistra. Insomma, era certo un modo di esserci senza esserci, ma era anche un mezzo efficace per strattonare dalla parte nostra.

Votai Rifondazione comunista.

Mi sembrava un atto razionale, logico, puntuto, strategico e che salvaguardava l'atteggiamento di quegli anni.

Prodi vince le elezioni. Bertinotti fa ciò che aveva promesso: dà l'appoggio esterno al governo. Non si confonde con il centrosinistra, né mette le mani nel potere, ma resta lí a salvaguardia di noi tutti che desideriamo avere una posizione in equilibrio tra la vittoria e la non vittoria. E quel governo, costituito da persone competenti, tra mille difficoltà comincia a macinare un buon numero di leggi efficaci e di cambiamenti della burocrazia. Sembra finalmente che si sia compiuto un passaggio definitivo della Repubblica italiana. I nomi dei ministri sono prestigiosi, l'Italia sta combattendo una battaglia che sembrava perduta per entrare nell'euro, e invece con i sacrifici chiesti dal governo, ci riesce. Ogni tanto, Rifondazione minaccia di togliere la fiducia per ragioni – appunto – di strattonamento a sinistra: la riforma delle pensioni, le ore lavorative, la durezza di una manovra finanziaria; qualche volta ritengo giuste le rimostranze, piú spesso le ritengo eccessive e astratte: perché sento forte il timore che possa finire tutto.

Intanto la ragazza ha cominciato a ricambiare il mio amore con una serenità che a volte mi appare inquietante. Non aveva reagito con entusiasmo, ma avevo capito che le era sembrata una faccenda che si poteva fare. Che sarà mai, aveva detto, quando le ho chiesto di baciarmi, la prima volta.

Di conseguenza, io e Chesaramai adesso stavamo insieme. Lei mostrava giorno dopo giorno una solidità dentro la quale mi raggomitolavo senza pudore: cosí come non aveva sentito tragico l'avvento di Berlusconi, allo stesso modo non sembrava davvero entusiasta del governo Prodi. Era come se una patina la separasse dalla vita, ma soltanto dal punto di vista emotivo. Il fatto stesso che trovasse tutto sopportabile, anche l'inizio di una storia d'amore, la rendeva poco infiammabile, pacata. Comunicava, con il suo «che sarà mai», questo concetto: non la facciamo tanto lunga. Vogliamo baciarci? Baciamoci. Vogliamo amarci? Amiamoci. Uscivamo, tornavamo, facevamo l'amore, non lo facevamo, partivamo, restavamo a casa, pioveva, c'era il sole, ritardavo, ero già lí ad aspettarla, uscivamo da soli, con gli amici, ascoltavamo musica, stavamo in silenzio; perfino, litigavamo, ci sbattevamo il telefono in faccia, ci mandavamo a quel paese, senza che tutto questo potesse avere degli strascichi.

Da quando avevo sofferto per Elena, non ero stato piú innamorato. Essere innamorato, mi era sembrato fosse questo: che qualsiasi cosa dicessi o facessi, aveva delle conseguenze dalle quali non si sarebbe mai piú tornati indietro. Ricordo ancora adesso la paura di dire o di fare, che poi tra l'altro si era rivelata sensata. Era bastato fare un errore una volta, ed era finito tutto. Adesso mi sembrava di essere innamorato di nuovo, finalmente, ma la vita sentimentale con Chesaramai era completamente diversa: non c'erano conseguenze terribili a qualsiasi cosa facessi o pensassi. Ero abituato a legare l'amore alle conseguenze terribili, e quindi le aspettavo stringendomi nelle spalle, strizzando gli occhi e turandomi le orecchie, dicevo: ecco adesso succede.

Non succedeva niente.

Facevamo l'amore e aspettavo le conseguenze (non le sarà piaciuto), dicevo sono innamorato di te e aspettavo le conseguenze (non mi dirà anch'io), dicevo adesso basta (dirà va bene, e non la rivedrò mai piú), urlavo cosí mi fai soffrire (dirà sí con soddisfazione).

Non succedeva niente.

Come se una sofferenza profonda non fosse compresa nella fine di questa storia. Le conseguenze del mio amore per Chesaramai non sarebbero state traumatiche, in qualsiasi modo fosse andata: era questo che lei sembrava comunicarmi silenziosamente e di continuo.

In una conferenza ormai famosa tenuta nel 1919, dal titolo *La politica come professione*, Max Weber distingue due modi di agire nella pratica politica: l'etica dei principî e l'etica della responsabilità.

Nella sostanza, chi si comporta secondo l'etica dei principî, non tiene conto delle conseguenze delle proprie idee. Cioè: fa delle scelte secondo i suoi ideali, agisce in un modo che ritiene giusto, e questo può bastare: le conseguenze che derivano da ciò che è stato fatto non interessano. Non riguardano colui che agisce; riguardano, dice Weber, il mondo, e quindi la possibile stupidità degli esseri umani. Riguardano, quindi, gli altri. Chi agisce secondo l'etica dei principî non si occupa del fatto che a seguito di una decisione giusta le circostanze possano peggiorare lo stato dei fatti; l'importante è aver preso la decisione giusta, in sintonia con i propri ideali.

L'etica della responsabilità, invece, per ogni decisione da prendere tiene conto delle conseguenze prevedibili. Ingloba, nell'idea di giustizia, anche le conseguenze. La parola tedesca *Verantwortungsethik*, tradotta in maniera letterale, vorrebbe dire "etica del rispondere di qualcosa"; o come dice il filosofo Salvatore Veca: etica della capacità di risposta. Quindi, l'etica della responsabilità valuta anche ciò che accadrà. Come dice Weber, tiene conto dei difetti degli esseri umani; e non attribuisce agli altri le conseguenze del proprio agire.

Chi fa politica secondo l'etica dei principî, segue le sue

idee e tiene conto soltanto di quelle – in pratica si sottrae a un vero e proprio atto politico; chi fa politica secondo l'etica della responsabilità, si pone ogni volta il problema di ciò che accadrà in seguito a una sua decisione – in pratica mette in atto un'azione politica.

Nell'ottobre del 1998, Prodi presenta la manovra finanziaria per l'anno successivo. È ancora una volta molto dura. Stavolta Rifondazione decide di riunirsi e di discutere: su proposta del suo segretario dà mandato ai suoi parlamentari di non votarla. È in pratica il ritiro della fiducia concessa al governo. Prodi va subito dal presidente della Repubblica a riferire della perdita di un tassello, sia pure esterno, della sua maggioranza: in questo modo non ha piú i numeri per governare. Stavolta la questione sembra molto seria; l'idea che questo governo interrompa il lavoro che sta svolgendo, l'idea che si vada alle elezioni scuote la vita politica; e anche tutti gli elettori; e anche me. Intanto, Rifondazione si divide, alcuni suoi parlamentari ritengono insensata la scelta, e dichiarano che voteranno la legge. Si riaccende subito una speranza.

Prodi si presenta alla Camera. Elenca i risultati finora ottenuti e rivolge un appello a tutti i partiti della coalizione, in particolare si rivolge all'onorevole Bertinotti, affinché continui a sostenere l'operato del suo governo. Il giorno dopo, diventa ufficiale la divisione all'interno di Rifondazione, e Prodi pone la fiducia sulla manovra finanziaria.

Quando Bertinotti prende la parola, il 9 ottobre 1998, il tratto distintivo di me in quanto individuo ed elettore diventa, per buona parte del tempo del suo intervento, l'irrazionalità. Guardo alla tv quell'uomo che si alza, gli occhiali bassi sul naso, con espressione grave ma in tutta evidenza tronfia di potenza. I fatti dei giorni precedenti, le dichiarazioni sue e degli altri che condividono la sua posizione nel partito – mentre una parte non solo ha fatto dichiarazione di voto favorevole al governo, ma sta già organizzando una scissione – rendono piú che improbabile un cambiamento di giudizio; eppure, quando si alza, quando comincia a parlare, e perfino mentre sta già parlando e sta già dicendo «Signori presidenti, signore e signori deputati, il partito della Rifondazione comunista ha chiesto ai suoi parlamentari di ritirare la fiducia al governo e di votare contro questa finanziaria», spero ancora che ciò che sta per accadere non accada. Spero che Bertinotti stia per dire: non siamo d'accordo, non ci piace questa manovra finanziaria, non avete accolto le nostre richieste, abbiamo chiesto ai parlamentari di ritirare la fiducia e di votare contro questa finanziaria – come sta dicendo –, *però* abbiamo deciso di dare lo stesso la fiducia perché abbiamo capito che votare contro sarebbe una svolta per questo governo, per questi anni e per gli anni a venire, pensiamo che sarebbe un danno per il Paese, pensiamo che in questo modo ci sia la possibilità che ritorni al potere il centrodestra di Berlusconi. Pensiamo, cioè, alle conseguenze prevedibili di ciò che stiamo per fare.

Per quasi tutto l'intervento di Bertinotti, percepisco la sequenza delle sue parole come una premessa stizzita, rimproverante, quasi pedagogica a una virata in favore. Perché non c'è stato momento, almeno dal tempo in cui sono nato la seconda volta, in cui fosse cosí chiaro, come nell'attimo in cui noi guardiamo la tv e Bertinotti parla, che quello che sta per accadere sarà una svolta per il Paese, per la sinistra italiana, e per ciò che vedremo negli anni che verranno; non c'è stato momento in cui fosse cosí chiaro che avendo consegnato in modo piú che sorprendente il Paese in mano a Berlusconi pochi anni prima, e avendolo sottratto a Berlusconi in maniera ancora piú sorprendente due anni dopo – e senza alcun merito –, adesso, se davvero Bertinotti toglierà la fiducia al governo di Prodi, Berlusconi si riprenderà il Paese e questa volta non ci saranno buoni motivi per toglierglielo di mano per molti anni, molti e molti anni, e anche quando perderà le elezioni non ci sarà piú una quantità di voti sufficienti alla governabilità di altri, come invece ci sarebbe ora; questo non lo sto dicendo dal punto in cui sono ora, mentre sto scrivendo questo libro e ricordando quel 9 ottobre del 1998, ma lo sto dicendo dal punto in cui sono mentre guardo Bertinotti alla tv il 9 ottobre del 1998, e io e tantissimi altri che sono lí e sperano, sanno con certezza ciò che accadrà.

Ma io me ne dispero di piú perché sono la causa di tutto questo, ne faccio parte, ne ho responsabilità, sono correo di Bertinotti, perché l'ho votato e l'ho votato con l'intenzione strategica e rovinosa di consegnargli questo potere nei confronti del governo. Adesso Bertinotti questo potere ce l'ha (grazie a me) e se lo sta prendendo tutto. Sta facendo ciò che desidero con tutte le forze che non faccia, ma sono io che gli ho dato facoltà di farlo. Mentre parla, sento la rabbia che sale, verso di lui e verso me stesso, e si fa concreta la responsabilità che mi sono preso e che adesso pesa sulla speranza, penso che ci sono ancora due possibilità che non succeda quello che succederà con assoluta certezza, negli attimi in cui la razionalità dà il cambio all'irrazionalità mentre Bertinotti continua con sicumera a elencare i suoi principî etici: la prima possibilità, è che il Parlamento riesca a dare comunque il voto di fiducia al governo, perché i voti sono su per giú alla pari e basta che qualcuno decida all'ultimo minuto di votare sí e il governo potrebbe continuare a restare lí dov'è; la seconda speranza, forse piú esile ma anche definitiva, è che la decisione di Bertinotti provochi anche in altri elettori di Rifondazione quello che sta provocando in me, un distacco – e cioè un pentimento totale, emotivo, qualcosa che corrisponda alla reazione tutta empatica degli elettori dopo la morte di Berlinguer. E di conseguenza, alle elezioni che bisognerà fare per forza, subito, porterà a una vittoria del centrosinistra senza Rifondazione: un apprezzamento reale del lavoro fatto da questo governo e la voglia indispettita degli italiani di consegnargli di nuovo il Paese per portare a termine il lavoro.

«Vedete? Non ci avete ascoltato. Per questo siamo costretti a votarvi contro. Faremo l'opposizione a questa maggioranza e a questa finanziaria, a questa maggioranza modellata su un impianto moderato che oggi paga un prezzo impagabile di una rottura di una forza di sinistra, e non c'è governo che valga una scissione di una forza di sinistra. Ho finito. Abbiamo scelto di fare opposizione al vostro governo e a questa maggioranza: noi vorremmo poter essere eredi di Marx; certamente siamo coerenti con il lascito di Kant, quello di camminare eretti. Ci volevate piegare, non ci avete piegato: la coerenza di oggi lavora per l'alternativa di domani».

Bertinotti si risiede tra gli applausi entusiasti dei suoi, nello sconcerto generale. Non si sono piegati. È questa la frase che mi resterà in mente per sempre. Non si sono piegati, ho contribuito con il mio voto a dare loro forza affinché non si piegassero.

Il governo perde per un solo voto, 313 no contro 312 sí, e Prodi va a rassegnare le sue dimissioni.

Il secondo tragico errore, che fa sfumare anche l'altra possibilità, lo compie Massimo D'Alema, il segretario del partito che avrei dovuto votare e che non ho votato. Spezza il cordone emotivo di tutti noi che avremmo avuto voglia di rimettere a posto le cose (e la coscienza), non votando piú Rifondazione ma prendendoci la responsabilità di votare la coalizione di centrosinistra – l'unica possibilità di riscatto che avevamo, che avevo. Invece D'Alema si accorda in modo precipitoso con il gruppo di Cossiga (Cossiga) e diventa capo di un governo con una maggioranza diversa da prima. Quindi non si torna al voto, e quindi non sapremo mai piú nella vita se in quel momento il centrosinistra sarebbe diventato la forza dominante del Paese, per molti anni, e per meriti sul campo. D'Alema ottiene anche altri due risultati inconfutabili: l'idea che il centrosinistra, pur di restare al potere, è disposto ad allearsi con chiunque; e l'idea che in tempi di bipolarismo di fatto, quando un governo perde la fiducia dei partiti grazie ai quali ha conquistato la maggioranza, si dovrebbe tornare a votare. Vera o falsa che sia questa affermazione, sta di fatto che il governo di D'Alema logora le forze e il consenso, lentamente e inutilmente. Quando si tornerà a votare, nel 2001, Berlusconi si riprenderà l'Italia, e stavolta con consenso ampio; e stavolta per molto tempo; e stavolta non piú in modo sorprendente, ma ponderato, razionale, convintissimo da parte di tutta la gente – della maggioranza della gente.

Ma l'errore di D'Alema è conseguenza di quello di Bertinotti, e l'errore di Bertinotti è conseguenza della forza che gli ha concesso chi lo ha votato – io. Il gesto di Bertinotti è compiuto in nome della purezza, segue la sorda etica dei principî. Il governo Prodi era stato il riscatto da questa purezza senza fertilità; se avesse portato a termine il suo mandato, probabilmente adesso vivremmo in un Paese diverso. Noi eravamo fermi all'idea che tutto fosse finito con la morte di Moro e poi con la morte di Berlinguer – un'idea concreta, che si era piantata dentro le nostre teste e aveva fatto in modo che considerassimo postumo qualsiasi evento. Però, quando è accaduta questa cosa che stava finalmente determinando la fine del lutto, è stata subito uccisa dalla purezza di Bertinotti; e dalla mia, che non avevo voluto essere coinvolto.

Ed è stupefacente pensare che la storia di questi anni è cambiata per un solo voto nel Parlamento: 313 contro 312. In quel momento finisce, si consuma, si esaurisce in un tempo brevissimo la rinascita dell'ultima spinta riformista del nuovo corso del centrosinistra e il Paese viene consegnato in mano a Berlusconi. Tutti pronti a infilarci di nuovo dentro il nostro lutto; dove, ormai è evidente, stavamo bene.

Goffredo Parise, dal 1974, per un anno e mezzo, tenne una rubrica di corrispondenza con i lettori del Corriere della Sera. Era una formula inconsueta, perché la rubrica era affidata una settimana a Parise e un'altra a Natalia Ginzburg. Tra le numerose e varie lettere, un giorno ne arriva una del signor Framarin, il sovrintendente del parco nazionale del Gran Paradiso. Scrive a Parise in quanto concittadino, visto che è nato anche lui a Vicenza, e si lamenta del degrado delle prealpi vicentine. Ma soprattutto chiede aiuto («spenda per favore qualche sua parola per queste montagne») perché ha notizie certe che alcuni imprenditori hanno ottenuto le necessarie protezioni politiche per costruire nel cuore del Verena-Campolongo, «la piú ricca e integra ecologicamente di tutte le montagne che ho nominato», un hotel di lusso con piscina coperta e uno shopping center. Chiede a Parise di spendere qualche parola sulle loro montagne perché gli intellettuali non devono occuparsi soltanto di questioni generali ma anche di problemi specifici.

La lettera del signor Framarin è un tipo di protesta piuttosto consueta, che viene rivolta a uno scrittore (a un intellettuale) con la certezza della condivisione. Nella pratica, il tipo di rimostranza di Framarin è quasi pleonastico, e sottintende: lei sarà d'accordo con me, i lettori del giornale saranno d'accordo con me. Cioè, le persone «di un certo tipo» – colte, sensibili, civili – non possono non condividere la mia protesta. Cioè (ancora): c'è un'Italia che rovina, che colleziona danni – piú o meno consapevolmente; e c'è un'Italia che assiste inerme a questi danni, se ne duole, scuote la testa inorridita.

Di lettere del genere Parise ne riceve tante. Decide di

rispondere a questa perché è di un suo concittadino, e perché evidentemente tocca un nervo preciso che permette
allo scrittore di rispondere con la sincerità che si è dato
come regola nell'accettare la rubrica.

Se l'avesse indirizzata a me, e non a Parise, molti anni
dopo, mentre cominciavo a scrivere sui giornali, avrebbe ottenuto la risposta che desiderava: ha ragione, signor
Framarin, ormai tutto è rovinato, ormai gli altri hanno
rovinato questo bel paesaggio che avevamo, ormai non
possiamo farci piú nulla, purtroppo non tutti sono civili e giusti come me e lei. Framarin avrebbe scritto a me
come aveva scritto a Parise, chiedendomi nella sostanza:
lei che è uno scrittore, mi rassicuri, mi dica anche lei che
tutto è devastato, tutto è peggiorato. Scriva un articolo
su questo tema, lanci un appello da far firmare a tutti gli
altri contro quell'albergo con piscina coperta. E io avrei
detto che prima, nel tempo passato, era tutto molto meglio di ora; ma adesso, ormai, tutto è devastato, è vero,
tutto è peggiorato. Almeno, avrei risposto cosí fino al 9
ottobre del 1998.

Ecco la risposta di Parise: «Io non ricordo piú quei
paesaggi e quelle montagne, signor Framarin, io se potessi difenderei l'intera Italia perché spero sempre nella sua
unità, ma non posso andare contro la "forza delle cose".
Né ricordo piú la città dove sono nato, se non a vaghe luci, come in un sogno. Se ci torno fatico a ritrovare le vie.
Né ricordo piú l'Italia di venti-trent'anni fa. E la colpa
non è mia, ma della "forza delle cose" (la storia) che ha
mutato profondamente il volto del nostro Paese. Non ricordo e non voglio ricordare, per molte ragioni, conscie
e subconscie. Prima fra tutte perché l'Italia di trent'anni
fa è lontana, lontanissima, in tutti i suoi aspetti, politici,
culturali, linguistici, fonici, agricoli, non soltanto paesag-
gistici; poi non la ricordo piú perché non voglio ricordare
la mia giovinezza, perché essa non c'è piú, scomparsa in-

sieme a tutti quegli aspetti detti or ora; poi non la voglio
ricordare (se non in letteratura, per testimonianza) perché,
la realtà del nostro Paese essendo profondamente mutata,
sento la necessità di vivere oggi e non ieri; ancora non la
voglio ricordare perché la conservazione del ricordo (come la conservazione delle cose) è un dato al tempo stesso
statico e regressivo che, in modo assolutamente certo, viene travolto dalla realtà contingente di oggi, quella in cui,
lo vogliamo o no, siamo ancora impegnati a vivere. Infine
non la voglio ricordare, non voglio ricordare quei monti,
e quei boschi nella loro integrità, perché essi, nella realtà
di oggi, l'hanno perduta».

Poi continua la sua lettera lamentandosi insieme a Framarin di come gli italiani non amino l'Italia. Eppure, fino in fondo alla risposta, non accoglie mai la richiesta di
solidarietà e continua a citare con energia ossessiva «la
forza delle cose»: davanti alla quale non bisogna piegarsi
(ecco quando non bisogna piegarsi), bensí accoglierla. Di
conseguenza, Parise si carica addosso la responsabilità del
presente, non lo scaccia come un'epoca medievale; sente il
dovere di caricarselo, lo riguarda direttamente, visto che
vive – vuole vivere – ora, e quindi lui c'entra con quello
che accade ora. Parise insomma dice al signor Framarin
due cose piuttosto sorprendenti: non vuole in nessun modo partecipare al lamento reazionario della tensione verso
il passato; e sta partecipando al presente cosí com'è.

La risposta è sorprendente non soltanto perché sfug-
ge ai canoni prestabiliti, ai quali da sempre gli scrittori
che collaborano ai giornali si devono attenere – Calvino,
in una lezione agli studenti americani, spiega che in Italia allo scrittore si chiede di garantire «la sopravvivenza
di un discorso *umano* in un mondo dove tutto si presenta
inumano»; ritiene però «troppo facile pronunciare affermazioni generali senza alcuna responsabilità pratica». Parise, con insofferenza non nascosta, chiede a se stesso, piú

che al lettore, di prendersi la responsabilità pratica della collettività, e respinge la responsabilità pratica di lanciare un appello contro un hotel con piscina coperta, soprattutto perché al contrario di ciò che afferma Framarin, non è una richiesta specifica; ma è una difesa generica (le affermazioni generali) a favore della bellezza di tutte le montagne e a sfavore di tutti gli hotel con piscina coperta. È un modo di cercare complicità chiara in opposizione alla forza delle cose. Nella sostanza, Parise è disposto a prendersi carico anche, se necessario, dei difetti degli italiani. E nel caso specifico, dello scempio. O forse, ancora di piú: è disposto ad ammettere che né lui né il signor Framarin possono tirarsi fuori e guardare da lontano e giudicare gli italiani con sdegno. Ma anche loro, in qualche modo, con percentuali sia pure molto basse, c'entrano qualcosa.

In pratica, suggerisce Parise, non accettiamo di starcene lí seduti, inermi, a deplorare e a ricordare di aver fatto parte di un mondo migliore che non esiste piú; anche se dovessimo pensare che quel mondo che non esiste piú era migliore. Ma è piú vitale, ed è piú utile, il desiderio di far parte di un mondo fragile, peggiore – se si è deciso che è peggiore –, pieno di problemi complessi ma che fa parte del presente. E in cui siamo impegnati a sentire la necessità di vivere oggi e non ieri. La necessità di liberarci del lutto.

La nostra occupazione principale, in tutti questi anni, è stata quella di tracciare i confini. Avendo anche la flessibilità di spostarli, quando era il caso, ma comunque tenendo ferma una linea semplificatrice che dicesse: di qua stiamo noi, di là stanno gli altri. Tu puoi venire qua, tu adesso devi andare al di là della linea. Spostiamola un po' per fare entrare una parte di moderati in piú; non tanti, però.

Cosa porta questo confine? Porta sicurezza, chiarezza. Riconoscibilità. Tutti quelli che stanno di qua stanno con noi, tutti quelli che stanno di là stanno contro di noi. Noi siamo i buoni, loro i cattivi – come nei film. Noi buoni dobbiamo battere i cattivi. In verità, la differenza con i film è che nei film i buoni vincono, mentre noi spesso perdiamo. Ma il fatto che perdiamo non ci dà nessun senso di debolezza, anzi. Il fatto di stare dalla parte giusta ci basta, ci rende solidi. E anzi, se dobbiamo dirla tutta, ci piace essere dalla parte giusta e perdere. Perché nella sconfitta si è più uniti, mentre quelli che vincono diventano sempre un po' arroganti. Perché la sconfitta non mette in gioco la quantità di problemi che mette in gioco la vittoria. È come se fossimo in un gigantesco spogliatoio, dopo la partita, e noi che abbiamo perso ci guardassimo tutti con soddisfazione, perché sappiamo di giocare meglio, in modo più elegante; gli avversari hanno vinto, ma sudano troppo.

Cosa fa, soprattutto, la linea di confine? Costringe a usare dei criteri. Questi criteri sono, pian piano, sempre più pregiudiziali. Sempre più, con il passare del tempo, sappiamo scegliere con rapidità ciò che ci piace e ciò che non ci piace – meglio: ciò che ci piacerebbe e ciò che non ci piacerebbe.

Con questi criteri, siamo diventati la parte più reazionaria del Paese, nonostante ci fossimo definiti moderni, oltre che civili. In pratica, abbiamo cominciato a fare resistenza al malcostume, alla degenerazione, e pian piano la resistenza è diventata la nostra caratteristica principale, che è tracimata anche nel costume, in ogni forma di cambiamento, di accadimento. Abbiamo cominciato perfino a usare la parola: resistere – che è diventata senso di estraneità a tutto. Diamo l'impressione, al resto del Paese, di giudicarlo male qualsiasi cosa provi a fare; di essere scandalizzati, a volte inorriditi.

A noi della sinistra italiana, nella sostanza, non piacciono gli italiani che non fanno parte della sinistra italiana. Non li amiamo. Sentiamo di essere un'oasi abitata dai migliori, nel mezzo di un Paese estraneo. Di conseguenza sentiamo di non avere nessuna responsabilità. Se l'essere umano di sinistra sentisse una correità, non penserebbe di voler andare a vivere in un altro Paese, piú degno di averlo come cittadino. Però, a questo Paese che non ci piace, che non possiamo amare, del quale non sentiamo di far parte, e che osserviamo inorriditi ed estranei, noi della sinistra italiana a ogni elezione, siamo costretti a chiedere il voto. Vogliamo, cioè, che quella parte di Paese che disprezziamo, si affidi alle nostre cure. Ciò che puntualmente non avviene, proprio perché il resto del Paese sente questo senso di estraneità. E poiché non avviene, noi della sinistra italiana ci indigniamo di piú, ci estraniamo di piú e riteniamo di essere ancora meno responsabili di questo Paese di cui non sentiamo di far parte.

Cosí sono stato io, come elettore, fino al giorno in cui ho votato Rifondazione con la motivazione di spingere piú a sinistra il centrosinistra. Ma quando Bertinotti ha abbandonato il governo e ha cambiato la storia di questo Paese, non mi sono potuto sottrarre dal considerarmi responsabile della rovina. Responsabile di aver passato tutti questi anni all'interno dei confini. Nel preciso istante in cui Bertinotti si è seduto tra gli applausi del suo partito (di una parte del suo partito), salvaguardando cosí per sempre la sua purezza – unico vero obiettivo suo e di tutti quelli come lui (non si sono piegati) – come noi, come me fino a quel momento – io ho deciso di abbandonare per sempre, con consapevolezza, convinzione e rabbia, il mito della purezza.

Quel giorno è cambiato il mio atteggiamento nei confronti della politica – per sempre. Quel giorno è cambiato il mio atteggiamento verso la vita – per sempre. La purezza, il senso di giustizia, non sono state mai piú il mio criterio, nemmeno come amico, o come amante; ed è cambiato perfino il mio modo di scrivere, il mio interesse per le storie: non solo non mi hanno piú interessato come scrittore, ma anche come lettore. Ho capito una volta per tutte che non soltanto non mi piaceva il fatto che Bertinotti e i suoi sentissero di essere dalla parte della ragione, ma soprattutto che se pure lo fossero davvero stati, la mia inquietudine non si sarebbe piú modificata. Quindi, non c'entrava con la ragione o il torto; ma con l'uso che si fa della ragione o del torto.

Ho capito all'improvviso che assomigliavamo a quel gruppo di ciclisti che incontro ogni tanto per la città, che occupano tutta la strada procedendo con lentezza studiata, perché il loro obiettivo non è andare in bicicletta, ma punire coloro che sono in auto o sulle moto. Non sono usciti per andare da qualche parte, ma per bloccare il traffico. Appunto, per punire. Quando mi è capitato di trovarmi in mezzo a loro, intrappolato con il mio scooter, ho provato a infilarmi in uno spazio, a passare, e si sono incazzati. Mi hanno intrappolato e insultato, chiedendomi se ci provo gusto a inquinare la città o se mi piace morire di cancro. Non solo mi impedivano di passare, ma cercavano di piantare nella mia testa sensi di colpa e pensieri bui che mi sarei ritrovato di notte, nell'insonnia. Sono violenti, arroganti e inclini al sopruso, semplicemente perché stanno facendo una cosa piú giusta della tua, semplicemente perché tu dovresti fare come loro.

Ogni volta che li incontro, nonostante pensi che abbiano ragione, che il traffico e lo smog sono insopportabili, la mia sensazione è precisa: sono contento di non far parte del loro gruppo, ma di stare insieme agli altri, agli automobilisti e ai motociclisti.

All'improvviso, mi sembrava che avere quella fragilità paradossale che attribuiamo a chiunque abbia potere e quindi è obbligato a fare – fragilità dal punto di vista etico, dal punto di vista delle contraddizioni, della distanza tra le promesse e la loro fattibilità – fosse infinitamente meglio che avere quella forza di chi è senza responsabilità, e il suo obiettivo è proprio quello di attraversare l'intera vita senza prendersi neanche una responsabilità attiva, e cosí appare alla fine come colui che non ha mai sbagliato: un Giusto, appunto.

Ho capito che piegarsi era infinitamente piú virtuoso e utile che non piegarsi. Ho capito che la testardaggine di non tradire se stessi (l'etica dei principî) era in contraddizione con la necessità di non tradire milioni di persone (l'etica della responsabilità).

Quindi con grande sorpresa, la sensazione che sento arrivarmi addosso, appena dopo essermi liberato della purezza, è soltanto un senso di sollievo. Nient'altro. Una vera riacquisizione, palpabile, di leggerezza. Un senso di sollievo cosí evidente, pulito, come se per anni avessi trattenuto il respiro e ora qualcuno avesse detto: basta, puoi respirare. Sento che quel tappo che avevo messo sulla mia vita il giorno del funerale di Berlinguer, si è stappato da solo, senza che io facessi nulla.

Ho capito che in un attimo, nell'attimo in cui Bertinotti si è seduto dopo aver parlato – prima ancora di avere la certezza che il governo Prodi sarebbe stato sfiduciato – ero tornato come ero sempre stato, tutto intero, un io che comprendeva me dal giorno della Reggia fino a questo momento. Per tutta la vita mi ero sentito corresponsabile (correo, complice) di un mondo borghese e impolitico – la vita a Caserta; ma adesso, finalmente, ero corresponsabile, complice, correo, anche nella vita romana, quella della politica consapevole e, in qualche modo, attiva.

La prima cosa che ho fatto, appena dopo il voto risolutivo (313 a 312), è stata andare a casa di Chesaramai e di chiederle di andare a vivere insieme, di sposarci se lo riteneva possibile. E lei non mi ha detto sí, anche se quello che ha detto voleva dire, in fondo in fondo, sí.

Ha detto: va bene, e che sarà mai.

Ha anche aggiunto che potevamo avere dei figli. Ho

risposto: con calma, vediamo, siamo ancora giovani, abbiamo tante cose da fare, io e te.

Lei ha detto che per avere figli bisognava cominciare a pensarci, a provare, e poi i figli sarebbero arrivati dopo un sacco di tempo. E in quel tempo noi avremmo fatto tante cose insieme. È questo il processo, ha detto. Mi sembravano convincenti sia il ragionamento sia i tempi. Ho detto: va bene, cominciamo a pensarci.

Un mese dopo era incinta. Va bene, che sarà mai avere un figlio, ha detto.

All'inizio, credo di aver sposato Chesaramai – oltre al motivo fondamentale, e cioè che l'amavo – anche perché mi sembrava che il suo metodo per affrontare la vita mi avrebbe difeso dagli eccessi di preoccupazione – per tutto, e in particolare per gli anni berlusconiani dentro i quali ci preparavamo a stare per chissà quanto tempo. Poi, quasi subito, ho capito che c'erano degli elementi riconoscibili, quasi di parentela. Insomma, a una prima considerazione, avevo pensato che l'amavo perché eravamo diversi; poi mi sono reso conto che l'amavo perché eravamo simili.

Oggi, mentre scrivo, io e Chesaramai stiamo ancora insieme. Abbiamo due figli. Lei ha trasformato il «che sarà mai» in una formula esistenziale costante, che continua a essere la sua caratteristica. In qualche modo, ha trasformato il che sarà mai – che era uno sguardo esterno e pacato verso tutti gli accadimenti del mondo – in un coinvolgimento diretto dentro quella pacatezza. Non ha piú bisogno di rimarcarlo, di commentarlo. Lo ha piantato dentro di sé come un navigatore, e non ha bisogno di renderlo esplicito. Adesso, piú semplicemente – direi in una sorta di perfezione spirituale – definisce con una frase, in modo didascalico, quello che è successo. Se, come stamattina, nostro figlio prendendo la tazza fa cadere il latte a terra inondando il pavimento, e io mi arrabbio; lei dice soltanto, senza muoversi o agitarsi: è caduto il latte a terra. Il tono con cui lo dice fa cambiare completamente significato alle cose che sono accadute. Qualche volta dice in modo piú chiaro: vabbe', è caduto il latte a terra; qualche altra volta può dire, con volontà ancora piú sdrammatizzante: vabbe', è caduto un po' di latte a terra (anche adesso che c'è un lago sterminato bianco, a terra). Ma la maggior parte delle volte (ecco il punto preciso della spiritualità) lei ripete con precisione didascalica, direi che *certifica* l'azione che si è appena compiuta: è caduto il latte a terra.

Nel riportare ciò che è successo con una frase che traduce in parole l'azione appena avvenuta, Chesaramai vuole (sempre) dire: non è importante, è rimediabile, non è finito il mondo, ci sono cose piú gravi, non ci possiamo rovinare la giornata (la vita) per una cosa del genere, non ne facciamo un dramma, ti arrabbi sempre, ma che ti importa, poi finisce (puliamo, e il latte a terra non c'è piú). In definitiva: che sarà mai. Ma introiettato. Come se non fosse piú, appunto, la sua espressione caratteristica, ma fosse direttamente lei.

Ora, in una circostanza del genere, il latte a terra e il rimprovero coinciderebbero con un'azione che era stata messa in allarme (se vuoi prendere il latte da solo, fallo, ma devi stare attento) e di conseguenza una regola di comportamento, un cammino pedagogico (lo vedi che se non stai attento, non riesci a compiere azioni da solo?) Quindi non si può drammatizzare troppo (e forse sto drammatizzando troppo), ma non si può sdrammatizzare troppo – e lei sdrammatizza sempre troppo.

Ecco cos'è Chesaramai: la sdrammatizzatrice dell'umanità.

Lei ha detto, in questi anni, con quel tono sdrammatizzante, per dire che era rimediabile: sono cadute due torri gemelle (che vuole dire: vabbe', sono cadute un po' di torri), ha vinto Berlusconi (vabbe', ha un po' vinto Berlusconi), nostro figlio si è fratturato la clavicola (solo la clavicola), tua madre si è operata (quindi è viva), è morto

Salinger (era vecchio e comunque non si vedeva mai), il Partito comunista non c'è piú (vabbe', ce n'è un altro), l'economia è in crisi (staremo piú attenti).

In piú, quando la situazione si fa troppo tesa e c'è la possibilità che il rapporto tra la sua sdrammatizzazione e il dramma reale sia piuttosto discutibile, è capace di mettere in atto una serie di paragoni peggiorativi, che lasciano davvero senza parole: potevano buttare giú tutti i grattacieli di tutta l'America, poteva morire senza aver scritto Holden, poteva sciogliere il Parlamento, potevamo non essere fertili – e tutta una serie di apocalissi assolute e quotidiane. Insomma, la sostanza della sua reazione, per ogni evento privato o pubblico, è sempre stata, fin dal primo momento, e continua a essere: ci vogliamo rovinare la giornata per questo?

Si potrebbe pensare: ma come si fa a vivere con una persona cosí? La verità è che, proprio a voler cercare il senso profondo dell'esistenza, è meraviglioso vivere con una persona cosí. È il motivo per cui stiamo insieme da cosí tanti anni, in modo piuttosto felice. Perché lei non si vuole rovinare e non vuole che noi ci roviniamo la giornata per un bombardamento sull'Iraq.

Chesaramai è la mia personale etica della capacità di risposta.

La sua presenza diffonde sull'esistenza una patina di sopportabilità alla quale non ci si riesce piú a sottrarre. Cos'è questa patina? È la superficialità che si è fatta elemento positivo, che è diventata una chiave interessante per saper stare al mondo. È diventata un vestito che posso indossare per uscire e andare a vedere cosa accade in giro, come stiamo noi dentro la vita pubblica, cosa ci succede in relazione con quello che accade lí fuori. Ed è diventato il sistema grazie al quale poi, tornando a casa, si riesce a rielaborare tutto ciò che accade, che sembra sopraffarci, e lo si trasforma in una sola, decisiva parola: sopportabile.

La presenza di Chesaramai nella mia vita, nella vita dei miei figli; e nella vita di tutti coloro che hanno a che fare con lei – i parenti, gli amici, i colleghi di lavoro, perfino alcuni conoscenti in palestra – ha reso i fatti del mondo alla nostra portata, roba con la quale possiamo avere a che fare. Se viene filtrato non dal commento, ma dalla ripetizione elementare di ciò che è accaduto: ha vinto di nuovo Berlusconi – l'evento catastrofico si sbriciola in un fatto complicato ma mai irrisolvibile, e che mai dovrà determinare una sconfitta sia pure parziale nella nostra vita. Anzi, nella nostra giornata.

Dalla sera in cui mi sono innamorato di lei, nel 1994, quando guardavamo alla tv i risultati elettorali, Chesaramai ha reso sopportabile Berlusconi, la mia vita al tempo di Berlusconi e tutti gli eventi nazionali e universali attraverso cui siamo passati, ha reso sopportabile la sofferenza che mi dava la sinistra e il farne parte. Ma di piú: ha fatto in modo che, liberatomi dall'eccesso di preoccupazione, potessi riflettere con piú sensatezza e con piú libertà su quello che stava accadendo. E di conseguenza, potessi (potessimo) vivere con maggiore concretezza la vita che ci era dato vivere, anche nei lunghissimi anni in cui c'era Berlusconi.

La superficialità mi ha generato, e poi me la sono sposata; prima me la sono trovata in casa, poi me la sono cercata. Quindi, ho adottato la superficialità come compagna di vita, per tutta la vita. Una specie di via di fuga dalla consistenza delle cose, di bilanciamento con la serietà che mi sarebbe stata assegnata nascendo una seconda volta, dovendo avere a chc fare con la vita pubblica. Di conseguenza, se questo Paese ha avuto come suo difetto costante e (nemmeno tanto) sotterraneo, la superficialità – bene, sono completamente coinvolto anche in questo.

La superficialità di mia madre, nell'arco narrativo di quel pomeriggio di settembre del '73, nella realtà dei miei fatti personali, ha sconfitto il colera. Per questo pur essendomi arrabbiato, l'ho abbracciata felice: perché la sua superficialità mi aveva salvato – non avevo il colera, era soltanto una purga. Adesso, ha passato il testimone a mia moglie.

Bisognerebbe assistere ai dialoghi tra mia madre e Chesaramai. Dicono delle cose di una tale forza liberatoria, che chiunque smetterebbe, davanti alla loro reazione congiunta, di lanciare bombe o dichiarare guerra, di far cadere o alzare muri, di fare stragi o di rompersi la clavicola o di far cadere il latte a terra. Dovrebbero allearsi, conquisterebbero il mondo. A quel punto metterebbero a posto ogni cosa. Sdrammatizzerebbero a tal punto ogni conflitto, che i conflitti si ammoscerebbero fino all'inconsistenza.

Tutti e tre siamo ormai imparentati da questa patina che ci difende dal coinvolgimento tragico. Ma io dipendo da loro. Dipendevo dalla superficialità di mia madre, adesso dipendo da quella di Chesaramai. Non sono geloso, non sono mai stato geloso in vita mia, però ho paura che qualcuno possa accorgersi della potenza di Chesaramai e tentare di sottrarmela, potrebbero rapire questa formula dell'esistenza che placa ogni furore, l'indignazione, la paura, la grandezza delle cose.

So che per lei non sarebbe una tragedia; so benissimo che il giorno che ci lasceremo, se dovessimo lasciarci, lei mi dirà: ci siamo lasciati – vabbe', ci siamo un po' lasciati. Poteva morire uno dei due, era peggio. Però, per ora, faccio finta di non essere contento, mi arrabbio, le urlo che è superficiale, che non si può vivere cosí – nello stesso identico modo in cui urlai a mia madre, in cucina, che era stata stupida ad aver messo il guttalax nel latte mentre c'era il colera. Ma in realtà, come fu quel giorno con mia madre, dentro di me sono felice della sua superficialità, mi fa sentire a casa, mi fa stare nel mondo come sono sempre stato da quando sono nato la seconda volta. E in fondo, l'idea che non ci dobbiamo rovinare la giornata *per questo*, è un'idea brillantissima, perfetta per vivere una vita decente, e anche piú che decente.

Un pomeriggio di quando avevo vent'anni, quando Elena era ormai lontana e Chesaramai era ancora lontana, andai a Napoli a vedere una rassegna di cortometraggi. Tra questi ce n'era uno che si intitolava *Come le dita della mano*, di Éric Rochant. Da quel pomeriggio, ho promesso a me stesso che avrei tenuto sempre presente, a proposito della vita sentimentale, la storia di quel giovane che alla fermata dell'autobus, ogni mattina, incontra una ragazza bellissima di cui si è innamorato; solo che insieme alla ragazza ci sono, attaccati a lei come delle sanguisughe, cinque ragazzi: nevrotici, surreali, se ne stanno arrampicati addosso a lei, quando prende l'autobus, quando va al parco, sempre. Le corrono dietro e si aggrappano a lei, tutti e cinque, uno addosso all'altro.

Una volta, finalmente, il giovane ha il coraggio di chiederle un appuntamento. Si vedono la sera. Lei si siede al tavolo di fronte a lui. E i cinque ragazzi si siedono tutt'intorno a lei, vicinissimi a lei, uno addosso all'altro. Non dicono mai nulla, stanno lí, attaccati a lei e basta. Lei coglie il turbamento nello sguardo del giovane, e gli chiede di non farci caso. Quando entrano in auto e lui la riaccompagna a casa, entrano anche loro; quando si baciano, al bacio assistono, piuttosto vicini, anche loro. Poi si vedono le scene dei due che adesso stanno insieme. A letto, dopo aver fatto l'amore, con i cinque anche loro accanto a lei, nel letto.

È naturale che a un certo punto il giovane chieda alla ragazza, una volta che il loro rapporto si è consolidato, se sia proprio necessario portarseli dietro, se non sia giunto il momento di allontanarli. Lo chiede una prima volta con timidezza, e lei dice soltanto che le dispiace. Glielo chiede una seconda volta, innervosito, davanti a un ascensore, ma in modo diverso: o me o loro. Si infilano tutti e due in ascensore, insieme ai cinque, ovviamente. E suona l'allarme di peso eccessivo. Il giovane esce, e l'allarme smette di suonare. La ragazza e i suoi cinque (come le dita della mano) rimangono dentro, lei preme il pulsante e le porte si chiudono. Il giovane e la ragazza non si rivedranno mai piú.

Puoi vivere tutta la vita con una persona, soltanto se hai abbandonato l'idea di purezza. Non lasciarsi mai non è un'idea pura, ma al contrario è un modo di accettare in un rapporto d'amore tutte le fragilità, le debolezze, le diversità, gli odi e i periodi di stanchezza, i tradimenti. L'amore è tutto questo, messo accanto ai periodi belli. Invece l'idea che si ha dell'amore è di solito un inseguimento ossessivo della perfezione assoluta della coppia. Cosí, però, ogni litigio, ogni stanchezza, ogni desiderio altro, sono macchie, indebolimenti, sacrilegi contro la perfezione, segni di declino. Quindi, avendoli accumulati nel tempo, ci si deve lasciare perché non si sopporta che dentro il rapporto ci sia anche il dolore o il ricordo di momenti tristi.

Se riesco – e posso riuscirci – a vivere con Chesaramai fino alla fine dei miei giorni, avrò vissuto con la luce della superficialità accanto, il germe che mi ha infettato subito e dal quale continuo a lasciarmi contagiare, da quando sono nato a quando morirò. È tutto quello che voglio. E non fa niente che tutto quello che dirà ai nostri figli, sarà: papà è morto – vabbe', papà è un po' morto.

«Voglio dire, niente cambierà sul serio. Invecchieremo insieme, già si comincia a leggerlo sui nostri visi, nello specchio del bagno, per esempio, quando capita che siamo lí tutti e due. Certo, qualche cosa che ci circonda cambierà un po', le cose si faranno piú facili o piú difficili, dipende, ma niente cambierà veramente, in fondo».

Ne *L'insostenibile leggerezza dell'essere* di Milan Kundera, a proposito della domanda fondamentale che tutti a un certo punto si fanno – se i comunisti sapevano o non sapevano dei crimini del regime, cioè se proponevano il paradiso sapendo che non lo era o credendo che lo fosse – Tomáš ripete agli amici, quasi tutte le sere, una sua teoria: il problema non è se sapevano o non sapevano, ma se si possono considerare innocenti nonostante non sapessero. E tira fuori ogni volta la storia di Edipo: in fondo non sapeva che quella donna che dormiva con lui fosse sua madre; però quando lo scopre, si cava gli occhi e fugge da Tebe. A Tomáš quella teoria piace, e sembra piaccia anche agli amici. Per questo motivo, un giorno la scrive e la manda alla rivista dell'Unione scrittori – una rivista che in quei mesi leggono tutti, perché riesce ad avere un po' di autonomia e a parlare di questioni di cui altri non parlano. Dopo qualche settimana, lo invitano a passare in redazione; gli chiedono di cambiare soltanto la struttura di una frase, per renderla piú comprensibile. Qualche numero dopo, il testo compare in penultima pagina, nella rubrica "Lettere dei lettori". Tomáš è molto deluso: il testo è stato tagliato di almeno un terzo, e non ha la dignità di un articolo. Per lui la storia finisce qui.

Un giorno, molto tempo dopo, Tomáš viene convocato dal primario dell'ospedale dove lavora. Il primario gli dice: lei non è uno scrittore, non è un giornalista, ma un grande chirurgo che non desidero perdere; tiene davvero a quella lettera che ha pubblicato? Tomáš risponde: «È la cosa cui tengo di meno al mondo» (lo dice anche pensando a quanto gliel'hanno tagliata, e al fatto che l'hanno pubblicata come lettera di un lettore). Il primario lo supplica: allora, per favore, ritratti. Il clima è cambiato, i russi hanno deciso che le libere discussioni sono inammissibili, a Praga come altrove. Gli dice che ritrattare un'idea, lo sa anche lui, è un'assurdità, ma poiché è un'assurdità estorta con la violenza, non bisogna considerarlo un atto reale: la cosa migliore è farlo e non pensarci mai piú.

Tomáš invece vuole rifletterci; ha paura di vergognarsi,

dice. E infatti alla fine decide di non voler ritrattare. Subito dopo, è costretto a lasciare il lavoro in ospedale.

Trova un posto di medico generico in un ambulatorio di periferia. Un giorno, alla fine dell'orario di lavoro, viene a trovarlo un funzionario del ministero degli Interni. Gli dice che al ministero sono tutti dispiaciuti che un chirurgo della sua fama sia costretto a prescrivere medicine. E gli chiede anche se è davvero possibile che abbia pensato che ai comunisti bisogna cavare gli occhi. Insomma, alla fine gli sottopone un testo redatto da quelli del ministero: è una ritrattazione dell'articolo – ma ormai non piú soltanto quello: ci sono frasi d'amore per l'Unione Sovietica, di fedeltà al partito, e soprattutto la denuncia del settimanale e in particolare di uno dei redattori. Tomáš ridà il foglio al funzionario e dice: «Non sono un analfabeta. Perché dovrei firmare qualcosa che non ho scritto io?»

Il giorno dopo scrive una lettera di dimissioni dall'ambulatorio. L'unico lavoro che riesce a trovare nei mesi successivi, è quello di lavavetri. Pulisce vetri in negozi, grandi magazzini, uffici, case private. Non di rado gli capita di entrare in casa di qualcuno che conosce, cosí la voce si sparge e i suoi ex pazienti prenotano il servizio, firmano la ricevuta del lavoro e rimangono con lui un paio d'ore a chiacchierare e a bere.

Dopo qualche tempo, viene richiesta la sua opera in una ennesima casa privata. Ma lí riceve una grande sorpresa: chi gli apre la porta è il redattore della rivista (proprio colui che gli avevano chiesto di accusare); c'è un'altra persona nella casa, un ragazzo. Il redattore dice: «Per voi due penso non siano necessarie presentazioni». Tomáš risponde: «No», e stringe la mano al ragazzo. È suo figlio. Lo ha abbandonato insieme alla prima moglie, quando era nato da poco. Pensava che suo figlio lo odiasse; invece scopre che lo considera un eroe: la sua testardaggine nel non voler ritrattare quella lettera inutile, il fatto che da chirurgo sia diventato lavavetri, è per suo figlio il segno di una grandezza. Per Tomáš è una sorpresa scoprire che il figlio è impegnato nella lotta contro il regime.

A questo punto, il redattore e il figlio passano al motivo dell'incontro. Sono lí per proporgli di firmare una petizione da consegnare il giorno dopo al presidente: chiedere l'amnistia per tutti i prigionieri politici. Ovviamente questa petizione non può in nessun modo ottenere quello che chiede, ma si fa per dimostrare che i dissidenti ci sono, sono vivi; si fa per dimostrare che c'è gente che non ha paura; e soprattutto si fa per dimostrare che ci sono alcuni – molti – che non hanno il coraggio di firmare. Il redattore e il figlio consegnano il foglio con la richiesta di petizione a Tomáš, che è imbarazzato, esita, cerca di prendere tempo, ma tempo non c'è: domani il testo deve essere consegnato. Di fronte a lui ci sono suo figlio e il redattore; lo guardano; hanno appena detto che questa petizione serve a dimostrare che c'è qualcuno che non ha il coraggio di firmarla, che non è coraggioso come è stato coraggioso lui. E Tomáš sta esitando. I due lo guardano, increduli. Non capiscono.

Ecco cosa sta pensando Tomáš: si sta rendendo conto che il foglio allungato dal funzionario e questo foglio allungato dal figlio e dal redattore, hanno una spaventosa somiglianza: «Tutti volevano costringerlo a firmare testi che non erano opera sua».

Il redattore e il figlio citano la sua lettera su Edipo come un atto di coraggio che ha fatto del bene a tanti, mentre Tomáš pensa che gli ha impedito di continuare a fare del bene concreto, cioè a operare i suoi pazienti. Prende in mano il foglio e la penna. Sa che non firmare è un atto gigantesco, e firmare è un atto minuscolo. Sa anche che ritrattare a suo tempo quell'articolo sarebbe stato un atto minuscolo, non farlo è stato un atto rovinoso.

Ma alla fine dice: non firmo.

È a questo punto che Tomáš si mette in una posizione solitaria, distante come sempre dal regime, ma poi distante anche dal suo mondo, dalle cose per cui ha combattuto, chissà con quanta casualità. È a questo punto che Tomáš si rende conto che ciò che detesta, e ciò che si oppone a ciò che detesta, hanno delle somiglianze, e lo trova agghiacciante.

In qualche modo, questa scoperta lo fa allontanare da tutti, comincia l'esperienza individuale di allontanamento dal suo Paese, ed è a questa esperienza che sembra legato l'inizio dell'esperienza di scrittore di Milan Kundera, quello scrittore che sarà distaccato, lontanissimo, dal regime e dalle ideologie antiregime. Che andrà a posizionarsi in un punto solitario, in cui allo stesso tempo respinge le tesi e le antitesi; ammettendo in qualche modo di averle entrambe dentro di sé.

Insomma, quello che Kundera aveva voglia di raccontare era un uomo libero. Libero quando va via da Praga, ma libero già a Praga. Essere un uomo libero, dice Kundera a proposito di Tomáš e di se stesso, è l'unica cosa che difende un uomo (Tomáš); ed è l'unica cosa che difende uno scrittore (Kundera).

In piú, il rapporto tra vita pubblica e vita privata qui è strettissimo ed esplicito: chi rende quel ricatto ancora piú ricattatorio, è suo figlio; con quella firma, sta barattando la sua ammirazione con il rancore per l'abbandono alla nascita.

Berlusconi ha modificato i criteri di razionalità di questo Paese; ha fatto in modo, con la sua comparsa sulla scena politica, di rendere ancora piú distanti le persone che facevano parte dell'Italia civile e moderna da quell'altra parte (quasi costantemente la maggioranza) che aderiva in qualche modo, o non combatteva in maniera esplicita ciò che quell'uomo impersonava. Di piú: Berlusconi ha confermato il pregiudizio che la sinistra italiana si era costruita sul resto del Paese. È stata la dimostrazione che mettere un confine, chiudere i cancelli, dividersi dal resto del Paese con chiarezza, era stato un atto giusto. Addirittura profetico.

La parentela stretta tra il ruolo istituzionale tenuto per molti anni in questi venti anni, e l'inadeguatezza che per me era simboleggiata dalla frase nemmeno poi cosí terribile (rispetto a quello che è accaduto dopo), ma certo piuttosto infelice, che ha pronunciato alla Reggia (e che era il germe iniziale, la prima cellula del virus che avrebbe generato tutta la confusione – la sua, prima di tutto, e solo di conseguenza, quella di tutti gli altri – tra vita pubblica e vita privata), ha reso Berlusconi oggetto di una scelta immediata da parte di coloro che lo guardavano da questo lato.

L'origine del conformismo sta nella dimensione emotiva in cui è entrata la politica: dal primo giorno del suo mandato, tutta la sinistra si è agitata per la questione della mancanza di credibilità; escludendo l'approccio razionale, ha eliminato cosí la critica dei fatti, la logica, l'analisi.

L'incredulità si è espressa all'inizio con lo scuotimento del capo, ma si è subito trasformata in irrisione, sarcasmo, derisione. La conseguenza finale è stata il disprezzo.

C'è una parte di Italia, la quasi totalità delle persone che avrebbero dovuto combatterlo sul piano politico e con una proposta alternativa di efficacia maggiore, che ha considerato Berlusconi non il capo di una coalizione opposta alla propria e poi il presidente del Consiglio di questo Paese; ma ha passato anni e anni a parlare di lui come di un essere spregevole, un pagliaccio, un corrotto, perfino un uomo basso (un nano), un puttaniere. Si è persa un'enorme quantità di tempo e di energie a creare formule sarcastiche per il nemico e quelli che aveva intorno. In fondo, la sequela di errori che sono stati commessi nei lunghi anni di dominio di Berlusconi deriva da questa doppia e insostenibile identità che gli si è attribuita: il mostro e il pagliaccio. Insieme. Erano tutti convinti che fossero due definizioni esponenziali, e nessuno ha immaginato che invece avrebbero potuto essere due pesi che si annullavano.

Quindi, né l'uno né l'altro. Nessuno lo ha mai considerato un vero mostro, perché il disprezzo e la derisione ne abbassavano i connotati, neutralizzavano il senso della tragedia, lavoravano per renderlo poco credibile. E non si ha timore vero di chi si considera poco credibile. Se non si ha timore vero dell'avversario politico, non si mettono in atto delle strategie concrete, e alternative alla sua, per combatterlo.

Quando è comparso sulla scena, nel 1994, gli elementi per combattere Berlusconi c'erano già tutti: il conflitto di interessi – e soltanto su questo si sarebbe potuta concentrare tutta la discussione democratica; le idee e i programmi, che non solo erano distanti dalla sinistra, ma erano distanti dagli interessi della maggioranza degli italiani. A questo si è in seguito aggiunta la disinvoltura con cui ha fatto alleanze e ha promesso in cambio con leggerezza, per esempio, il federalismo rovinoso che chiedeva la Lega. In piú si è aggiunto ancora il modo di pensare alla politica, di fare campagna elettorale e di promettere, che era facilmente contrastabile al confronto con i risultati ottenuti: la pratica del governo è stata mediocre, con leggi che se potevano essere gravi perché fatte ad personam, lo erano ancora di piú (e su questo bastava concentrarsi) perché non erano vantaggiose per la comunità.

Tutti questi elementi pubblici, politici, sarebbero bastati a fare un'opposizione chiara e senza nessuna collaborazione di qualsiasi tipo; e sarebbero bastati a organizzare una controproposta politica di altra qualità. Non erano questioni soltanto sufficienti; erano questioni decisive della vita democratica di un Paese; non erano concentrate su una persona, ma sulle regole della comunità. Ciò bastava a mettere in piedi una tale quantità di energia oppositiva da poter essere comparata a una rivoluzione. Le energie invece, sono state sbriciolate e spese a interessarsi di altro: atteggiamenti, gesti e modi di vestire e di parlare; e soprattutto processi, gradi di giudizio e condanne; in particolare, su alcuni eventi scandalosi della vita privata.

Non ho mai creduto che si potesse lottare per tutte queste cose insieme. Ho pensato sempre che l'energia oppositiva, in un Paese, è limitata, va salvaguardata, va spesa con razionalità e precisione. La dispersione di energie oppositive in tutti quei rivoli sarcastici, pettegoli, intrusivi, ha tolto forza alla sostanza. La concentrazione su stupidaggini è stato il centro energetico del Paese che si è opposto a Berlusconi.

L'unica medaglia al valore civile da sfoggiare, in questi anni, è stata quante volte avevi deriso Berlusconi, quante volte avevi riso di Berlusconi; quanti articoli avevi scritto contro di lui, quante volte avevi espresso pubblicamente il tuo odio. Berlusconi su di noi faceva l'effetto di un dittatore all'incontrario: entravi nell'elenco dei sospettati se non parlavi male di lui.

Si è ridotto tutto a un esercizio retorico dell'opposizione, dell'estraneità: con ogni probabilità, questo fenomeno ha avuto luogo per combattere la paura della diversità, la paura verso il potere di quest'uomo, con una denigrazione sul piano personale che ne abbassasse il pericolo. Ma l'operazione di dissacrazione del mito ha soprattutto distratto dalla lotta politica, dal centro delle questioni. Dalla costruzione di un'alternativa piú efficace che potesse piacere al Paese. Ha distratto perfino dalla questione democratica fondamentale nel momento in cui un essere umano proprietario di tre televisioni nazionali ha deciso di entrare in politica, rompendo gli equilibri sulla parità di forza tra soggetti politici e ponendo una gigantesca questione di conflitto d'interessi.

Il sarcasmo è stato l'elemento distruttivo dell'energia politica oppositiva. È penetrato quotidianamente dentro le anime e le bocche delle persone, ne ha distorto il viso, lo ha modificato, loro credendo a proprio vantaggio, e invece a loro svantaggio e a svantaggio della comunità. E ha ottenuto un effetto devastante: ha prima disinnescato la tragedia e poi ha reso sopportabile il dominio di Berlusconi in politica, e tutti gli anni di convivenza con lui alla guida del Paese.

Non l'abbiamo eletto noi. Non c'entriamo con tutto questo. Ci sembra ridicolo, assurdo, insensato. Quindi non ci riguarda. Anzi: la sua presenza è un alimentatore di coesione. Se c'è lui, noi siamo piú uguali tra noi, ci riconosciamo con piú facilità.

Negli anni di Berlusconi, la vita di tutti noi che ci ritenevamo diversi e migliori, è stata piú semplice. Qualsiasi complessità veniva subito abbattuta dall'ossessione per il Nemico. E le complessità sparivano, il senso di coesione tornava, la complicità si saldava. Tutto diventava di nuovo elementare.

Per anni avevamo vissuto con la certezza di essere diversi e migliori, e adesso finalmente era arrivata la dimostrazione pratica di questa diversità. Grazie a un errore politico, avevamo contribuito a stabilizzarla nella sconfitta, la condizione che ci faceva esprimere al meglio, e adesso potevamo goderci tutta la nostra diversità, e potevamo godercela tutti insieme: non ci consideriamo piú perdenti, perché non combattiamo piú. Stiamo con le braccia conserte, quello che accade non ci riguarda.

Questa scelta ha rafforzato il rapporto – il linguaggio complice – tra tutti noi che eravamo contro. Da questa parte, dalla parte degli antiberlusconiani, si sono posizionati "tutti gli altri". E siamo tanti. Con pensieri molto diversi, ma costretti a stare tutti insieme. Stiamo tra di noi, comunichiamo tra di noi. Ci confermiamo le nostre ragioni, ci rassicuriamo su un assunto fondamentale su cui abbiamo molto bisogno di essere rassicurati: che il mondo migliore è il nostro, assomiglia a noi e alla vita che viviamo, alle scelte che facciamo riguardo non soltanto a regole e leggi, ma anche a salute, cibo, educazione, linguaggio, libri, film, viaggi. Abbiamo pensatori di grande fama e carisma che stanno insieme a noi, ci rassicurano, dicono che siamo giusti e facciamo cose giuste; anche se il mondo sta andando da un'altra parte, anche se la gente in maggioranza vota da un'altra parte non ci dobbiamo preoccupare: stanno sbagliando e un giorno si ravvederanno, comprenderanno e torneranno. Abbiamo creato giornali su misura per noi, scrittori su misura per noi, film su misura per noi, eventi su misura per noi, e tutti ci comunicano compiaciuti che non stiamo sbagliando, che stiamo facendo tutto bene, che dobbiamo continuare cosí. Mai nessuno che metta in dubbio le nostre idee, si chieda se c'è qualcosa che non funziona, si chieda perché gli altri riescono a penetrare i desideri di una quantità di gente superiore alla nostra. Mai che andiamo a curiosare chi sono, cosa fanno, quali debolezze hanno, se nascondono una virtú che non riconosciamo. Siamo assolutamente sicuri che il mondo è diviso in due, quelli che stanno sbagliando tutto e quelli che stanno facendo tutto bene, e per una coincidenza infelice la maggioranza continua a essere cieca e a guardare a quelli che sbagliano. Ma presto, molto presto, si ravvederanno.

Del resto, è un'abitudine consolidata da tempo. I libri che Elena mi assegnava erano testi fondamentali; ma oltre a insegnare ciò che insegnavano, mi davano un messaggio di secondo grado, troppo a lungo sottovalutato: ciò che leggevo, su cui mi formavo, confermava ossessivamente il mio pensiero. Non lo metteva in discussione, non lo rendeva problematico, ma facendolo crescere mi rassicurava ogni giorno di essere sempre e soltanto dalla parte della ragione. Questa idea del pensiero confermativo è, in seguito, in qualche modo esplosa, perché ha formato una classe intellettuale ampia che legge giornali confermativi e scrive su quei giornali ragionamenti confermativi. Tutto ciò, anno dopo anno, rende impermeabili al confronto, alla curiosità per gli altri, per le vite diverse; e rende sempre piú sicuri di ciò che si pensa, di come si vive, delle regole che ci si è dati.

Corrisponde con esattezza a ciò che sta accadendo con la navigazione in rete: mentre ci muoviamo, seminiamo una scia di segnali che poi la rete ripropone per somiglianza. Si chiamano "sistemi di raccomandazione", sono presenti in quasi tutti i siti e i social network, e si occupano di analizzare le nostre scelte per poi riproporcene di simili. Piú si naviga, piú si restringe il campo delle diversità – piú le proposte sono soddisfacenti («chi ha letto questo libro ha letto anche…»), piú sono limitate. È come se, vivendo, eliminassimo sempre di piú la possibilità di incontrare qualcosa che non ci piace – che non ci soddisfa; ma allo stesso tempo eliminiamo tutto ciò che ci potrebbe sorprendere. La rete ripropone un sistema di vita che abbiamo adottato fin dal giorno in cui abbiamo scelto da che parte stare (per quanto mi riguarda, fin dal settantottesimo minuto di una partita del 1974): se scegliamo articoli progressisti, ci vengono riproposti altri articoli progressisti. Di conseguenza, il campo dei nostri desideri, mentre viene soddisfatto di continuo, si restringe; di conseguenza, ci sembrerà che nel mondo c'è soltanto gente che la pensa come noi.

La realizzazione politica di questa idea della vita pubblica sono le elezioni primarie, che non hanno nessuna logica in una democrazia parlamentare, ma entusiasmano perché sono le elezioni perfette per la sinistra: eliminano tutti gli altri dai seggi. Vanno a votare soltanto coloro che stanno al di qua dei cancelli. Per questo motivo, quel giorno è sempre una grande festa, ci sono file di persone che si guardano sorridendosi, che si fidano le une delle altre, che sanno di far parte di quell'Italia civile e moderna che si è sfilata via dalle brutture. La dimostrazione pratica che la recinzione, l'orgoglio narcisistico, l'autoassoluzione, potrebbero essere fallimentari, è visibile il giorno delle elezioni politiche reali, quelle in cui c'è tutto il Paese, non soltanto i migliori. Quando al confronto con la realtà, quel Paese dei Felici Pochi non regge all'impatto. E non riesce a spiegarsi perché.

Tradotto sul piano personale, il ragionamento mi doveva spingere a ritenere ormai contaminata la mia fontana di Diana e Atteone. Me ne ero andato da Caserta e avevo lasciato campo libero alla personificazione del mio nemico ideale per occupare il suolo della mia seconda nascita e pronunciare una frase stonata, con un sorriso molto furbo.

Se il concetto di purezza funzionava, dovevo cancellare quel luogo dalla felicità della mia memoria, perché ormai era perduto. E invece, sia sul piano personale sia sul piano politico, ho reagito diversamente.

La linea di demarcazione della consapevolezza – il momento in cui non è stato più possibile tornare indietro

– coincide, per quanto mi riguarda, con un reportage che ho proposto al settimanale su cui scrivevo in quegli anni, il Diario della settimana, diretto da Enrico Deaglio. È stata una rivista di sinistra seria e militante; non mi chiedevano la sopravvivenza di un discorso umano, ma scrivevo una rubrica su piccoli fatti quotidiani, qualche pezzo politico, e soprattutto alcuni reportage sull'Italia. Andavo in giro e cercavo di fare esperienze di ogni tipo: una settimana al valtur, le scommesse sulle partite di calcio nelle prime ricevitorie, un fine settimana all'ikea, eccetera. Cercavo di raccontare il Paese con lo sguardo tutto interno all'esperienza. Mi sembrava già di farlo, in qualche modo, con coinvolgimento reale, con empatia. Ma poi ho scoperto che non era cosí.

Un giorno lessi sul giornale forse un annuncio pubblicitario, forse una notizia – non ricordo. Parlava di una manifestazione che si chiamava "sciANdo", proprio cosí, con A e N maiuscole. Era una settimana bianca a Ovindoli, in Abruzzo, organizzata da Alleanza Nazionale (AN): il partito di Gianfranco Fini, alleato principale di Berlusconi, partito che in quel periodo era al massimo della sua forza e popolarità; aveva molti ministri nel governo e raccoglieva una larga fascia di persone che andavano da una destra moderata fino a quella (quasi) estrema. La settimana bianca era aperta a tutti i militanti di Alleanza Nazionale. Si sciava, si stava insieme, il pomeriggio c'erano incontri politici (intitolati "governANdo"), la sera c'erano spettacoli.

Proposi il reportage al Diario: andare a Ovindoli, passare il fine settimana insieme a quelli di Alleanza Nazionale; ma non come inviato, come una persona qualsiasi. Chiamai il Dipartimento immagine e comunicazione del partito, mi chiesero se facevo parte di qualche circolo o federazione, risposi di no, che ero soltanto un simpatizzante. Usai questa parola perché la ritenni efficace. E infatti una signora molto gentile mi disse che andava bene, mi diede le coordinate per iscrivermi, mi chiese se andavo da solo o con la famiglia, mi disse che sperava tanto che mi sarei divertito. E cosí, partii per Ovindoli.

Rimasi lí tre giorni. Poi tornai e scrissi un lungo reportage, divertito e mi sembra anche divertente, in cui cominciavo dicendo che avevo avuto la stessa sensazione di quando, da bambino, avevo visto *Suspiria* di Dario Argento: mentre lo guardavo avevo un po' di paura ma poi ridevo subito pensando fosse una cazzata; poi invece a casa, ero rimasto tutta la notte seduto sul letto, con gli occhi spalancati a guardare la porta, terrorizzato. Adesso, dicevo ai lettori di Diario, mi sento cosí: mi sono spaventato un po' e poi ho riso pensando fosse una cazzata, questa settimana bianca a Ovindoli; però temo che non ci dormirò la notte. Poi passavo a descrivere con dovizia di particolari la mia esperienza di quei tre giorni e perché ne ero rimasto cosí impressionato: la tristezza dell'albergo a otto chilometri dal centro, le tavolate con i militanti, i gadget delle Frecce tricolori, l'inno del partito che viene mandato otto volte dagli altoparlanti perché il cd salta o gracchia, l'inno di Mameli che cantano tutti in piedi a ogni apertura di dibattito; sottolineo che un relatore dice piú volte la parola "aria", ma intende dire "area"; la banda musicale, il coro del paese, la difesa strenua dell'alleanza con Berlusconi, da parte di tutti, senza che nessuno abbia contestato nulla durante i dibattiti – poi però passo a descrivere il conflitto reale che c'è all'interno del partito, che è in qualche modo represso: racconto che ci sono tante discussioni improvvisate che si fanno per strada, nel rifugio, guardando la gara di sci, o la sera in albergo, a tavola; tutte a proposito dell'identità del partito. I piú estremisti dicono che non si può stare nel governo, altri piú realisti dicono che è necessario restare dentro le stanze del potere, ma comunque non sembrano contenti. Descrivo i modi di vestire, le cravattone ampie, la tristezza di certe tute da sci, descrivo perfino un maschione fascista infilato dentro una tuta completamente rosa; il tutto con un'aria divertita e quel sarcasmo che sembra inevitabile. Racconto anche un'altra verità, e cioè che la manifestazione è completamente fallita. Siamo pochissimi. E infatti sono saltati alcuni dibattiti, Fini non è piú venuto e come lui molti altri. Quasi tutti quelli che partecipano sono arrivati nel fine settimana, come me; solo pochissimi sono qui dal lunedí e dicono che durante i primi giorni c'era da sbattere la testa contro il muro.

Ma in fondo, quello che rende interessante il reportage, non è tanto ciò che vedo e racconto; ma sono io, la posizione che mi sono scelto. Quella che ho dichiarato al dipartimento: simpatizzante. Io che mi aggiro per le strade di Ovindoli e poi al dibattito e poi nei capannelli all'esterno, con il badge del partito sul petto, che quando viene richiesto un parere sulla partecipazione al governo dico le testuali parole che riporto: secondo me ci stiamo appiattendo troppo sulle posizioni di Berlusconi e Bossi. E oltretutto, pronunciando questo giudizio negativo, vengo scambiato per un fascistone estremista, visto con simpatia dai fascistoni estremisti e con preoccupazione dai moderati. Io che passo gran parte delle ore in compagnia di un sindaco di un paesino vicino Chieti, o con una signora romana che borbotta sempre, o con uno che mi indica un signore che parla al cellulare e mi dice: sai chi è quello? Il cugino di primo grado della segretaria particolare di Fini. Infine descrivo la delusione di non aver trovato, come mi aspettavo, busti di Mussolini e gente che saluta con il braccio teso.

Ancora adesso, mi capita che qualcuno si ricordi quel reportage, lo citi con complicità. Lo metta insieme ad altri che avevo fatto su Diario. Sorrido per ricambiare la gentilezza del complimento, ma m'incupisco. Perché quel lungo articolo, e tutta l'idea che c'è intorno, e soprattutto l'esperienza che l'ha fatto scaturire – l'ho ripudiato (intimamente, perché è chiaro che non importerebbe a nessuno un ripudio ufficiale, è una questione soltanto personale, ma non per questo meno importante). Forse, per essere piú precisi, ho ripudiato il reportage, ma non l'esperienza. Anzi, in qualche modo sono grato a quell'esperienza (e in qualche modo quindi dovrei essere grato anche al reportage ripudiato) perché ha contribuito a dare piú precisione ai miei pensieri di scrittore, ai miei movimenti di essere umano.

In pratica, quello che feci, al ritorno, fu scrivere il reportage che mi ero proposto di scrivere quando avevo letto la notizia: un reportage divertente di un'esperienza un po' assurda, e molto straniante. Non volli tenere conto del fatto che durante tutti e tre i giorni, e in quelli successivi, quando arrivavano i commenti degli amici o dei lettori, dovetti tenere a bada la vera sensazione di angoscia che avevo provato a Ovindoli.

La differenza tra il reportage al valtur o all'ikea, e quello a Ovindoli era palese: al valtur e all'ikea mi sono ritrovato in situazioni che cercavo di raccontare con lo stesso sguardo nevrotico e ironico; ma ci stavo bene. C'erano dei momenti in cui mi dimenticavo perfino il motivo per cui ero lí. Al valtur in particolare, mi sentivo a tratti immerso in una vita che avevo vissuto identica, anni fa, nelle sere d'estate della mia città. Quindi non c'era nulla di straniante; e anzi in qualche modo ero la persona giusta per raccontare quell'esperienza. A Ovindoli, questi momenti di adesione non c'erano mai, perché fascista, o di destra, o di destra moderata, non ero stato mai. Posso dire che all'ikea ero veramente io; a Ovindoli, no.

Nella sostanza, ho barato. In piena consapevolezza. Mi sono spacciato per qualcuno che non ero. Ho abusato in modo disinvolto della buona fede di tutti, a cominciare dalla signora che al telefono è stata gentile, rassicurante e sperava tanto che mi divertissi. Ho usato un mezzo non onesto per entrare a far parte di un mondo che volevo conoscere. E va bene che era un mezzo utile per non essere guardato con sospetto; però quel mezzo mi aveva costretto a mettere un badge con il nome del partito per il quale non avrei mai votato in vita mia, ad assistere prima e a intervenire poi sulle questioni che riguardavano quelle persone e quel partito. E a riportare il tutto a lettori che assomigliavano a me e che leggevano il mio reportage con la stessa espressione di sarcasmo con cui lo avevo scritto. C'era una forma di disprezzo cosí evidente, una forma di razzismo cosí evidente in quello che avevo fatto, che neutralizzava l'efficacia del reportage. Metteva me e i lettori in una posizione di superiorità morale nei confronti di esseri umani che ritenevamo diversi da noi, e che quindi ritenevamo potessero (dovessero) subire quella violenza.

Era un'altra – diversa – ma ennesima espressione della violazione – violenza – del privato, con mezzi non appropriati. In quel modo, avevo preso in giro persone che mi avevano augurato il buongiorno, che mi avevano versato il vino, che mi avevano confidato dubbi sulla politica del partito e che mi avevano confessato in segreto una certa antipatia per Berlusconi; avevo preso in giro il sindaco del paesino in provincia di Chieti, la signora romana, quell'altro che mi indicava un parente di una segretaria di Fini come se fossimo nei pressi del mondo che conta. Dentro di me, mentre lo facevo, provavo già due sentimenti in contrasto con quello che stavo facendo: vergogna di mentire in modo cosí poco necessario – mentire per volontà mia, per uno stratagemma che mi ero costruito da solo; e soprattutto un senso di simpatia, di comprensione umana, per persone che erano, è vero, lontanissime da me nelle idee e nella formazione culturale, nei modi di vivere e di ricostruire la realtà, ma per altri aspetti mi assomigliavano, presentavano vizi e virtú simili ai miei. Persone che stavano passando un fine settimana piú triste di quello che avevano immaginato, che arrivavano quarte o dodicesime nella gara di sci, che avevano il tovagliolo sporco e la bottiglia d'acqua minerale consumata per metà, entrambi con il cognome segnato, dopo l'uso della sera prima.

E del resto, la mia teoria era confutata in partenza: se fossimo stati davvero due mondi diversi, mi avrebbero individuato subito come un alieno; non mi avrebbero scambiato per un fascista con posizioni un po' estreme. Se lo hanno fatto, vuol dire che era possibile. Perché è successo a me di essere in sintonia – in qualche modo, da qualche parte – con loro, era questa la domanda alla quale avrei dovuto rispondere.

La superiorità morale era penetrata dentro di me in questi anni berlusconiani e mi aveva reso impermeabile alla sensibilità e al rispetto verso le persone diverse da me. Perché in qualche modo le disprezzavo, con un pregiudizio fermo e convintissimo.

Per questo mi sentivo triste, mentre ero lí e dopo aver scritto il reportage: con un eccesso di spiritosaggine e tracotanza, avevo preso in giro delle persone con la giustificazione che erano persone che non mi piacevano (anzi, che non mi sarebbero piaciute – perché la decisione l'avevo presa prima), e anzi le detestavo perché erano fasciste, e alcune erano davvero molto fasciste; ma mi sembrò di aver barato in modo eccessivo; e cosí non mi piacevo io, non loro. Mi sentivo a disagio con me stesso, e sempre di piú quanto piú il reportage veniva apprezzato con quella complicità che non mi riusciva di condividere. L'atteggiamento che bisognava avere, pensavo, era di essere onesto e limpidamente oppositivo rispetto ai pensieri che non condividevo. Non far finta di essere uno di loro, condividere i loro pensieri e intervenire addirittura in un paio di discussioni, come avevo fatto, per poi fare un reportage contro. Se ho ritenuto di poter mettere in campo una disonestà, è stato perché non ritenevo degne di onestà quelle persone, non le ritenevo mie pari. Poiché erano fasciste, ero autorizzato a essere disonesto con loro. Era questa posizione che mi metteva a disagio, quando me ne sono reso conto. Ma è la posizione che abbiamo avuto tutti, per venti anni, con il mondo che non ci piaceva.

Ma tutto questo non basta. C'è di più.
Quello era il partito che votava mio padre.
L'avevo fatto, cosciente o meno, per vendicarmi di mio padre. Era lui che avevo preso in giro, più di ogni altro.

Da quando avevo smesso di parlare di politica con lui – ed ero ancora un ragazzo, andavo ancora a scuola – avevo seguito in modo sfocato la sua amarezza silenziosa. La nostra casa aveva avuto sempre gli stessi libri, tutti in corridoio: le enciclopedie per grandi e piccoli, quella sugli animali e quella medica; pochi romanzi popolari, qualche libro di sport, molti libri di poesie napoletane. E poi c'erano biografie corpose degli imperatori dell'antica Roma, molti libri sulla Seconda guerra mondiale. Il resto della libreria era occupata da libri sul fascismo e su Mussolini, sul nazismo e su Hitler. Per quanto mi ricordi, non ho mai visto uno di quei libri in mano a mio padre. Per quanto riguarda lui, i suoi modi e il suo carattere – tranne quell'avversione specifica per il comunismo – mi è sembrato sempre un uomo mite, piuttosto generoso, di una capacità affettiva silenziosa ma visibile.

Per tutto il resto della vita, abbiamo avuto un rapporto sereno, abbiamo parlato di molte cose. Siamo stati distanti, ma anche silenziosamente vicini. E una volta che sono tornato a casa, ho aperto un armadio alla ricerca di un accappatoio, ho visto questa pila ordinata di giornali ritagliati, e ho subito richiuso. Mi è sembrato assurdo e commovente. Per la metodicità, ma soprattutto per la mancanza di condivisione. Mio padre aveva conservato ogni mio articolo, che fosse uscito sul Mattino (il giornale che ha comprato per tutta la vita) sul Manifesto o sull'Unità, su un settimanale femminile o su un mensile di viaggi. Ha comprato e letto e ritagliato tutto, anche se ha sempre preferito i miei primi resoconti delle partite di basket. Quanti di quegli articoli parlavano di politica, di Berlusconi, e quanti ne aveva letti sentendosi deluso. Ma nonostante tutto, aveva letto e conservato, e ora in quell'armadio c'era una specie di insensata Fondazione a mio nome, tenuta con cura da un vecchio archivista; che era lui.

Quindi, aveva senz'altro letto e conservato anche il reportage da Ovindoli. Aveva letto il mio modo di raccontare estraneo, sprezzante, sarcastico. Mio padre aveva sempre votato il partito di destra, e aveva seguito Fini nella sua trasformazione del partito, e quindi votava AN con convinzione. E con convinzione appoggiava Berlusconi, era anticomunista, guardava soltanto telegiornali delle reti Mediaset, e qualche volta gli avevo sentito ripetere frasi complicate e violente che aveva ascoltato da un giornalista violento alla tv. Lo avevo sentito, ma facendo finta di essere distratto, cambiando subito discorso. Lui forse, mentre parlava a zia Rosa (da quando era morto zio Nino, zia Rosa aveva bisogno di una controparte, e aveva scelto mio padre), o discuteva di politica con i miei fratelli, stava cercando di parlare anche a me – forse, non ne sono sicuro. Ma io ho smesso di parlare di ogni questione pubblica con lui ancora prima di compiere diciotto anni.

Quello che so, è che – qualsiasi divisione abbiamo avuto, qualsiasi distanza abbiamo voluto mettere o abbiamo messo nostro malgrado, tra noi due – io sono suo figlio; l'ho amato da bambino quando mi sembrava l'unico dio sulla terra, l'ho amato mentre vedevamo quella partita dei mondiali, l'ho amato quando faceva quei ragionamenti assurdi sul comunismo e quando abbiamo smesso di parlare di politica. Lo amo adesso che conserva i miei articoli e faccio finta di non saperlo, adesso che è curvo, silenzioso, lontano, fragile, e che forse in qualche modo non mi comprende e mi ammira, e sa tenere insieme questi due grovigli interiori.

Ma la verità è che non soltanto lo amo, ma gli assomiglio. Nel fisico, nel carattere, in certe posture come quando guidiamo l'auto in modo identico o accogliamo una persona sulla porta, quando camminiamo per strada tendendo a sfiorare i muri, quando ci passiamo la mano tra i capelli o sbuffiamo per eliminare con l'aria che buttiamo fuori anche una stanchezza della vita che tenevamo dentro.

Quando ho parlato male di quelli di Ovindoli, ho parlato male di lui, che avrebbe potuto stare lí benissimo, e sarebbe stato gentile come lo sono stati la signora al telefono, il sindaco o la signora romana. Ho parlato male della persona che, probabilmente, ho amato di piú in tutta la mia vita.

Robert Altman ha fatto un film sui racconti di Carver, *America oggi*. Li intreccia, li interseca uno dentro l'altro. E tra questi, c'è anche *Con tanta di quell'acqua a due passi da casa*: segue Stuart e gli amici che partono, vanno a bere in un caffè della città prima di partire (incrociando il personaggio di un altro racconto, come accade in tutto il film) e poi vanno al fiume, vedono la ragazza morta, eccetera. Il racconto stavolta è cronologico.

Un giorno, mentre lavoravano alla scrittura, Altman ha riunito lo sceneggiatore Frank Barhydt, e Steve Altman, suo figlio e responsabile della produzione, e ha detto: ragioniamo; siamo tre uomini, siamo partiti per un lungo weekend, abbiamo camminato per quattro ore nei boschi, siamo finalmente arrivati lí. Troviamo il corpo. Cosa avremmo fatto? Saremmo andati a pescare o saremmo andati subito alla polizia? Nonostante Barhydt abbia detto senza esitazione che non se ne parlava di restare a pescare, poi ragionando hanno raggiunto la conclusione piú sincera, la piú simile possibile a quella degli amici del racconto: ognuno di loro avrebbe accettato di tornare subito indietro, soltanto se anche tutti gli altri fossero stati d'accordo. È proprio Altman che sostiene questa tesi: io sarei tornato indietro, se anche voi foste stati d'accordo; se voi aveste deciso di andare a pescare, io vi avrei seguito.

Altman, per cercare di comprendere il racconto, fa lo sforzo di andare a recuperare la parte peggiore di sé e la mette in gioco. È l'unico modo per riuscire ad agganciare il sentimento di Stuart e dei suoi amici. Il fatto che alla fine ci riesca, consentirà di mettere in scena il racconto; ma consentirà anche di accettare che ci sono strumenti attraverso i quali è possibile comprendere ciò che ritieni incomprensibile. Lo si può fare attraverso una sincerità piú profonda: non autoassolutoria, bensí autodiffamatoria. Però alla fine, il fatto che ci sia un elemento nero anche in Altman, suo figlio e lo sceneggiatore del film, fa capire che quell'autodiffamazione si avvicina alla verità piú dell'autoassoluzione: le persone che compiono atti che non ci piacciono – che noi siamo certi che non faremmo mai – sono persone molto simili a noi.

È come quando si fa l'identikit degli uomini che frequentano le prostitute. Ci piace pensare che siano dei marziani venuti sulla terra di notte apposta per fermarsi a contrattare sul prezzo e poi far montare in auto prostitute e transessuali. Poi si scopre che sono il vicino di casa, l'amico d'infanzia, un parente, il collega. Non noi, ma persone prossime a noi. Il passaggio che bisognerebbe fare a quel punto è prendersi carico della questione (noi maschi andiamo con le prostitute, a prescindere che ci vada anch'io o no); e invece semplicemente si butta fuori dal proprio orizzonte di normalità quel vicino di casa, quell'amico d'infanzia, quel parente. Ho scoperto che non sono come me, non voglio averci piú a che fare.

Quindi lo sguardo che propone Altman riguardo al tentativo di raccontare, di capire cosa bisogna raccontare, ha due caratteristiche: è cronologico e oggettivo; il punto di vista non è piú quello di Claire, il racconto non parte dal momento in cui lei non ce la fa piú. Il film affronta i fatti in diretta; non vengono riportati, ma i fatti si vedono e si ascoltano nell'attimo in cui accadono: quando vedono il cadavere, quando Stuart e Claire fanno l'amore, quando lui confessa. Il cinema aiuta Altman a eliminare la mediazione di Claire, e quindi tutto il carico del giudizio e le sue difficoltà a riportare – accettare – il racconto; il cinema, anche quando adotta un punto di vista, allo stesso tempo rende visibile la realtà cosí com'è. In pratica, nel racconto di Carver ci viene narrato l'episodio del ritrovamento della ragazza come un fatto già avvenuto, su cui grava il peso del giudizio e delle conseguenze; nel film, assistiamo al momento del ritrovamento: i fatti stanno lí davanti a noi, possiamo giudicare noi.

In questi venti anni,

una sera d'estate mi ha chiamato Nanni Moretti. Ci siamo visti in un caffè all'aperto dove fanno delle cremolate che ci piacciono molto, e mi ha raccontato l'idea per il film su Berlusconi che avrebbe voluto fare. Dalla settimana successiva, insieme a Federica Pontremoli, ci siamo messi a lavorare per trasformare questa idea in una sceneggiatura.

È difficile parlare del *Caimano*. È stata un'esperienza fondamentale, di cui sono molto orgoglioso; ma proprio per questo ha una sua storia già compiuta, che non c'è bisogno di ripercorrere. Quello che mi importa raccontare qui, è che all'improvviso la mia vita si è riempita completamente di Silvio Berlusconi, come se la sua apparizione davanti alla fontana della Reggia fosse stata una profezia: un giorno occuperò la tua vita, per anni – non solo i tuoi pensieri, i ragionamenti politici a cena, le ore davanti alla tv e le conseguenze della vita pubblica nella vita privata di ognuno, quindi anche tua; no, entrerò proprio nelle tue giornate e resterò davanti a te dalla mattina quando ti svegli alla sera quando vai a dormire e ti sembrerà, da un certo punto in poi, che la mia vita e la tua saranno intrecciate.

È stato cosí. Per circa un anno e mezzo, noi tre ci siamo visti tutti i giorni per tutto il giorno e abbiamo visionato un'incalcolabile quantità di ore di filmati e documenti, abbiamo scritto e riscritto le varie stesure della sceneggiatura, e intanto tutte le sere prima di andare a dormire e tutte le mattine al risveglio ho letto qualsiasi libro su Berlusconi e una montagna di articoli. Raccontavamo di Berlusconi, parlavamo di Berlusconi, leggevamo di Berlusconi. Ogni avvenimento pubblico di quel periodo condizionava le nostre giornate di lavoro ma anche le nostre serate o la spensieratezza di una domenica. Perfino durante le riprese, fino all'ultima scena, continuavamo a raccogliere materiale, soprattutto per il monologo finale, in cui abbiamo usato parole pronunciate da Berlusconi in vari contesti. A un certo punto, quando prima dell'inizio delle riprese, alla riunione con i legali della produzione, mi è stato chiesto se avevo case di proprietà, ho dovuto perfino mettere in conto la possibilità (pur remota) che un giorno Berlusconi si prendesse la mia casa in conseguenza di una vittoria legale contro il film (e gli autori della sceneggiatura); questo atto avrebbe chiuso il cerchio in modo didascalico riguardo alla sua apparizione davanti a quella fontana, cioè al luogo che consideravo simbolicamente: la mia casa.

Non abbiamo mai immaginato un attacco frontale. Abbiamo raccontato la crisi di un uomo (il produttore, interpretato da Silvio Orlando) sia nella vita privata sia nella vita professionale. Insieme alla giovane regista (Jasmine Trinca) che vuole fare un film un po' velleitario su Berlusconi (di cui nel *Caimano* si vedono alcune scene, la maggior parte delle quali immaginate dal produttore mentre legge la sceneggiatura) e ha già provato a coinvolgere Nanni Moretti (che interpreta quindi se stesso), ma lui ha risposto in modo distratto, cantando una canzone, accusando regista e produttore di voler fare il film che tutti si aspettano, di voler fare la solita parodia.

Alla fine, a sorpresa sarà proprio Nanni Moretti l'attore che interpreta il Caimano; andrà verso il tribunale dove sta per essere pronunciata la sentenza contro di lui e in auto farà il monologo in cui ci sono anche frasi pronunciate realmente da Berlusconi in vari contesti. Poi il tribunale lo condannerà e lui lí fuori spingerà il popolo alla rivolta, con parole impronunciabili in democrazia. Mentre si allontanerà, la rivolta sarà cominciata.

Ci si riferisce spesso, riguardo al film, alla scena finale, che piú volte ha rischiato di ripetersi nella realtà. Ma si fa riferimento di meno al fatto, per noi importante quando abbiamo scritto il film, che fosse Nanni Moretti a interpretare il Caimano. A vestire i suoi panni. Nanni, mentre scrivevamo, lo chiamava «il cortocircuito». È stato un elemento costitutivo del nostro racconto. Nanni Moretti era un simbolo dell'antiberlusconismo per tantissimi, e indossava i panni del Caimano nella parte finale del film. Quella in cui si vedono le caratteristiche piú pericolose.

Era il nostro modo di sentirci coinvolti; il nostro modo di raccontare, attraverso colui che indicavamo come il male, il Paese tutto intero. Il film si spinge perfino a immaginare una contiguità tra ciò che accade nella vita pubblica e la crisi privata dei personaggi, delle relazioni di coppia – quindi un rapporto diretto tra vita pubblica e vita privata: in un Paese dove accadono cose che non ci piacciono, queste cose penetrano fin dentro le nostre case. Anche questo era il cortocircuito.

Infine, il film è uscito e anche noi siamo usciti da quel segmento di vita. Però è stato il *Caimano*, credo, ad avermi acquietato completamente. Per aver consumato tutto quel tempo su Berlusconi, per aver quindi affrontato quell'uomo che era venuto fino a casa mia. Ma sono uscito da quel periodo con una certezza di corresponsabilità piú salda, come se fossi rimasto affezionato al cortocircuito e non volessi piú disinnescarlo: avevo partecipato anch'io, come tutti, in qualche modo, alla costruzione dell'Italia cosí come la vedo, sia avendo ridotto il senso della tragedia, sia con lo strumento della superficialità, sia per le continue assenze, sia per aver goduto di ogni cosa; non solo, ma il secondo passo di questo autoprocesso, è che piú si capisce quante somiglianze ci sono, piú si hanno strumenti per combattere. Questo è il processo analitico che è stato sconfitto nella lotta politica, ciò che la sinistra si è rifiutata di fare in questi anni; ha vinto la barricata: noi siamo diversi, noi non siamo come quelli, e quindi siamo migliori, siamo moralmente piú alti, piú forti.

In questi venti anni,
una mattina di gennaio, sono andato a casa di Francesco Cossiga, insieme ad altri. Stavamo scrivendo un film per la tv su Aldo Moro. Ci ha accolti la figlia, gentile e distante. Ci ha accompagnati nel salone, dove c'erano foto incorniciate, appese al muro o sparse sui tavolini: ritraevano Cossiga insieme alle piú grandi personalità della storia recente. Dopo un po' lui è arrivato, camminando con passetti piccoli, trascinando scarpe morbide da casa: indossava una tuta adidas mal combinata con dei pantaloni di tuta champion. Si è seduto e ha subito detto: voi lo sapete che – e ci ha raccontato un pettegolezzo su Moro che non riporterò perché riguardava la vita privata e non pubblica. Dirò soltanto che è stato molto sorprendente e soprattutto spiacevole perché ci ha chiesto se lo avremmo messo nel film. Poi ha cominciato a raccontare facendo duemila digressioni, con brillantezza e ironia (e anche autoironia). Un narratore vero, che si sentiva già dentro la Storia, molto colto sulla politica e molto propenso a parlar male degli altri; ma allo stesso tempo una persona intelligente che dava giudizi acuti. Ha parlato a lungo del suo rapporto con Moro, e di quei 55 giorni del 1978. Ricordava tutto, muoveva la Storia un po' come gli risultava favorevole, tendeva sia a sdrammatizzare alcune coincidenze tragiche, sia a rendere piú ambigui certi passaggi: Moro non si fidava di Andreotti, da molto tempo non aveva piú buoni rapporti con Zaccagnini, nei suoi progetti ero io il suo successore.

Ha anche detto che i brigatisti hanno ucciso Moro perché ormai le forze dell'ordine li avevano braccati. Ha parlato del dolore di quella prima lettera, ma cercando di passare ad altro al piú presto, e quindi denunciando quel dolore come profondo. E soprattutto ha detto senza esitazioni una frase che serviva a minimizzare la volontà di non liberare Moro, ma non la minimizzava: certo, io e Andreotti ci siamo detti che se Moro fosse uscito vivo da lí, per noi sarebbe stata la fine. Ha detto questa frase come se riportasse una riflessione tra due persone che poi sapevano di dover agire in altro modo, come se fosse una chiacchierata trascurabile. Solo che non ha avuto l'effetto in sordina che desiderava, perché quella frase pronunciata con serenità ci ha fatto rabbrividire. Ho sentito con nettezza che avremmo voluto guardarci, ma nessuno di noi lo ha fatto, e abbiamo finto che fosse una frase come un'altra.

Sulla porta, quando siamo andati via, ha detto che gli faceva piacere se tornavamo, e che se avessimo voluto avrebbe potuto dare consigli all'attore su come interpretare Cossiga, e anche a Michele Placido su come interpretare Moro. Sembrava – forse sembrava soltanto – un atto contro la solitudine.

In questi venti anni,

una domenica mattina in cui io e Chesaramai eravamo al parco insieme ai nostri amici Paolo e Daniela, ci ha raggiunti un loro amico con i baffi, ci siamo presentati, si chiamava Peppe; l'uomo con i baffi ha cominciato a raccontare a Paolo della figlia che studiava in Inghilterra, per dire che era del tutto diverso vivere all'estero, rispetto all'Italia; e allora ho detto con una leggera foga, in modo stonato ma convinto, che non si può andare via, dobbiamo stare qua, il compito che abbiamo tutti è lavorare per cambiare il Paese; e questo Peppe mi ha guardato sorpreso, poi ha detto con calma: certo, lo so, e infatti io sto qua; in quel momento, dallo sguardo di rimprovero di Paolo, dallo sgomento che ho letto negli occhi di questa persona, mi sono reso conto che doveva essere qualcuno che trovava offensiva la mia affermazione. Era Giuseppe D'Avanzo, ma l'ho capito quando se n'è andato.

Mi sono vergognato. Perché in questi venti anni, ho fatto differenze, leggendo i giornali, tra coloro che si occupavano di Berlusconi considerandolo un pagliaccio e coloro che si occupavano di Berlusconi considerandolo il presidente del Consiglio (ed erano questi ultimi i piú preoccupati, razionali e inesorabili). In seguito, ci siamo incontrati qualche volta a casa dei nostri amici, abbiamo parlato di politica, e anche di altro; mai dei lunghi articoli che scriveva su Berlusconi, e quasi mai di argomenti futili: sembrava una persona affettuosa ma seria; però devo dire che non lo conoscevo abbastanza. Speravo soltanto che si fosse dimenticato di quel rimprovero, di quell'arroganza ingenua.

Una sera d'estate, poi, una di quelle sere in cui a Roma sono partiti quasi tutti e stavo per partire anch'io, ho dato appuntamento a Daniela per un aperitivo da Panella. Abbiamo cominciato a chiacchierare, poi è passato di lí Attilio Bolzoni, ha detto mi siedo solo cinque minuti e Daniela gli ha chiesto come andava la preparazione. Cosí ho scoperto che lui e Giuseppe D'Avanzo avevano comprato delle biciclette da professionisti, si allenavano per chilometri tutte le settimane e tra qualche giorno sarebbero partiti per una specie di giro di Sicilia autogestito. Avevano già organizzato i pernottamenti tappa dopo tappa in vari agriturismi. Bolzoni si accendeva mentre raccontava e si è dimenticato dei cinque minuti: diceva che era diventata subito una passione irrinunciabile, facevano programmi di allenamento, percorsi che comprendevano salite, discese, esplorazioni di paesini; diceva che due giorni dopo sarebbero andati su una montagna dove non erano ancora stati, ne parlavano da settimane. Ho cominciato a fare un sacco di domande, perché non ne sapevo nulla di tutto questo tempo passato ad andare in bicicletta, svegliandosi all'alba, organizzando con affanno le ore di lavoro e le ore sulla strada. Bolzoni raccontava i paesaggi, i silenzi, il sangue che senti scorrere fluido all'interno del corpo, gli zuccheri che mangi continuando a pedalare, il momento in cui ti fermi e ti butti su un prato; e anche il controllo dietetico, gli strumenti per misurare battiti ed energie consumate, l'impegno di non saltare troppi giorni per non perdere la scioltezza della gamba, le discussioni sui percorsi da fare il giorno dopo. Diceva anche con insistenza che era un bel modo per stare lontano da tutto questo – e faceva un gesto ampio con la mano, che comprendeva molte cose, e mi sembrava che il gesto attraversasse (quindi comprendesse) anche me e Daniela e tutti gli altri seduti da Panella a bere gli aperitivi. Avevano trovato una passione comune, diceva, e cosí insieme si allontanavano da ciò che li occupava da anni, anzi li ossessionava.

La mattina dopo, quando ho raggiunto Chesaramai al mare, le ho raccontato subito questa storia in un modo concitato, con un senso di ammirazione che non riuscivo nemmeno a spiegarmi bene (inutile dire quale è stato il commento di Chesaramai), però quello che mi colpiva era la costruzione di un modo di vivere che per semplificare definivo oppositivo. Loro erano completamente impegnati e immersi nel presente, e poi però sceglievano di allontanarsene, di non partecipare a quella vita alla quale su per giú partecipavamo tutti. Senza in nessun modo, e in nessun istante (né quando Attilio raccontava, né quando lo raccontavo io a mia volta) pensare che avrei desiderato fare lo stesso, conservando uno sguardo distante – mi sembrava che questo antiberlusconismo di fatto non fosse soltanto mirato ossessivamente alla persona, ma a un modo di stare al mondo. Uno sguardo critico sulla vita del Paese corrispondeva a una ricerca di alcune ore o giorni o estati di-

verse, rasserenanti, in dimensioni lontane dall'intrusione
di quel presente contro cui scrivevano ogni giorno, da anni
e anni. È come se Bolzoni mi avesse detto: poiché non ci
piace il mondo in cui viviamo, non ci limitiamo a ripeter-
lo ogni giorno, ma abbiamo cercato altri luoghi e altri modi per stare tra persone e paesaggi che ci piacciono di piú.

E poi, il giorno dopo ancora, all'improvviso, la notizia
dell'infarto fulmineo di D'Avanzo, andando verso quella
montagna che non avevano ancora raggiunto. Bolzoni me
l'aveva raccontata in anticipo, con gli orari e il programma, e gli occhi febbrili di chi non vede l'ora.

In Bolzoni, come in D'Avanzo, avevo sentito, ogni volta che li avevo incontrati, una specie di insostituibile infelicità di fondo, per partecipazione completa alle questioni
del Paese. Le volte in cui avevamo chiacchierato, la loro
adesione alla vita pubblica era totale, anche se cercavano
una via d'uscita e in quella via d'uscita trovavano una loro
sostanziosa felicità. Anche se le loro vite private sono ed
erano felici (e questo non lo so: com'è mio costume, non
ho indagato) – era sempre visibile, in loro, negli occhi, la
tristezza dei tempi in cui viviamo. Come se portassero addosso sul serio quello che a tutti gli altri piaceva dire: che
anni terribili stiamo vivendo.

Credo ci siano vari modi di fare giornalismo d'indagine
e di riflessione, e quello di D'Avanzo su Berlusconi è stato
allo stesso tempo il piú spietato e il piú serio: non c'erano
mai parole sarcastiche, ma c'erano parole tragiche; i suoi
articoli erano molto seri e rispettosi del ruolo, di quella
serietà e di quel rispetto che ponevano con insistenza ossessiva il problema concreto di Berlusconi a capo del governo. La sua concretezza si è rivelata chiara quando si è
occupato delle vicende private di Berlusconi: ha cercato in
modo meticoloso gli elementi che provocavano danno alla
vita pubblica; ha portato alla luce le ragioni per cui alcuni
aspetti delle vicende private ponevano dubbi e pericoli nel

ruolo pubblico; ha affrontato le indagini sui fatti privati come questione politica e non come questione morale, al contrario di quasi tutti gli altri, detrattori o difensori di Berlusconi, che lo hanno attaccato per un giudizio morale sulla sua vita o lo hanno difeso contro il moralismo.

Insomma, quella sera mi è sembrato di ascoltare una dimostrazione di precisione. Una corrispondenza esatta tra lo spirito espresso nella vita pubblica (professionale) e nella vita privata. È come se Bolzoni mi stesse spiegando che tra le cose che si pensano e le cose che si fanno può esserci una relazione naturale. Quella precisione, mentre la scoprivo, la ammiravo anche per il fatto che mi era profondamente estranea. Forse è un punto a favore della purezza, che finalmente mostra un lato positivo, ma io non lo posso comunque acchiappare; l'ho sfiorato, e se n'è andato via in quel modo.

Quando vivevo ancora a Caserta, la domenica andavo al palasport, guardavo la partita insieme al mio amico Alessandro e agli altri giornalisti, alla fine correvamo tutti in sala stampa e scrivevamo la cronaca della partita, davamo voti a giocatori e allenatori delle due squadre e spedivamo il tutto, il piú presto possibile.

Un po' perché credeva che fosse giusto, un po' perché gli piaceva vivere le cose da vicino, Alessandro era attratto dalla squadra e dai fatti che le accadevano intorno; cosí, aveva cominciato ad andare agli allenamenti tutti i giorni. Restava lí a chiacchierare, anche dopo, con i dirigenti, l'allenatore; qualche volta andava a cena con loro. Cominciò anche a seguire la squadra in trasferta; a viaggiare insieme alla squadra, a vivere il prepartita, il dopopartita. Partecipava. Si sentiva totalmente coinvolto. Eravamo tutti e due tifosi della nostra squadra, la seguivamo fin da quando eravamo piccoli. Ma adesso, lui soffriva piú di me

se perdeva, gioiva piú di me se vinceva. Chiamava i giocatori per nome, scherzava con loro, mi riportava un sacco
di aneddoti e retroscena. Non solo. I suoi articoli e i suoi
voti, adesso, erano piú generosi; era sempre molto indulgente, spiegava di continuo i motivi per cui un giocatore
aveva giocato male; li spiegava perché li sapeva.

Io davo dei giudizi piú critici. Esprimevo convinzione quando la squadra giocava bene, e scetticismo quando
giocava male. In questo caso, i miei giudizi innervosivano
sia i dirigenti sia l'allenatore, che un giorno mi chiese di
andare a incontrarlo dopo l'allenamento. Mi disse: puoi
scrivere quello che vuoi, ma per farlo con maggiore oggettività devi venire qui ogni sera, devi osservare la squadra
durante la settimana, devi capire perché uno gioca male la
domenica, perché casomai non si è allenato bene, è in un
periodo triste, ha dei problemi con la fidanzata, con i genitori, ha dolori muscolari; non puoi raccontare una stagione senza occuparti di tutto quello che accade durante
la settimana, non puoi venire a vedere la partita la domenica e interpretare soltanto quello che vedi.

Il sospetto che l'allenatore cercava di infilare dentro la
mia coscienza, era quello di non volere abbastanza bene
alla squadra. Come se Alessandro, partecipando, mostrasse
con maggiore convinzione la sua appartenenza. A me sembrava che la questione piú equilibrata invece fosse: io amo
la squadra quanto la amano tutti i miei concittadini, ma
il mio ruolo è di osservatore. Pur amandola, devo cercare
di dire la verità. Perciò risposi quello che mi era sembrato giusto, e che adesso le parole dell'allenatore avevano in
qualche modo chiarito: no, dissi, per scrivere con maggiore
oggettività, devo venire al campo la domenica, guardare
la partita e scrivere quello che vedo. Devo conservare la
distanza tra me che guardo e voi che giocate.

Il mio ruolo era cercare di raccontare ciò che vedevo.
Non assistere ai retroscena. Anche perché assistere ai retroscena, andare in trasferta con la squadra, vedere gli al-

lenamenti, significava cominciare ad avere un rapporto compromesso dall'affetto, dalla comprensione, dall'amicizia, dalle complicità; o al contrario, poteva nascere un'antipatia, un fastidio, un rancore personale; e quindi non avrei avuto piú la pulizia necessaria per scrivere. Andare al campo e vedere la partita era un atto pubblico, assistere ai retroscena era un atto privato. Era come se i giocatori negli spogliatoi, seminudi e rilassati, fossero Diana; e io Atteone che indagava.

Nella sostanza, e senza che potessimo nemmeno lontanamente immaginarlo, io e Alessandro stavamo prendendo le due posizioni in contrasto che per molti anni sono state dibattute a proposito degli intellettuali e del loro rapporto con la vita pubblica.

Alessandro riteneva che il ruolo dell'intellettuale fosse quello di aderire, partecipare, e all'occorrenza piegare i fatti in favore delle idee della sua parte (Sartre); io ritenevo che bisognava stare fuori dalle pressioni di una parte, per conservare la capacità di comprensione e interpretazione degli accadimenti (Aron). In tutti e due i casi, avrebbe detto Bobbio, non eravamo neutrali (eravamo tifosi della nostra squadra), però ci differenziavamo perché Alessandro tendeva a essere parziale e io tendevo a essere imparziale. E la questione fondante era che non c'è nessun bisogno di essere neutrali per essere imparziali.

Cosí, mi ritrovavo di nuovo seduto sul bordo del letto di zio Nino. È in quel momento che si è piantato dentro di me, credo, questo sguardo un po' distante. Avrei potuto legare la mia vita ai vari tasselli, mettere a frutto le esperienze, collegare quel ragazzo scettico sulle insinuazioni di Camilla Cederna al giovane che desiderava tenere la distanza dalla squadra di basket. Se avessi adottato quella unione tra emotività e senso critico – se avessi compreso in tempo che il senso di appartenenza e la lucidità di giudicare non erano affatto in conflitto, ma anzi si dovevano tenere, se non avessi passato tutto il resto del tempo a ignorarlo, avrei capito prima cosa volevano dire quei fischi di Verona, cosa voleva dire quel titolo dell'Unità: TUTTI.

Del resto, perché avevo provato a essere puro? Perché avevo creduto di poterlo essere? Avevo sentito di nascere per davvero mentre rubavo nel frigorifero della Reggia; avevo creduto di avere il colera mentre avevo semplicemente preso del guttalax; avevo accolto il comunismo grazie al gol di un centravanti; avevo regalato un peluche a una ragazza di estrema sinistra; avevo passato l'intera adolescenza e gran parte della giovinezza seduto prima su un muretto, poi al bar e alle feste e andando a tempo in discoteca; quasi tutti i miei amici – forse tutti, a un certo punto – erano democristiani o fascisti, o tutt'e due o niente; avevo passato i giorni piú felici della mia vita durante il terremoto; non ero andato al funerale di Berlinguer; avevo cominciato a scrivere su riviste di basket.

Dov'era questa purezza? Non c'era.

Per quanto mi riguarda, tutti questi anni passati a inseguire un me migliore, sono stati molto faticosi e hanno ottenuto poco o niente, nel tentare di indicare la responsabilità degli altri. Tanto valeva affrontare le cose dalla strada opposta: ammettere chi ero, da dove venivo – tutti i miei limiti; era questo il sollievo che avevo provato liberandomi della purezza, come se la tensione a essere come i miei simili mi avesse debilitato, impegnando tutte le mie forze in uno sforzo gigantesco; e alla fine, non ci ero nemmeno riuscito.

È meglio rendersene conto: se come si è, e come si dovrebbe essere, non riescono a coincidere, allora la sincerità è piú fruttuosa del senso di giustizia. Perché ti fa cercare le cose che non funzionano in te, in qualche modo ti fa imparare ad accettarle e a conviverci – la sincerità ti fa vedere anche accanto a te quei cinque ragazzi abbarbicati addosso alla ragazza del cortometraggio francese. Il senso di giustizia ti spinge di continuo a ignorare i tuoi difetti fondanti e a tendere verso il bene. E chi non ha la propensione alla purezza, non ce la fa; o ce la fa inciampando di continuo, guardandosi di continuo allo specchio perché i vestiti che indossa non sono i suoi, sono quelli che vorrebbe indossare, quelli che desiderava. Ma non sono i suoi.

Bolzoni quella sera ha raccontato, senza intenzione, che i vestiti che indossavano lui e il suo amico erano i loro, ed erano quelli che avrebbero voluto indossare. E io sono stato due giorni a ripensarci, senza mai dire: vorrei essere come loro. Perché ormai lo so che non lo sono, e preferisco ammetterlo. Se io non fossi nato una seconda volta davanti alla fontana di Diana e Atteone forse avrei potuto accogliere quella precisione. Se io non fossi nato dove sono nato, insieme a chi sono nato, nella famiglia dove sono nato e non avessi vissuto la vita che ho vissuto che è in assoluta sintonia con la fontana di Diana e Atteone, avrei potuto accogliere la precisione. Ma non posso accoglierla. Quindi quello che mi ha fatto vedere Bolzoni è senz'altro una strada possibile verso una purezza che non tiri fuori dalla realtà; ma non è la mia strada.

Per questo la notizia della morte di D'Avanzo, in quel modo e proprio lí, mi ha straziato. Perché oltre alla perdita per tutti, ha comunicato un messaggio che riguardava soltanto me: questa precisione non la puoi toccare se non per un attimo, ma nella sostanza non esiste. Svanisce.

Però finalmente, adesso avevo capito che tutto quello che ero riuscito a concepire, a organizzare in un pensiero mirato alla vita pubblica, arrivava da un carattere di cui non ero stato cosciente, fin da piccolo, e dalle esperienze anche minuscole che lo avevano assestato, con modifiche chirurgiche. Bisognava avere un'autonomia, riuscire a fare dei passi indietro fino a raggiungere la distanza esatta in cui non sei piú troppo vicino, ma non ti sei davvero allontanato. E la vita che avevo attraversato era questo che aveva determinato per me: il colera dalle parti nostre, ma non esattamente da noi; il terremoto dalle parti nostre, ma non esattamente da noi.

In questi venti anni,
tutto il mondo che ho conosciuto, tutta la vita di Roma, tutte le soddisfazioni e le frustrazioni sentimentali, professionali, esistenziali, le domeniche mattina al parco con i figli, i litigi e alcuni periodi bellissimi con Chesaramai, le energie, il pensiero, la vigliaccheria, la consapevolezza, la paura del futuro, il desiderio sessuale, il rapporto con il denaro – ho vissuto tutto, tutto ciò che riguarda la vita di ora, con la presenza incombente e costante di Berlusconi. Ho messo piede a Roma mentre Berlusconi arrivava a Roma per la politica, e poi è andato a casa mia subito dopo essere stato eletto. Eppure, durante questi venti anni, la mia vita è stata a volte felice e a volte infelice, ma in fin dei conti piú felice che infelice, perché si è, per cosí dire, consolidata, è sbocciata, tanto che non l'avrei di certo scambiata con la mia giovinezza («non voglio ricordare la mia giovinezza, perché essa non c'è piú»). Negli anni in cui c'era Berlinguer, sono stato piú infelice che felice. In questi venti anni di Berlusconi, sono stato piú felice che infelice. Non sono stato infelice a causa di Berlinguer, non sono stato felice a causa di Berlusconi. Anzi, molti dei legami tra vita privata e vita pubblica hanno fatto in modo che Berlinguer rendesse meno infelice la mia giovinezza, e Berlusconi rendesse meno felice l'età adulta. Però si può essere infelici nonostante si creda in qualcosa, e si può essere felici nonostante si detesti qualcosa.

In questi venti anni ho vissuto l'amore concreto e quotidiano, sono diventato padre, ho passato molto tempo con gli amici, ho conosciuto tante persone interessanti, sono stato a centinaia di feste e a migliaia di cene, ho fatto riunioni di lavoro a pranzo, sono andato a prendere dei caffè per chiacchierare; e sempre, o quasi sempre, ho commentato la situazione politica; e quindi sempre, o quasi sempre, ho pronunciato oppure ho sentito pronunciare il nome di Berlusconi. A casa, l'ho pronunciato cosí tante volte che all'asilo di mio figlio – quando un bambino ha detto che era arrivato tardi perché i taxi non c'erano a causa di un uomo cattivo che si chiama Berlusconi (e sul fatto che un bambino di tre anni pensi queste cose, ci sarebbe molto molto da dire) – la maestra ha chiesto agli altri bambini se conoscevano Berlusconi; e tutti hanno risposto no; tranne mio figlio, che invece ha detto: sí, è un amico di papà.

Non ho mai riso alle barzellette o alle mail con spiritosaggini e sarcasmi vari su Berlusconi o su ministri bassi o grassi; non mi sono mai divertito, e di questo alla fine sono contento. Ho smesso di firmare qualsiasi appello cosí ho trovato il metodo concreto per ricordare a me stesso che io c'entro, che non sono innocente, che non posso tirarmi fuori, che tutto ciò che accade in Italia è anche un po' colpa mia; che stare insieme a molti altri dalla parte giusta non è sufficiente, non mi fa sentire migliore; non firmo, quindi, per paura di esserne compiaciuto; per paura che, alla fine, mi possa bastare. Ho sentito Ermanno Olmi, in un incontro pubblico, cominciare un ragionamento con questa frase: va bene, lo uccido io Berlusconi, ma poi? – voleva dire, con tutta evidenza, che bisognava essere meno certi che con la fine di Berlusconi si sarebbe risolto ogni problema del Paese; ma a chi era presente il suo ragionamento non importava piú: alcuni hanno applaudito al proposito di uccidere Berlusconi, altri hanno preso la parola per dire (a un uomo mite come Olmi) che la violenza forse non era la soluzione a cui dovevamo ricorrere. Ho visto mia figlia tornare dalla scuola elementare urlando Berlusconi si è dimesso, sono cosí felice, forse perché glielo aveva detto la maestra; e ho pensato che avrei dovuto essere contento, e invece ho sentito un'enorme tristezza. Mentre ero in attesa all'aeroporto di Fiumicino, ho visto passare il segretario del mio partito, ormai ex comunista; avanzava serio, pensoso, preceduto da due collaboratori; ha incrociato due ragazze bellissime, con dei gonnellini stretti e corti, e quando le due ragazze lo hanno superato, lui ha girato lento e automatico la testa e ha guardato il culo delle due ragazze, poi è tornato a guardare avanti, tranquillo; da quel momento ho cominciato a osservarlo alla tv con un sentimento diverso, positivo, mentre si indignava contro tutto e tutti; mi faceva piú simpatia; e ogni volta ho pensato che se avesse messo nel suo ruolo politico un po' di quella debolezza fugace che aveva avuto quando ha pensato fammi vedere se hanno un bel culo, forse sarebbe stato piú coinvolgente, comprensivo. In questi venti anni, ho sempre vissuto a Piazza Vittorio a Roma, vantandomi di far crescere i miei figli in un quartiere multietnico, ma un sacco di volte tiro via i bambini davanti a uno straniero che mi sembra pericoloso, e odio con tutta l'anima quelli ubriachi, che dormono davanti al mio portone e non posso dirlo ma spero che si spostino piú in là (sotto un altro portone sarebbe sufficiente). Scelgo di dare una monetina a uno che chiede l'elemosina, e a un altro no: sto ancora cercando di capire con quale criterio, e spero che un criterio non ci sia.

Ho tenuto corsi di scrittura e di sceneggiatura in scuole private, all'università, al Centro sperimentale, e ho avuto la percezione netta di poter avere rapporti sessuali con studentesse, attraverso il potere che esercitavo e il ruolo che avevo; quel rapporto di forza che percepivo netto, mi avrebbe permesso di sedurre non per la persona che ero ma per la (pur fragile: uno scrittore) posizione che avevo; e non voglio dirlo se questa condizione l'ho sfruttata o no; perché anche se non l'ho sfruttata, quella posizione è evidente che l'ho riconosciuta perché ero consapevole di poterla o volerla sfruttare; altrimenti non l'avrei riconosciuta. Ho visto in libreria dieci nuovi instant book contro Berlusconi ogni mese, poi recensiti con entusiasmo dai giornali contrari a Berlusconi: su dieci, nove erano molto brutti o inutili; ma la qualità non aveva piú importanza per nessuno. Ho visto molti miei amici coltivare una specie di razza ariana di sinistra, con la loro volontà ostinata di avere figli colti e preparati, che hanno già un pensiero contro Silvio Berlusconi fin dall'età di quattro anni (tre, per quanto riguarda il compagno di scuola di mio figlio); per questo poi li mandano nei licei migliori, dove si studia tanto, tutto il giorno, perché bisogna fortificarsi, e attrezzarsi per andare contro le stupidaggini della vita.

In questi venti anni, sono anche arrivato un po' tardi a una riunione di una rivista romana, a cui collaboravo insieme ad altri scrittori; mi sono seduto cercando di non disturbare, stavano discutendo; di fronte a me c'era una faccia nuova, che però ero convinto di aver già visto da qualche parte; mi sono distratto continuando a chiedermi chi è, e poi ho capito: era Valerio Morucci, il brigatista che durante il sequestro Moro aveva il compito di recapitare lettere e comunicati. Ho chiesto se avevano avvertito qualcuno che sarebbe venuto, e mi hanno detto di no. Alcuni erano infastiditi, altri invece dicevano che adesso aveva tutto il diritto di stare lí. Credo che se mi avessero telefonato e mi avessero chiesto se mi andava bene, ci avrei pensato e probabilmente avrei potuto rispondere sí – non ne sono sicuro, ma avrei potuto farlo. Invece, trovarmelo di fronte, è stato scioccante. Ci ho pensato un po', ho anche pensato che fosse offensivo nei suoi confronti, ma non ce l'ho fatta e me ne sono andato. Un'altra volta, al Manifesto, c'era una redattrice molto gentile che mi dava i libri da recensire. Mi ha detto che sapeva che avrei presentato un libro, la sera, e che sarebbe venuta volentieri se solo avesse potuto; le ho detto: peccato che non vieni; e lei mi ha risposto, come se conoscessi benissimo la sua situazione (e non la conoscevo affatto): eh lo so, ma alle

otto devo rientrare in carcere. In quel momento ho preso
tutte le forze di mia moglie e me le sono caricate addosso.
Vabbe', vai un po' in carcere la sera – le ho detto. Per dire: c'è di peggio, dài, non ci pensare. Ci vogliamo rovinare
la giornata per questo?

Ho cominciato a pubblicare i miei libri con Feltrinelli,
e i miei primi articoli sul Manifesto – ancora adesso trovo
nelle biografie su internet "scrive sul Manifesto" perché
questo è indelebile, è come se una volta scritto sul Manifesto valesse per sempre, e io avevo scritto solo qualche
recensione nell'inserto letterario; ne sono contento, ma
con onestà devo dire che questa collocazione cosí precisa
era fortuita e non la posso rivendicare: avrei scritto per
qualsiasi casa editrice o su (quasi) tutti i quotidiani che
me l'avessero proposto; in seguito, ho lasciato Feltrinelli
per Einaudi, che è nel gruppo Mondadori, di proprietà di
Berlusconi. Ho scritto sia film totalmente indipendenti,
sia film finanziati dal servizio pubblico, sia film finanziati da Medusa, di proprietà di Berlusconi. Ho fatto finta
di condividere l'idea che avevano avuto al Diario: non far
recensire a uno scrittore italiano né libri di altri scrittori
italiani, né libri della sua casa editrice; erano troppo orgogliosi per essere contraddetti, perché pensavano di aver
trovato la formula dell'onestà; a me sembrava invece che
avessero formulato un pregiudizio definitivo di disonestà,
perché non mettevano piú in conto la possibilità che qualcuno potesse scrivere con sincerità di qualsiasi cosa. Sono
stato accanto al letto di mio padre prima e di mia madre poi,
all'ospedale di Caserta, e alla fine sono guariti tutt'e due.
Ho letto libri indimenticabili e dimenticabili, sono uscito
dal cinema prostrato dalla forza di un film o sono andato
via a metà, arrabbiato. Ho letto i giornali tutti i giorni, ho
continuato a scriverci, ho provato a non scrivere piú che è
brutto che ci siano le guerre, ma qualche volta lo faccio, e
senza fare troppe storie, anche se non sono contento. Tutte
le volte in cui mi sono piegato alle richieste degli altri, ho

ripensato con piacere alle parole «non ci avete piegato». Ho visto Berlusconi una sola volta, da molto lontano, in una manifestazione in piazza del Popolo: a un certo punto è apparso sul palco, e ha cominciato a parlare con aria soddisfatta e compiaciuta; ma poiché era molto lontano, ho smesso subito di guardarlo e mi sono messo a fissare i grandi schermi che riproducevano il suo volto in primo piano; quindi, di fatto, sono tornato a guardarlo alla tv. Ho guardato una trasmissione contro Dell'Utri e quando un avvocato molto antipatico è intervenuto per dire che i processi si fanno in aula e non in tv, mi sono sentito completamente d'accordo con lui, e ho provato almeno tre o quattro volte, quella sera, compassione per lo sguardo perduto di Dell'Utri, per il fatto che fosse uno contro tutti; e di piú, per il fatto che aveva pure torto.

In questi venti anni, Veltroni una volta mi ha chiesto di parlare al Lingotto e a me la sera prima è venuta la febbre a 40, sono stato malissimo e ho dovuto rinunciare a partire – e quindi ho mancato anche l'incontro con il Pd. Ho tentato di scrivere un reportage sul congresso del Pd, quando lo hanno annunciato: avevo immaginato di passare tutto il tempo con i delegati, assistere a tutti gli interventi, ai capannelli in corridoio (fare come a Ovindoli, ma stavolta essendo io per davvero: era un po' il riscatto verso quella disonestà), alle serate in albergo o in pizzeria con gli altri militanti. Del congresso, però, si avevano notizie soltanto confuse, non ufficiali. Si è detto che sarebbe stato di tre giorni, non si sapeva dove; poi di due, a Bologna. Poi di un giorno solo. Infine è stato cosí, un giorno, a Roma, in un albergone. Sono andato insieme a Giuseppe Laterza, che avrebbe dovuto pubblicare il libro; hanno annunciato che avrebbero parlato i tre candidati delle primarie, alle dieci. C'erano file di pullman di delegati arrivati da tutta Italia. I tre candidati hanno cominciato a parlare intorno a mezzogiorno, dicendo perché bisognava votarli. Quando hanno finito la presidente dell'assemblea ha detto che era ora di pranzo e avevamo tutti fame, che la discussione poteva essere rimandata a dopo le primarie, e se non c'era nessuno contrario, il congresso poteva finire lí. Non c'era nessuno contrario, e il congresso è finito lí.

L'11 settembre ho guardato gli aerei colpire le torri sotto un tendone della festa nazionale del partito, a Reggio Emilia.

Sono andato in vacanza in un albergo di montagna, bellissimo, lussuoso, e al ritorno dalla passeggiata, mi sono tuffato e ho nuotato nella piscina coperta e riscaldata e ho pensato che piú di cosí non si può essere felici. Ho accettato, in un giorno preciso in cui mi sono detto adesso basta, di essere felice del lavoro che faccio, e anche di mostrarlo senza piú pudore; in fondo è vero che avevo cominciato con *Come eravamo*, con Robert Redford, in fondo sono diventato scrittore per caso, ma in qualche modo quel caso mi ha portato un elemento di felicità specifica che ritrovo ogni mattina quando mi siedo davanti al computer, ed è identico a quando cominciai a scrivere quel romanzo brutto, la prima volta; quindi ora, quando vado ai festival e alle presentazioni, alle feste o alle cene, non dico piú che mi annoio perché, in verità, non mi annoio affatto. Qualche volta ho scaricato musica o serie tv, con la scusa che non si trovavano, e se le avessi trovate le avrei comprate, ma le ho scaricate illegalmente; ho perso dei soldi, non troppi per fortuna, scommettendo sulle partite di calcio; ho negato l'evidenza di alcuni sotterfugi o vigliaccate, urlando la mia integrità morale, come se urlandola di piú diventasse vera; ho detto che non chiamavo persone che stavano male per rispetto, per non importunarle, e in realtà cercavo giustificazioni perché mi mancava il coraggio.

Ogni giorno quando mi sveglio penso che devo credere nelle cose in cui bisogna credere, e intanto conservare in un angolo della mia testa quella scena de *Il dormiglione* in cui Woody Allen si risveglia dopo essere rimasto ibernato duecento anni, e gli dicono che bisogna mangiare carne e che il cibo vegetariano fa male; e lui, molto sorpreso, dice a questa gente del futuro che duecento anni prima si pensava esattamente il contrario. Ho visto tutta la prima stagione del *Grande Fratello*, comprese alcune ore notturne in cui loro dormivano e io ero sveglio a guardare loro che dormivano; ho votato piú volte a *X Factor* il mio cantante preferito, mandando un sms. Ho fatto anche il trenino a Capodanno e la donna davanti a me era una del *Grande Fratello* che era stata fotografata nella villa di Berlusconi, e mi piaceva molto, ed ero molto euforico. Ho tradito, in amore e in amicizia; sono stato tradito, in amore e in amicizia; ho perdonato e sono stato perdonato. Quando sono andato a qualche manifestazione (poi ho smesso) ne ho avuto voglia non solo per il motivo per cui si manifestava, ma anche perché cosí potevo incontrare un sacco di gente che conoscevo, passare il pomeriggio con tante persone che non vedevo da tanto tempo. Per me era come andare alle feste, segretamente – nella sostanza.

In questi venti anni, io e Chesaramai, insieme ai nostri due figli, abbiamo vissuto in una casa un po' piccola, e abbiamo dovuto fare due soppalchi per riuscire a dormire e vivere in modo sensato. Quei soppalchi non erano accatastati, e questo ci metteva a disagio (ma non abbastanza da aver rinunciato a farli). Poi è arrivato il periodo delle elezioni, e Berlusconi ha messo nel suo programma, in un modo che tutti definivano propagandistico, la possibilità di un condono che veniva chiamato "tombale", e a giudicare dalla definizione i nostri soppalchi rientravano ampiamente. Insomma, cercando di dirla per quel che era: avremmo risolto i nostri problemi se Berlusconi avesse vinto le elezioni. Io e Chesaramai abbiamo elencato con foga, come le altre volte, i motivi per cui non bisognava votare Berlusconi, poi siamo andati a votare il Partito democratico con coscienza e speranza. Però intanto che speravamo che vincesse la sinistra, non ci sarebbe dispiaciuto del tutto se avesse perso la sinistra, a causa di quei soppalchi. Non ce lo siamo mai detti, ma sapevamo l'uno dell'altra non che ci avrebbe addirittura fatto piacere, anzi, per carità, ci saremmo indignati e incazzati anche stavolta. Solo che stavolta ci saremmo indignati e incazzati ma fino a un certo punto, perché un piccolo vantaggio ce ne sarebbe venuto.

La promessa di Friedrich Dürrenmatt comincia con uno scrittore che tiene una conferenza sul romanzo poliziesco in un paesino svizzero. In albergo, la sera, conosce il commissario della polizia di Zurigo, che ha assistito alla conferenza e si offre di riaccompagnarlo la mattina dopo in città. Partono presto. Si fermano a un distributore di benzina piuttosto malandato, il commissario si rivolge a un vecchio pazzo seduto su una panca e poi porta lo scrittore a bere un caffè. Infine, ripartono. Quella sosta serve al commissario per raccontare la storia di quel vecchio pazzo e della sua promessa.

L'uomo si chiama Matthäi, era il suo miglior investigatore, tanti anni fa. Pochi giorni prima di lasciare la polizia svizzera per un incarico speciale in Giordania, Matthäi va sul luogo del delitto in un paesino vicino a Zurigo. È stata uccisa una bambina, con un rasoio. È la terza bambina che viene uccisa in quel modo, in quella regione, negli ultimi anni: si potrebbe trattare di un serial killer che sembra agire a intervalli sempre piú brevi. Matthäi ha il compito di dare la notizia ai genitori, e la madre gli chiede di farle una promessa: trovare l'assassino. Lui promette, ma soltanto per scappare da lí; in realtà non potrà nemmeno occuparsi del caso, visto che è in partenza. Viene subito arrestato un ambulante. Matthäi è convinto sia innocente, ma l'ambulante ha molte prove a suo sfavore, viene interrogato dai colleghi con mezzi leciti e illeciti e alla fine disperato confessa di aver ucciso la bambina. Poi la notte s'impicca nella cella.

Il giorno del funerale della bambina, il caso è già risolto; la madre si avvicina a Matthäi e dice: grazie, lei ha mantenuto la promessa. Matthäi invece è convinto di non averlo fatto, è convinto che l'ambulante sia innocente; significa che il colpevole è ancora in giro, quindi può ancora uccidere.

Decide all'improvviso che quella promessa deve mantenerla a tutti i costi, è il compito della sua vita.

Quindi rinuncia all'incarico in Giordania; soltanto che le dimissioni dalla polizia sono già esecutive. Ma ormai ha preso la sua decisione e comincia la lunga indagine: da privato cittadino.

La sua ipotesi si basa su un disegno della bambina morta, che chiama "Il gigante e i porcospini". È convinto – nonostante tutti, persino lo psichiatra, dicano che sia un disegno di fantasia – che lí lei abbia raccontato l'uomo che uccide, un'auto che sembra americana, e qualcosa che c'entra con i porcospini, ma non sa cosa: nel disegno un gigante dà dei porcospini a una bambina. Studiando i tre omicidi, si convince che c'è un luogo dove quell'auto americana dovrebbe passare per forza: il distributore di benzina. In pratica, decide di cercare qualcuno che probabilmente è solo un'invenzione, e che se pure dovesse essere reale, chissà dove si trova, e chissà se passerà mai da lí.

Tutti dicono che Matthäi è impazzito. E quello che fa lo dimostra: acquista il distributore di benzina, accoglie una prostituta come compagna di lavoro e di vita, insieme alla figlia. La bambina ha caratteristiche fisiche simili alle altre bambine uccise. La tiene con sé al distributore, le monta un'altalena e dei giochi, in modo che tutti la vedano. Questo piano è segreto, ignorato ovviamente da madre e figlia; solo il commissario capisce cosa intende fare, cerca di dissuaderlo, dice che c'è un reo confesso e che il suo è il progetto di un folle. Ma Matthäi non ha intenzione di demordere. Un giorno la bambina torna con delle praline di cioccolata (gliele ha date un mago); poi Matthäi scopre che per un paio di mattine la bambina non è andata a scuola, e scopre il luogo dove si vede con il mago. Le promette che non dirà nulla a nessuno, nemmeno alla mamma, e che domani la lascerà andare all'appuntamento.

La mattina del giorno dopo, Matthäi va dal commissario, racconta tutta la storia, spiega che i porcospini del disegno in realtà sono delle praline, e dice: avevo ragione, oggi lo prendiamo. Il commissario, che ha sempre ritenuto Matthäi il suo uomo migliore, deve ammettere che la storia è logica e compiuta, quindi gli crede; anche gli altri poliziotti gli credono.

Si appostano nel bosco. La bambina arriva, si siede, canticchia una canzone e guarda un punto fisso, come se aspettasse qualcuno.

Ma non arriva nessuno.

Decidono di tornare il giorno dopo, e poi ancora. Anche perché la bambina ogni giorno va lí e si siede e sta ore ad aspettare. Aspettano una settimana, pian piano se ne vanno tutti, restano solo Matthäi e il commissario. Ma non arriva nessuno. Quando cercano di farlo rinsavire, Matthäi risponde soltanto che bisogna andarci ancora, tutti i giorni, che il colpevole arriverà.

Nel tempo, la bambina crescerà, delitti del genere non ce ne saranno piú, Matthäi invecchierà e diventerà pazzo, perché continuerà a stare seduto davanti al distributore e a dire di continuo: aspetto, verrà. Sono le parole che dice anche al commissario, il giorno in cui si ferma lí insieme allo scrittore.

Ho sempre avuto attrazione per la sconfitta, nelle partite a tennis; molti di noi hanno sempre avuto attrazione per la sconfitta; Bertinotti ha dimostrato di avere attrazione per la sconfitta. Ma Berlinguer? La sua storia politica ha dimostrato davvero un'attrazione per la sconfitta?

Berlinguer ha compiuto il passo del ritiro perché ormai

non aveva altre strade aperte; Bertinotti ha compiuto quel passo emulandolo, perché ha voluto evidenziare l'estraneità della sinistra al potere: ma era dalla parte dei vincitori, insieme agli altri vincitori stava contribuendo a cambiare il Paese, e si è rifiutato di continuare – non ha considerato le conseguenze del suo gesto. La scelta di Berlinguer era una via d'uscita piena d'orgoglio dalla sconfitta storica della politica che aveva portato avanti per anni. Era il modo di salvare il proprio partito, la sua gente. La conseguenza è stata del tutto negativa, perché ha reso la sua gente e il suo partito sia simbolicamente sia praticamente lontani dal resto del Paese. Ecco cos'era quella parola che pronunciava spesso negli ultimi anni: diversità.

Ma non sono mai stato tra coloro che dicevano: questo è il vero Berlinguer. Anzi. Credo che Berlinguer abbia tentato di far parte del mondo, poi una mattina un'auto nera viene circondata, ammazzano le guardie del corpo e rapiscono l'uomo che cercavano; poi una lettera privata resa pubblica rende definitiva la fine di quell'uomo rapito. E cambia tutto. Al governo, al posto dei comunisti, vanno i socialisti, e a quel punto Berlinguer subisce l'emarginazione politica. Non è stata una scelta; ma l'orgoglio di Berlinguer ha reagito appropriandosi dell'emarginazione, facendone una scelta. Da molti questa scelta è vista (ancora) come un'azione positiva (coerente): stare fuori dal potere.

È chiaro che non è stata la comparsa di Berlusconi a fondare la purezza e la reazionarietà della sinistra, la sua delimitazione dei confini. L'idea di respingere un'epoca intera a causa di Berlusconi, derivava dall'idea di respingere un'epoca intera a causa di Craxi. E un'epoca – quella in cui si vive – non si respinge; si può soltanto accoglierla; si può accoglierla e analizzarla e criticarla. Ma facendone parte, sentendosi parte.

L'ipotesi del compromesso aveva l'obiettivo di cambiare il Paese, di spingerlo in avanti, lasciandosi alle spalle i vizi consolidati. L'alternativa democratica invece era frenante, abbandonava il Paese al suo destino, visto che il Paese aveva scelto una strada non condivisibile, e chiudeva il partito e i suoi elettori in un recinto fuori dal mondo, che respingeva ogni tentativo, maldestro o meno, di andare avanti. Il compromesso storico e l'alternativa democratica sono due processi politici opposti. Uno ha al centro la politica, l'altro ha al centro la morale. Per sintetizzare: il compromesso storico è l'etica della responsabilità, l'alternativa democratica è l'etica dei principî. Il primo è politica inclusiva, il secondo è politica esclusiva. In pratica, il compromesso storico era un'idea progressista, l'alternativa democratica era un'idea reazionaria.

L'eredità di Berlinguer, condizionata dall'ultima fase interrotta della sua vita, si è condensata in un lascito morale, non politico. È incentrata sulla questione morale e sulla diversità; ma la vita politica di Berlinguer è stata intensa e complessa, ed è impossibile ridurla a questo. Dico: ridurla – con intenzione. L'etica, da sola, non è un valore; ed è il sintomo piú sfrenato e dispendioso della purezza.

Era stata la governabilità, la lotta politica di tutta la sua vita. Ma aveva perso perché qualcuno aveva deciso di interrompere il corso della Storia, una mattina di marzo. La purezza e la reazionarietà erano un ripiego, una linea di difesa alla quale il popolo della sinistra ha creduto troppo, si è completamente affidato, e ha costituito una forma mentale che non si riesce piú ad abbattere.

La risposta quindi, se Berlinguer avesse una propensione alla sconfitta, è un no deciso.

In qualche modo, è questo il motivo per cui non c'ero il giorno dei funerali di Berlinguer: non mi sentivo all'altezza di quella piazza, certo; però allo stesso tempo intuivo del torto nella battaglia a cui aderivo: il mio simbolo personale del progresso ci aveva lasciato in eredità una lotta conservativa dello stato delle cose. Ci allontanava per sempre dalla forza delle cose.

Non ci sono andato perché quella purezza mi metteva a disagio. Perché tra la purezza che volevo disperatamente in quel momento, e che avevo cercato di acciuffare sentendomi Berlinguer a Verona, e le volte in cui avevo rappresentato l'impurità davanti a Elena, al colera, al terremoto, al Movimento, perfino all'inflazione, assomigliavo piú agli altri che a noi. Questo era un pensiero che sapevo scacciare via ogni volta che mi serviva scacciarlo via, ma davanti alla morte di Berlinguer, con la consapevolezza di portare in piazza San Giovanni la mia storia a confronto con tutte le altre, non me l'ero proprio sentita.

Quelli di Verona furono dei fischi orribili, che non ho mai perdonato, e mai perdonerò. Ma avrebbero dovuto rappresentare, a volerne capire il senso, il tentativo assordante, maldestro, di un risveglio. Il punto piú forte dell'umiliazione, ma anche uno strattone. Erano il tentativo estremo, disperato e allo stesso tempo brutale, sprezzante, di richiamare il Pci, Berlinguer e me stesso sulla strada del mondo possibile, della fragilità di un punto che mettesse d'accordo tutti, facendo perdere un po' tutti in modo da fare un passo faticoso in avanti.

In un incontro avvenuto alle Frattocchie, prima dello scontro finale tra i due, che doveva essere un avvicinamento e che invece finí per sancire la distanza definitiva, Craxi riferí di aver trovato Berlinguer fermo alla televisione in bianco e nero: non vuole vedere il cambiamento del Paese, i nuovi ceti, il cambio di linguaggio.

Anche se questo giudizio è di Craxi, è un giudizio esatto.

In seguito, infatti, abbiamo dovuto ammettere che il taglio della scala mobile era necessario; l'inflazione scese in poco tempo al sette per cento e diede lo slancio decisivo alla ripresa degli anni successivi. Ma quella discussione rappresentava soprattutto il passaggio verso un riformismo e una modernità; o al contrario, un freno.

Il Pci, Berlinguer e io stesso accogliemmo i fischi (il giudizio) – e continuo a soffrirne ancora adesso, di quella scena orribile – come un'umiliazione. Sancivano la rottura, la diversità. Anzi, con ogni probabilità quei fischi provocarono non solo il dolore che si rivelò come insopportabile un mese dopo, ma anche la definitiva stretta politica, l'impossibilità di tornare indietro. Quei fischi, se volevano essere anche – epicamente – il richiamo disperato alla realtà, ebbero l'effetto contrario: resero la purezza irreversibile, la autorizzarono per sempre. E autorizzarono, di conseguenza, l'impossibilità del termine di quella lotta, fino alla resa dei conti, in cui ci sarebbe stato un vincitore e uno sconfitto.

In qualche modo tutto questo assomigliava alla confusione che si fece ai tempi di Moro tra la fermezza dello Stato e la volontà di alcuni uomini dello Stato di non salvare Moro. Qui si è confusa la tensione verso la modernità, necessaria e politicamente viva (vicina alle intenzioni degli scritti di Berlinguer sul compromesso storico) con la spietatezza e il cinismo di Craxi, dei suoi uomini e di quegli anni. Si confuse, in seguito, il Craxi di quel momento con il Craxi irrefrenabile e ingordo che venne dopo. Alcune fasi decisive del Paese ebbero questa lettura nemmeno doppia, ma univoca, confondendo la modernità e la corruzione. Cosí, starne fuori, conservare intatta la purezza, frenare a favore di un ritorno al passato, divenne lo spazio possibile della sinistra.

Allo stesso tempo, l'emotività ha una sua forza difficile da abbattere. E infatti, nel tempo, quanto piú mi è stato chiaro che la battaglia di Berlinguer in difesa della scala mobile fosse sbagliata, quanto piú quei fischi imperdonabili avevano la loro ragione – tanto piú il sentimento di appartenenza a un uomo serio e onesto che entra nel palazzetto dello sport di Verona e viene sommerso dai fischi, che non sa dove andare lí in mezzo, risulta ancora piú commovente. Straziante. Insomma, il fatto che avesse torto aumenta l'identificazione di quel momento; aumenta l'adesione emotiva, non la diminuisce.

Ma c'è qualcosa in piú, nella conseguenza di questa scelta. Una differenza che è ancora piú decisiva (e in piena sintonia) rispetto alla svolta dal progresso alla reazione. Con il compromesso storico, Berlinguer aveva deciso di occuparsi di tutti gli italiani, anche quelli molto diversi dai comunisti. Con l'alternativa democratica, aveva scelto di occuparsi soltanto dei comunisti, di dividere il campo tra noi e gli altri, tra i giusti e gli ingiusti. Da questa divisione è scaturita tutta la storia negativa della sinistra italiana nei decenni successivi.

Se Berlinguer non era propenso a diventare un eroe della purezza (come è diventato), se ha speso la quasi totalità della sua vita politica in favore del compromesso, e quindi della governabilità – allora posso finalmente dare una risposta alla domanda che mi ha accompagnato per tutta la vita. Una domanda alla quale ho temuto per tanto tempo di dare una risposta, almeno fino a quando l'intervento di Bertinotti in Parlamento, in conseguenza del mio voto per il suo partito, non ha rotto gli equilibri fragilissimi sui quali avevo fondato la mia vita adulta.

Molti anni dopo il fallimento della teoria di Matthäi, davvero tanti, il commissario viene chiamato al capezzale di una donna morente, in ospedale. Accanto a lei c'è un prete, che ha appena accolto la confessione e la spinge a parlare al commissario. La donna, tra moltissime divagazioni, racconta di aver sposato un giovane, un uomo molto grosso, che andava in giro con una vecchia auto americana. Sembrava un po' stupido ma buono, poi con gli anni era cambiato. E racconta che era tornato a casa una notte, pieno di sangue. L'uomo confessò che aveva ucciso una bambina ma le promise che non l'avrebbe fatto mai piú. La donna, folle quanto lui, lo perdonò. Ma dopo tanto tempo accadde ancora, e poi ancora, e l'uomo giurava sempre che non sarebbe accaduto mai piú. E poi un'altra volta, quando la donna si accorse che erano sparite di nuovo le praline, capí che l'uomo aveva incontrato un'altra bambina. Stavolta si oppose, disse basta. Tentò di non farlo uscire da casa. Lui, infuriato, la scaraventò a terra, dicendo che doveva andare all'appuntamento, che non poteva farne a meno. Mise in moto l'auto e partí a gran velocità, in stato confusionale. Dopo nemmeno un'ora, chiamarono a casa della donna: l'uomo aveva avuto un incidente, ed era morto.

Il gigante stava andando a quell'appuntamento con la bambina, il giorno in cui Matthäi disse: lo prendiamo.

Matthäi aveva ragione.

In un romanzo, dice il commissario, uno scrittore avrebbe trovato mille soluzioni, mai questa. Ma questo era ciò che era successo – che può succedere – nella vita reale.

Il commissario andò da Matthäi a raccontare cosa aveva saputo, ma lui ormai lo guardava già con occhi assenti e continuava a ripetere soltanto: aspetto, verrà.

Il commissario ha raccontato questa storia per dimostrare che la logica che gli scrittori di romanzi polizieschi adottano per i loro libri, non corrisponde alla vita. Nei romanzi tutto è causa ed effetto, e chi indaga mette insieme dei fatti e giunge a un risultato sempre positivo. Nei romanzi polizieschi, dice il commissario, non è previsto il caso, ciò che non si può calcolare nei ragionamenti sulla vita. *La promessa*, infatti, ha come sottotitolo: «Un requiem per il romanzo giallo». Il commissario è lí per dimostrare allo scrittore che soltanto i romanzi sono esenti dal lavoro della casualità, mentre la vita ne è piena.

Dürrenmatt, o meglio il personaggio narratore che accompagna lo scrittore nel viaggio, a proposito dell'incidente, quindi del caso che fa cambiare il corso delle cose, dice che la vita è cosí, nella sostanza, e non ci si può far niente. E nessun narratore, con la sua capacità di rimettere tutto in una sequenza logica, può far rientrare nella logica l'imprevisto.

Berlinguer, i parlamentari, noi tutti, aspettavamo l'auto di Moro quella mattina. Abbiamo aspettato e aspettato, ma quell'auto non è mai arrivata. È stata deviata la Storia in modo del tutto illogico, siamo qui ancora a pagarne le conseguenze, e non possiamo farci nulla.

Se potessi risolvere con l'ipotesi logica, direi che il compromesso si sarebbe compiuto; e anche che io con ogni probabilità non avrei avuto nessun bisogno di andare via dalla mia città: sarei rimasto lí a presidiare la fontana di Diana e Atteone; e forse non ce ne sarebbe stato bisogno, perché non sarebbe venuto nessuno a dire frasi maliziose sulla notte romantica.

L'Unità dell'11 giugno 1984, il giorno in cui il segretario del Pci sarebbe morto, ma non era ancora morto, aveva un titolo a grandi caratteri: TI VOGLIAMO BENE ENRICO. E poco sotto, c'era un editoriale firmato da Natalia Ginzburg, intitolato: *L'uomo che conosciamo*, in cui la Ginzburg dice che milioni di persone si chiedono se rimarrà in vita, se tornerà a casa, oppure no; però l'articolo comincia con il tempo presente e all'improvviso vira al tempo imperfetto. Per poi spiegare: «Se ho parlato di lui all'imperfetto, è perché penso che sulla scena politica italiana Berlinguer non potrà piú essere presente». La Ginzburg sa che in ogni caso non potrà tornare quello di prima, ma Berlinguer morirà proprio in quelle ore, quando i lettori hanno appena letto *L'uomo che conosciamo*, che cerca di spiegare chi era quell'uomo che non ci sarà piú.

«Da quando Berlinguer lotta con la morte in una stanza d'ospedale a Padova, milioni di persone in Italia pensano a lui con speranza e lagrime, non come si pensa a un personaggio politico o pubblico ma come si pensa a un essere che fa parte della nostra vita privata, un familiare o un amico la cui perdita sarebbe incolmabile».

L'impatto emotivo della Ginzburg, nella sua scrittura semplice, diretta, è molto forte. Il linguaggio è quello di uno scrittore, lí dove il giornale e la politica usano di solito parole diverse. Ma le parole della Ginzburg sono precise perché spostano il discorso sul rapporto privato che le persone sentono di avere con Enrico Berlinguer; l'uomo pubblico per eccellenza, in quegli anni – in quei giorni, soprattutto – viene visto come un familiare che stiamo perdendo. In pratica, la Ginzburg, unendo sentimento privato e pubblico, svela che Berlinguer rappresentava già qualcosa al di là del Pci, qualcosa di piú dell'appartenenza diretta. Rappresentava già quell'uomo di Stato che molti temevano diventasse, e che Moro aveva voluto tenere a bada per ragioni di opportunità, verso i democristiani e verso gli Stati Uniti. E invece Berlinguer sarebbe arrivato al cuore anche di chi non rappresentava. Cioè, al cuore di tutti.

La Ginzburg spiega in anticipo e in poche parole la ragione di quell'abbraccio della gente, dei pianti e delle file per rendere omaggio. E in piú spiega finalmente chi sono TUTTI.

«A porsi queste domande incessanti non sono soltanto persone del suo partito, o di idee affini alle sue, ma sono persone varie, le quali hanno buttato via di colpo ogni concezione e idea politica, scoprendo che alla figura di Berlinguer avevano dato sempre un'ammirazione e un affetto di cui finora non si erano accorte».

Se ha ragione Natalia Ginzburg, dentro quelle parole c'è la spiegazione del perché la natura di Berlinguer si esprimeva con il compromesso storico e non con l'alternativa democratica.

Tutti vuol dire il Paese, e non soltanto il popolo comunista.

Ecco cosa avevo sbagliato, nella mia valutazione. C'erano le persone a San Giovanni, e c'erano quelli che guardavano la tv a casa (come me); c'erano coloro che si erano messi in fila per ore per andare a dare l'ultimo saluto a Berlinguer a Botteghe Oscure. C'erano quelli che stavano ai bordi delle strade, migliaia e migliaia, che erano lí a guardare la bara che passava. C'era gente che piangeva, gente che alzava il pugno, come avevo fatto io, o che si faceva il segno della croce o che osservava con silenzio rispettoso. Non erano soltanto comunisti. Ma per le strade, a Botteghe Oscure, a San Giovanni – e non solo: a casa, davanti alla tv, o che ascoltavano la radio in macchina, oppure che lavoravano e intanto erano coscienti e tristi per quello che era accaduto. Erano, appunto, tutti.

La Ginzburg rivela a tutti che quel TUTTI non siamo solo noi comunisti, ma il Paese intero; rivela che nonostante le difficoltà, gli eventi storici, e perfino gli errori di strategia compiuti da Berlinguer, la sua idea di compromesso storico, cioè di crescita del Paese, non soltanto di una sua parte, si è compiuta non sul piano politico ma su quello emotivo. Senza che ce ne accorgessimo, Berlinguer rappresenta già quell'idea di collaborazione, di confronto, di compromesso appunto (nel senso migliore in cui lo intendeva, e cioè di trovare un accordo virtuoso per far progredire l'Italia); suo malgrado; malgrado, cioè, le scelte degli ultimi anni. E di conseguenza saremo noi a interpretare male (con la collaborazione delle sue ultime mosse, certo) quel TUTTI che l'Unità metterà in rosso nel titolo, il giorno dopo i funerali.

«Nel paesaggio politico italiano, Berlinguer non rassomiglia a nessuno. I tratti del personaggio politico e pubblico, nella sua fisionomia e nella sua persona, erano del tutto assenti. Ed è anche per questo che gli italiani oggi, al di là di ogni ideologia politica, lo sentono cosí vicino». Poi la Ginzburg fa un ritratto rapido e indimenticabile di quelle caratteristiche inimitabili; accenna anche alla sua dignità durante i fischi di un mese prima. E infine, si avvia a concludere quasi supplicando: «dell'impronta che ha lasciato la sua immagine e la sua esistenza, sulla scena po-

litica italiana, è necessario che non vadano perse le tracce
e che il Paese non le dimentichi».

Un'esortazione che non è stata colta, fin dai giorni successivi. Noi per primi ci siamo tenuti il Berlinguer degli
ultimi mesi, alle prese con una battaglia retrograda e personale. Noi per primi ci siamo tenuti lui e ci siamo tenuti per noi quel TUTTI, perché abbiamo immaginato che a
quel Tutti bastassimo, fossimo esaustivi noi che stavamo da
questa parte. Da quel Tutti abbiamo tenuto fuori la gente
che non era come noi, e che pure in quei giorni aveva mostrato non solo di soffrire per un uomo, ma di capire cosa
aveva cercato di fare nella propria vita, della propria vita.

Cosí, il giorno dei funerali, abbiamo accolto tutti quelli
come noi, abbiamo allontanato tutti quelli diversi da noi.
Poi abbiamo chiuso i cancelli, abbiamo tirato un sospiro di
sollievo, commossi per la morte del nostro segretario, e abbiamo pensato che questo (tutti noi, soltanto noi) sarebbe
bastato per cambiare il Paese. E quasi subito, quando ci
siamo accorti che non sarebbe stato cosí, abbiamo pensato che importava poco, che noi qui dietro questi cancelli,
comunque, non saremmo stati toccati da qualsiasi degrado sarebbe arrivato. E molti pensano ancora che sia cosí.

Parise aveva già chiarito la sua posizione, nello scrivere la rubrica di dialogo con i lettori del Corriere, usandola
una volta per una risposta inconsueta: non a una lettera,
ma a delle chiacchiere che gli erano arrivate all'orecchio:
«Alcuni lettori snob, alcuni lettori "politici" (cioè gente
che fiuta le arie), alcuni lettori furbi che ritengono, chissà
perché, di far parte di una élite di lettori (come se il Corriere della Sera non fosse di "tutti" i lettori) mi rimproverano sotto sotto, senza dirlo direttamente, questa mia rubrica. Non è la prima volta. Mi rimproverano, senza dirlo
(eppure essi si credono democratici, e "progressisti"), che

con gli altri lettori, con la massa anonima, non si dialoga. I discorsi si fanno fra di noi, dell'élite, e gli altri devono star fuori dalla porta come è giusto». Lo rimproverano di mischiarsi con la realtà, di parlare a tu per tu con quelli che vanno in autobus. Non lo scrivono, dice Parise, ma lo dicono nei luoghi appartati dove si parla solo tra componenti dell'élite. Lui invece decide di rispondere sul giornale, in modo che sentano anche gli altri. Risponde che ritiene utile questa rubrica per tre ragioni.

Crede nel grado di maturazione di tutti i cittadini italiani rispetto al discorso pubblico. Anche quando scrive un romanzo o una poesia, non pensa all'élite, non pensa agli altri, ma, semplicemente, a tutti: «Teoricamente ogni persona che sappia leggere deve capire quello che scrivo». Anche quando si trova davanti a un pensiero oscuro, dice Parise, il suo compito è di renderlo semplice e chiaro. Evita le parole difficili perché non sono democratiche, quelli che le usano vogliono far credere di sapere cose che gli altri non possono sapere.

Ritiene che la rubrica possa essere utile agli altri – e quando dice gli altri, intende tutti gli italiani che leggono i giornali. Rispondendo alle lettere di alcuni di questi italiani si stabilisce un dialogo, «un piccolo esercizio di democrazia».

Ritiene infine che la rubrica possa essere utile a lui stesso perché uno scrittore deve scrivere, anche quando non scrive "poesia"; deve essere a contatto con la vita del suo Paese e dei suoi abitanti. «Questo mio Paese è l'Italia molto bella dei piú, non il meschinissimo Paese dei meno: quello dei meno è un Paese dove non si nasce, non si mangia, non si ama, non si vive e non si fa nessuna cultura. Dove non si respira nemmeno l'aria, perché prima bisogna "fiutare le arie che tirano" e solo dopo si respira. Questo non è il mio Paese: il mio Paese è l'Italia piena di calore animale, quella ignorata dai poveri snob, dove mi piace vivere e scrivere».

Ci sono due tipi di storie che si possono scrivere: quelle che fanno sentire migliori e quelle che fanno sentire peggiori. Le prime hanno come protagonista un personaggio che è migliore di noi, che ci conduce a comprendere come dovremmo essere; le seconde hanno come protagonista un personaggio che è peggiore di noi, che ci aiuta a comprendere come non dovremmo essere. Ma la questione ancora piú precisa, è la seguente: le prime ci rassicurano, perché noi siamo già un po' convinti di essere migliori di come siamo – è qui che scatta l'identificazione. Le seconde, invece, ci toccano perché noi siamo già peggiori di come crediamo di essere, e per questo ci sentiamo colpiti, inquietati.

Se riesco a percepire il buio che c'è dentro di me, le somiglianze con ciò che non mi piace; se riesco a concepire un'affinità con chi è lontano; se riesco a comprendere quanto sono coinvolto in ciò che non amo, che non mi piace, che di solito accuso come se non mi appartenesse – quella è la strada concreta, reale, per combattere con limpidezza ed efficacia. L'abitudine è quella di sentirsi estranei agli errori, estranei alle brutture del Paese. L'estraneità rende impermeabile la conoscenza, e senza conoscere le ragioni degli altri, non si può combatterle.

Sabato scorso sono tornato alla Reggia dopo tanto tempo. Ho camminato nel parco. Una lunghissima passeggiata, fino in cima. Era una giornata bellissima, anche perché un po' di vento contrastava il caldo. Con me, saliva o scendeva un sacco di gente, tantissimi stranieri. Non c'era spazio che non fosse occupato da persone che leggevano la guida, che fotografavano i figli.

Quassú, davanti alla fontana, c'era una specie di caos, un vociare insistente che non mi ha mai fatto sentire nitido il suono dell'acqua. Ma del resto andava bene cosí: non ne avevo piú bisogno. Mi sono messo di nuovo nella posizione dove ero stato allora, e ho guardato il punto cosí vicino dove Berlusconi aveva detto quella frase stupida. Mi sono detto che non me ne andavo, che non me ne ero mai andato, nella sostanza. Quella fontana la sento mia – continuo a sentirla mia. Insieme a tutti quelli che ci sono venuti, nel tempo, che hanno sfiorato l'acqua, che hanno guardato le statue, che hanno sentito il rumore della cascata, dal giorno in cui è stata posata la prima pietra, il 20 gennaio 1752, compresi quelli che stanno qui intorno a me, adesso.

Alla fine, ho trovato i motivi per essere indulgente con quella frase stupida sull'aumento della prole. Anche perché in fondo è vero che era una situazione pubblica, ma riguardava un'affermazione al di fuori dei fatti del G7, e non bisognava identificare la frase di Berlusconi con la politica di Berlusconi. La politica di Berlusconi mi sembrava sufficiente per la distanza che mi separava da lui. Ma non avevo nessun bisogno di aumentare il grado di realtà con i suoi fatti privati. E per questo poi non mi sono occupato di tutte le questioni private che lo riguardavano, persino le piú scandalose (che qui ho deciso di non riassumere). Non pensavo che non fossero gravi, o scandalose. Non pensavo che non dovessero subire regolari processi. Non pensavo che un uomo politico potesse avere la vita privata che gli pareva, anche eccessiva – o piú che eccessiva. Semplicemente, se per me ha valore questa fontana di Diana e Atteone, se il suo racconto mi ha accompagnato nel corso della vita, non mi può interessare la vita privata di qualsiasi personaggio pubblico. La vita privata e la vita pubblica sono intrecciate in qualsiasi individuo e i vasi comunicanti sono sempre in funzione. Ma rimane il fatto che nella vita pubblica debba essere condannata la vita pubblica, nella politica debba essere condannata la politica, e se ci si comporta bene o male in politica.

Ho scelto, tra l'offesa privata che Berlusconi era venuto a farmi fino nel mio privatissimo punto di nascita al mondo, e l'indulgenza verso quell'invasione, l'indulgenza privata e la condanna pubblica. Ho costruito una separazione, una inimicizia non tra vita privata e vita pubblica; ma verso la confusione del giudizio tra privato e pubblico: è quello che ho imparato dalla storia di Giovanni Leone, da Sophia Loren e dalla lettera di Aldo Moro.

Ecco cosa era venuto a fare davvero Berlusconi qui: a mettere alla prova il mio senso democratico. Ma io quella prova ho tutta l'intenzione di superarla. Perché l'Italia è il Paese che amo *io*, e qui ho le *mie* radici, le *mie* speranze e i *miei* orizzonti.

Il desiderio di essere come tutti comprende anche Massimo e il ragazzo con le lentiggini, qualsiasi cosa abbiano fatto nella loro vita, in seguito: sono quell'altra parte di mondo, quella che poi ho giudicato diversa, lontana; ma sono loro ad avermi portato lí, e se il ragazzo con le lentiggini non ci avesse chiesto di andare a rubare la coca cola, la Reggia cosí, come in quel momento, non l'avrei mai vista. In fondo, è cosí che eravamo, quando eravamo bambini: eravamo tutti nella stessa classe, oppure nello stesso cortile, e giocavamo, e non sapevamo cosa saremmo diventati, cosa avremmo pensato, quanto saremmo stati diversi.

Comprende mio padre: in fondo io e lui ci siamo molto amati e abbiamo vissuto tanto tempo insieme, e senza di lui non mi sarei mai messo a cercare le ragioni del mio istinto all'eguaglianza, né avrei mai avuto percezione della diversità fin dalla mattina a colazione. È con lui che mi sono seduto davanti alla tv a guardare la partita tra le due Germanie. E comprende mia madre, che una volta mi ha detto che forse non era la madre che avrei desiderato avere, e invece non sa quanto la sua superficialità abbia determinato una serenità di base che nemmeno le picconate riescono ad abbattere.

In quel tutti, c'è Claire, ma c'è anche Stuart, e per questo poi torneranno insieme. E invece, se Claire e Stuart avessero vissuto in questi venti anni, in Italia, lei non lo avrebbe perdonato, si sarebbero divisi per sempre. E soprattutto c'è il fatto che avrei voluto essere Claire e invece sono stato Stuart – ma soltanto il racconto dei due insieme fa capire qualcosa dell'esistenza. E del resto, anche Stuart avrebbe voluto essere Claire.

Avrei voluto essere la Katie di Barbra Streisand, e anche Hubbell avrebbe voluto esserlo.

In quel tutti, c'è zia Rosa, ma anche zio Nino; ci sono Camilla Cederna e Giovanni Leone. C'è mio cugino Gianluca che era accanto a me mentre ci dicevano che potevamo morire. Ci sono tutti i miei amici che durante i giorni del terremoto sono venuti a fare colazione a casa, insieme a quelli che sono partiti per andare a scavare nelle macerie. C'è Alessandro, sia quando mi batteva (quasi sempre) sia quando perdeva (quasi mai) e non mi rivolgeva la parola. C'è il Gassman de *La terrazza* che non trova risposta alla sua felicità individuale, ci sono i fotografi che lo hanno sorpreso mentre usciva dal ristorante con Stefania Sandrelli, e ci sono anche quelli che volevano a tutti i costi fotografare Sophia Loren. Ci sono Berlinguer, Moro, Cossiga, Andreotti; c'è Craxi. Ci sono anche Morucci e quella redattrice del Manifesto – anche di loro ci si deve occupare. Ci sono i miei figli, che adesso sentono di assomigliarmi, e tra poco non piú. C'è il soppalco dove dormono. C'è Elena, sia quando mi ha baciato sia quando mi ha ridato lo Snoopy ed è andata via.

Noi pensiamo sempre che c'è stato un passato migliore, in cui le persone si occupavano, tutte, di questioni importanti. Pensiamo che siano i nostri tempi a essere superficiali, perduti. È questa certezza che ha reso saldo il nostro istinto reazionario, in qualsiasi spazio di vita. Era meglio prima.

Gli uomini primitivi, quando arrivava la luce del giorno, uscivano dalle caverne e rischiavano la vita contro animali ferocissimi, per procurarsi cibo. Ma si è scoperto che uscivano dalle caverne e rischiavano la vita anche per procurarsi coralli per fare le collane. Rischiavano allo stesso modo, sia per la sopravvivenza sia per la vanità.

La superficialità ha diritto di esistere, quanto la profondità. La vita politica, la vita contemplativa e la vita dedita ai piaceri sono sempre esistite contemporaneamente, e la capacità di farle convivere è il compito di ogni individuo e di ogni comunità. È questo il problema in cui mi sono trovato alla mia nascita in quanto persona che sta nel mondo, e al quale non sono mai riuscito a dare risposta – rubavo la coca cola e contemporaneamente sentivo la grandezza di far parte dell'umanità. Gli esseri umani si preoccupano delle condizioni di vita nel mondo e cantano a squarciagola canzonette sotto la doccia. La sinistra, mi pare, ha imparato a conoscere a fondo i grandi problemi di questo Paese (senza peraltro che questa conoscenza bastasse a risolverli); mentre è geneticamente maldisposta verso un'altra parte di Paese, preponderante per costume e forza, superficiale, spensierata. Ed è cosí geneticamente maldisposta, che non sa nemmeno piú che Paese è. Finora questa lacuna era stata combattuta dicendo: stanno dall'altra parte del confine, non ci riguardano. Ma poiché questo è un solo Paese; poiché la Storia ha insegnato che la corresponsabilità degli accadimenti è di coloro che vincono e di coloro che perdono, anche se non in parti uguali; poiché probabilmente in ognuno di noi al di qua del confine c'è una percentuale di superficialità, di spensieratezza e anche di mostruosità – che siamo sicuri di non avere, ma che abbiamo – è bene oltrepassarlo questo confine e andare a capire di là chi c'è, come si ragiona, cosa si fa. Portando il proprio sapere, i propri ragionamenti, le proprie soluzioni.

La sinistra si deve occupare di procurare cibo per sopravvivere e si deve occupare di procurare coralli per le collane. Se non fa entrambe le cose – come non ha fatto – diventa elitaria e dispregiativa.

Quindi, se tutto questo è vero, se la storia delle collane dei primitivi ha un senso, anche il mio Snoopy aveva un senso. Elena doveva certo ricordarmi che anche nel giorno di San Valentino si fa politica, però poteva prenderselo quello Snoopy avvolto nella carta rosa, e dargli l'importanza che voleva avere, cioè piccola ma in qualche modo significativa. Se lo avesse fatto, sarebbe cambiato tutto per noi due, e avremmo dimostrato al mondo che potevamo tenere tutto insieme, che insieme stavamo lí fuori per procurarci cibo e per procurarci coralli. Era il mio sublime gesto di superficialità, e potevo farlo io, per come avevo vissuto, e non Elena. E lei avrebbe potuto impararlo da me, perché quelli come me potevano insegnare le cose che Elena non sapeva, cosí come Elena aveva insegnato a me le cose che non sapevo.

Hubbell alla fine del film dice «Tu non molli mai»

perché in fondo Katie ha scelto una vita di passioni e di ideali, e quindi in qualche modo è rimasta giovane – legata alla sua giovinezza. E tra tutte le ragioni di nostalgia e rimpianto per la propria giovinezza, la piú concreta è aver perso Katie. È questo il centro della vita mancata – l'idea che ciò che hai incontrato la prima volta, è l'assoluto a cui tornare sempre – e nella sostanza: non riuscire a tornare piú. La purezza si conserva, o si crede di poterla conservare, continuando ad amare, per il resto della vita, quell'idea di amore che è il primo amore.

«Non voglio ricordare la mia giovinezza, perché essa non c'è piú».

Di quella giovinezza non ho nessuna nostalgia; l'ho vissuta, ma non sono rimasto legato in maniera morbosa, non sono rimasto innamorato di quella ragazza. Incontrare Elena/Katie non è piú il mio desiderio. Sono sicuro che lei non ha mollato, ma non è un rimpianto, il mio.

Io sono piantato dentro la mia vita. Amo Chesaramai, anche nella sua superficialità che mi assomiglia tanto, e ho accettato la vita che dovevo vivere e che ho vissuto, l'ho accettata anche nelle sue parti meno riuscite, piú difficili; e non ho né nostalgia di quel tempo, né nostalgia della giovinezza; tutto questo è rimasto lí nel passato come dovrebbe essere. E soprattutto è legato al fatto che istintivamente e privatamente non sono dedito al pensiero nostalgico, alla reazionarietà, perché nella mia vita tutto ciò che mi è accaduto mi ha portato sempre in avanti, e in qualche modo ho concepito come "reazionario" anche quel sentimento che ho visto intorno a me molte volte, di rimanere legati al primo amore come la forma unica e vera dell'amore; e ancora di piú, se quell'amore non si è compiuto, se rappresenta un'astrattezza. Come se l'innamoramento della prima volta fosse l'unica forma di amore autentico – penso vogliano dire: puro.

Invece credo fermamente nel presente; e credo ancora piú fermamente nell'età adulta, e di conseguenza nell'amore degli adulti. Credo nella forza delle cose.

Sono nato con l'istintivo desiderio di essere come tutti, però poi ci ho messo una vita intera a individuare con piú precisione e consapevolezza questo desiderio, a concepire l'impuro come un modo di stare al mondo, e a coniugarlo con quel sobbalzo che feci durante una partita. Con quel mondo. Ma anche lí, è nato tutto, senza nemmeno esserne cosciente, in sintonia con gli articoli di Berlinguer – si può governare, si possono fare compromessi, anzi il compromesso è la forza del progresso al contrario di quello che si ritiene. Certo non è risolutivo, ma insomma sono finalmente consapevole di essere tutto intero, di aver attraversato venti anni berlusconiani continuando a cercare di capire il mondo e me stesso, me stesso in rapporto col mondo, il mondo in rapporto con me stesso; ho accettato cosí questa mia incompletezza, questa mia dedizione alla superficialità, questa mia capacità di star fuori dalle cose e guardarle, e questa mia incapacità di essere una persona pura, coerente.

Mi sembra quindi di aver raggiunto, attraverso l'impurità, un equilibrio condivisibile con il mondo intorno. Però proprio adesso, nel momento in cui ho creduto di avercela fatta, succede che la purezza sta tornando con energia inarrestabile, si sta impadronendo della sinistra e dell'Italia, spazzando via tutto il resto. Che sia antipolitica, che sia qualunquismo, che sia qualsiasi cosa possa diventare, è tornata prepotente l'idea che l'etica sia l'unico spazio, l'unico mezzo e l'unico fine della vita pubblica, non ce ne sono e non ce ne devono essere altri, non importa nessun'altra cosa che quella.

Kundera lo ha definito «judo morale». È una mossa di judo, di quelle che mettono l'avversario sotto e lo costringono a battere la mano a terra per testimoniare la resa.

Solo che è una mossa verbale: la si usa per mettere l'altro in una situazione di inferiorità morale.

Il campione di judo morale sfida l'avversario rifiutando ogni trattativa segreta e mettendosi in una posizione di maggior coraggio, maggiore onestà, maggiore disponibilità al sacrificio. Chiama in causa l'avversario per sfidarlo davanti a tutti. L'esempio che fa Kundera è perfetto: «Siete pronti (come lo sono io) a devolvere il vostro stipendio di marzo a favore dei bambini somali?» Colti alla sprovvista, dice Kundera, gli altri avranno solo due possibilità: o rifiutare, dichiarando in tal modo la propria infamia di nemici dei bambini, o rispondere: «Sí» in un terribile imbarazzo, che la telecamera dovrà maliziosamente mostrare.

È tornato, con maggiore determinazione e consenso, quel gruppo di ciclisti che gira per la città con l'intento di umiliare la vita colpevole degli altri.

Cosí, sono di nuovo in mezzo. Di nuovo, come Tomáš, a osservare da una parte una distanza politica, e una disinvoltura eccessiva e sprezzante; dall'altra lo judo morale.

Io che volevo essere come tutti, non riesco a essere come nessuno.

Ho sposato Chesaramai, ho sposato l'Italia. Ho con loro un rapporto lunghissimo che non voglio che finisca, voglio che duri per sempre. Nelle somiglianze e nelle differenze (in salute e in malattia). Ma in realtà si confondono, mi sembrano la stessa cosa. La superficialità di Chesaramai, la mancanza della tragedia nel suo dna corrisponde al sentimento degli italiani verso le cose che succedono. Ed ecco perché assomiglio a Chesaramai, perché abbiamo questa sensazione di aver solo sfiorato le cose e di non averle colpite e quindi la capacità sempre di scrollarcele di dosso, la volontà di non rovinarci la giornata. Non c'è dubbio che siamo parte di questo Paese, a pieno titolo. Come le dita della mano, ci portiamo dietro tutti i difetti, in qualsiasi luogo ci spostiamo.

Tutti noi sfioriamo brandelli di Storia di continuo, nasciamo una seconda volta e a un certo punto comprendiamo come tutto questo ci riguarda, e riguarda perfino la propria esistenza minuscola e appartata. Da un certo punto della mia vita in poi, la vita pubblica e la vita privata si sono equivalse, e poi si sono confuse. E sia verso la vita privata sia verso la vita pubblica bisogna operare una terapia di accanimento. Se il Paese è devastato e in crisi, vale la pena esserci. Vale la pena piantarsi qui, e appassionarsi al susseguirsi degli eventi.

In questi venti anni ho sentito un numero incalcolabile di persone dire che l'unica cosa da fare è andarsene da questo Paese, e ormai ho imparato dallo sguardo, dal movimento del capo, dal sospiro che precede la frase, che stanno per dirlo. Non capisco come possa diffondersi cosí facilmente una mancanza d'amore verso la politica. Non capisco il distacco. La passione per la vita pubblica, almeno la passione, non ha a che fare né con le sconfitte né con la solitudine. La vita pubblica dà luce viva, e senso, alla vita privata. È spesso piú appassionante, e vale la pena parlarne con gli altri, sempre.

L'idea che quel gol di Sparwasser ha piantato dentro di me, quella sera, rimane intatta: sono una persona di sinistra, voterò per tutta la vita il partito della sinistra riformista che cercherà di governare secondo i criteri del compromesso e della collaborazione. Che ci riesca, che non ci riesca, che i suoi rappresentanti siano virtuosi o viziosi, scadenti o di grande personalità, io sto insieme a loro. Posso pensare che anche se le cose peggiorano, sono interessanti – forse addirittura piú interessanti. E voglio restare qui a viverle, a guardarle, e a provare a raccontarle.

Io resto qui, come Matthäi rimane per tutta la vita davanti al distributore di benzina, ad aspettare. Non importa se arriverà o no – non importa che non potrà piú arrivare.

C'è stato l'incidente, ma io non lo so. O meglio, lo so, me l'hanno raccontato, ma sono impazzito e continuo a dire che verrà, io aspetto perché sono convinto che verrà.

Insomma, io non mollo mai.

Quelli che decidono di andarsene da questo Paese, o semplicemente dicono per tutta la vita di volerlo fare, è perché si vogliono salvare.

Io invece resto qui. Perché non mi voglio salvare.

Fonti delle citazioni.

Natalia Ginzburg, *Non possiamo saperlo*, Einaudi, Torino 2001.

Raymond Carver, *Con tanta di quell'acqua a due passi da casa*, in *America oggi*, traduzione di Riccardo Duranti, minimum fax, Roma 2009.

Enrico Berlinguer, *Riflessioni sull'Italia dopo i fatti del Cile*, in «Rinascita», 28 settembre - 5 e 12 ottobre 1973.

Aldo Moro, Atti parlamentari, VII legislatura, Parlamento in seduta comune, Roma marzo 1977.

Claudio Signorile, *Perdemmo il senso del Paese*, in «Critica Sociale» n. 10, 2010.

Come eravamo, regia di Sydney Pollack (USA, 1973).

La terrazza, regia di Ettore Scola (Italia/Francia, 1980).

Che cos'è la questione morale, intervista di Eugenio Scalfari a Enrico Berlinguer, in «la Repubblica», 28 luglio 1981.

Liliana De Cristofaro, *Donne cancelli e delitti. Racconti dal carcere*, Guida, Napoli 2009.

Italo Calvino, *Le cose mai uscite da quella prigione*, in «Corriere della Sera», 18 maggio 1978.

Aldo Moro, *Lettere dalla prigionia*, a cura di Miguel Gotor, Einaudi, Torino 2008.

Enrico Berlinguer, Atti parlamentari, IX legislatura, Camera dei deputati, Roma aprile 1984.

Bettino Craxi, XLIII Congresso del Partito Socialista Italiano, Verona maggio 1984.

Bettino Craxi, deposizione al "processo Cusani", Milano dicembre 1993.

Rosellina Balbi, *Vecchie carte da gioco*, in «la Repubblica», 29 novembre 1984.

Rodolfo Brancoli, *Atmosfera romantica, attenti a non aumentar la prole*, in «Corriere della Sera», 11 luglio 1994.

Fausto Bertinotti, Atti parlamentari, XIII legislatura, Camera dei deputati, Roma ottobre 1998.

Goffredo Parise, *Verba volant. Profezie civili di un anticonformista*, Liberal libri, Firenze 1998.

Italo Calvino, *Una pietra sopra. Discorsi di letteratura e società*, Einaudi, Torino 1980.

Milan Kundera, *L'insostenibile leggerezza dell'essere*, traduzione di Giuseppe Dierna, Adelphi, Milano 1985.

Natalia Ginzburg, *L'uomo che conosciamo*, in «l'Unità», 11 giugno 1984.

Milan Kundera, *La lentezza*, traduzione di Ena Marchi, Adelphi, Milano 1995.

Indice

Stampato per conto della Casa editrice Einaudi
presso ELCOGRAF S.p.A. - Stabilimento di Cles (Tn)
nel mese di febbraio 2017

C.L. 23298

Edizione								Anno			
1	2	3	4	5	6	7		2017	2018	2019	2020